Cozinha Vegetariana

*Saúde e bom gosto
em mais de 670 receitas*

CAROLINE BERGEROT
(SEFIRA)

COZINHA VEGETARIANA

*Saúde e bom gosto
em mais de 670 receitas*

Editora Cultrix
São Paulo

Copyright ©1999 Caroline Bergerot.

1ª edição 1999.
10ª reimpressão 2016.

Capa: Jean Bergerot.

Para contatos com a autora, use o e-mail: sefira@international.com.br

Todos os direitos reservados. Nenhuma parte deste livro pode ser reproduzida ou usada de qualquer forma ou por qualquer meio, eletrônico ou mecânico, inclusive fotocópias, gravações ou sistema de armazenamento em banco de dados, sem permissão por escrito, exceto nos casos de trechos curtos citados em resenhas críticas ou artigos de revistas.

A Editora Cultrix não se responsabiliza por eventuais mudanças ocorridas nos endereços convencionais ou eletrônicos citados neste livro.

Dados Internacionais de Catalogação na Publicação (CIP)
(Câmara Brasileira do Livro, SP, Brasil)

Bergerot, Caroline
     Cozinha vegetariana : saúde e bom gosto em mais de 670 receitas / Caroline Bergerot (Sefira). -- São Paulo, Cultrix, 2007.

     7ª reimpr. da 1ª ed. de 1999.
     ISBN 978-85-316-0471-3

     1. Culinária vegetariana 2. Receitas 3. Vegetarianos I. Título.

07-1386   CDD-641.5636

Índices para catálogo sistemático:

1. Receitas vegetarianas : Culinária 641.5636

Direitos reservados
EDITORA PENSAMENTO-CULTRIX LTDA.
Rua Dr. Mário Vicente, 368 – 04270-000 – São Paulo, SP
Fone: (11) 2066-9000 – Fax: (11) 2066-9008
http://www.editoracultrix.com.br
E-mail: atendimento@editoracultrix.com.br
Foi feito o depósito legal.

Impressão e acabamento: *Orgrafic Gráfica e Editora*

SUMÁRIO

PREFÁCIO 7

CONVERSA INICIAL 9

SALADAS 15

CONSERVAS 43

SOPAS 53

ARROZ E RISOTOS 77

PRATOS PRINCIPAIS 87

ACOMPANHAMENTOS 129

PANQUECAS E SUFLÊS 157

ASSADOS E TORTAS 167

PIZZAS E ESFIHAS 185

MASSAS 205

PASTAS E PATÊS 229

PÃES 239

MASSAS DOCES 275

BOLOS 305

DOCES 333

GELÉIAS E COMPOTAS 351

SUCOS E VITAMINAS 359

ÍNDICE DAS RECEITAS 375

PREFÁCIO

Dr. José Maria Campos
(Clemente)

O corpo reflete em si, de forma precisa, a qualidade dos alimentos que recebe. Os processos que nele ocorrem sob a influência de uma alimentação vegetariana são totalmente distintos daqueles sob a influência de uma alimentação carnívora.

A ciência já fez uma importante declaração pública ao reconhecer oficialmente a nocividade da carne para o organismo humano. Mais de três mil especialistas no combate ao câncer reunidos no 17º Congresso Mundial do Câncer, em agosto de 1998, no Rio de Janeiro, associaram o uso da carne vermelha a seis tipos específicos de tumor. Essa constatação objetiva veio somar-se às informações de alguns pesquisadores americanos que, pouco antes, haviam concluído serem os riscos de câncer no intestino três vezes maiores para os que ingerem qualquer tipo de carne do que para os vegetarianos.

Embora o efeito nocivo da carne na alimentação humana fosse há tempos conhecido e seu uso fosse por muitos radicalmente combatido, essas foram umas das primeiras declarações oficiais de grande projeção da ciência ortodoxa ante tema tão decisivo para a saúde e o bem-estar da raça humana.

Assim, este belo livro de Caroline Bergerot (Sefira), bastante atual e sintonizado com necessidades bem amplas, vem oferecer a quem busca mudar seus hábitos alimentares novas e ricas opções, bem diversificadas e totalmente baseadas em vegetais. A jovem autora, "expert" e competente em cozinha natural, e muito criativa, sugere-nos de imediato a purificação do corpo para que certas capacidades latentes do ser possam emergir, porém sem fanatismos e sem nenhuma espécie de violência.

Pelo seu magnetismo peculiar, o alimento de origem animal introduz no organismo humano determinadas tendências psíquicas, entre as quais o medo, a agressividade, a competitividade e o egoísmo, que devem ser dominadas e transcendidas no ser humano. Pela alimentação vegetariana, a pessoa se torna muito mais capaz de pensamentos coesos e de sentimentos puros e fica mais dócil e maleável à condução de seu próprio eu interno e superior. Por outro lado, quem se alimenta preponderantemente de carne apresenta pensamentos mais impulsivos e um sangue mais pesado e escuro, que carrega em si fortes tendências instintivas.

A alimentação carnívora introduz no organismo elementos que aos poucos se vão transformando em substâncias estranhas, que seguem seu próprio caminho. E, quando as substâncias seguem no corpo seu próprio caminho, elas exercem influência nociva sobre o sistema nervoso, favorecendo o aparecimento, por exemplo, de estados histéricos e epilépticos. Essa tendência pode ser evitada pela alimentação vegetariana, que vitaliza e regenera o sistema nervoso e colabora no fortalecimento interno do ser. A ingestão exclusiva de vegetais propicia a clareza mental, desanuvia o cérebro e facilita a inofensibilidade. Assim, quando decidimos controlar em nós as forças que nos tiram a paz e a harmonia, a adoção do vegetarianismo é indicada Conjugada com a abstenção de álcool, de fumo e de drogas, traz, ainda, alívio ao corpo e reforça a capacidade de superar obstáculos. As recomendações para deixar de comer carne visam, pois, tanto à ampliação da consciência individual da pessoa, quanto à evolução do ambiente onde ela vive, pois a alimentação vegetariana a torna mais serena, mais afável e menos possessiva.

O argumento de ser a proteína vegetal de qualidade inferior à animal baseia-se em certos preconceitos e dogmas rígidos da ciência, e na maioria das vezes em pesquisas realizadas com produtos vegetais industrializados e refinados, produtos que já perderam suas qualidades mais nobres. Uma dieta vegetariana pura, rica e variada, baseada em cereais integrais, leguminosas, hortaliças, frutas frescas e secas, nozes e castanhas — como nos indica este livro —, é capaz de fornecer todos os elementos importantes, tais como proteínas e aminoácidos essenciais, carboidratos, óleos, vitaminas, enzimas e sais minerais. Para que a transição, porém, de um sistema alimentar para outro seja equilibrada e sadia, é preferível ir por etapas, respeitar o próprio organismo, evitar extremos e buscar orientações seguras de alguém experiente nesse campo. Nada disso, entretanto, deveria ser motivo para deixar de fazer a transformação quando se percebe essa necessidade. Quem ainda não pode ou não deseja fazê-la de modo integral, que usufrua ao máximo o que de saudável já possa ir incorporando e evite produtos reconhecidamente nocivos.

Muitos dos que deixam de comer carne mantêm em sua dieta produtos de animais, como ovos e laticínios, mas a autora preferiu ater-se à higiene mais completa. Não que esses derivados sejam de todo prejudiciais à saúde, mas devem ser evitados sempre que se almeje purificação mais profunda. Este, porém, não é um livro de rigores, como se pode perceber pela diversidade de suas criativas sugestões. E, embora a autora não inclua ovos e laticínios em suas receitas, o leitor poderá usá-los segundo suas necessidades e principalmente na fase de transição do sistema alimentar.

Deve-se, ademais, levar em conta que do ponto de vista ético a alimentação vegetariana tem imenso valor, pois seus adeptos deixam de contribuir para o morticínio constante e em larga escala de animais perpetrado em nossa civilização. Que este precioso livro possa então ser útil a todos aqueles que aspiram não só à regeneração de sua condição orgânica e à consolidação de um estado pleno de saúde e vigor, mas também a uma verdadeira expansão da consciência e à preservação da vida.

CONVERSA INICIAL

Quando surgiu a possibilidade de prepararmos este livro, tínhamos em mente compartilhar nossas experiências de cozinha vegetariana com as pessoas que se interessam por uma alimentação sem nenhum tipo de carne (bovina, suína, peixes, aves, moluscos, etc.), bem como sem ovos, leite e seus derivados. Vimos que era possível fazer essa substituição e ao mesmo tempo preparar pratos agradáveis ao paladar e à vista, pois sabemos que este último aspecto é também importante. Com o espírito de compartilhar, selecionamos para compor o livro 650 receitas por nós experimentadas.

Quando nem todos são vegetarianos, é comum escutarmos comentários como: "sem graça" ou "sem gosto" a respeito dos pratos vegetarianos, forçando muitas vezes a elaboração de tipos diferentes de alimento para as refeições de uma mesma casa. Mas esse conceito generalizado entre os que não conhecem a versatilidade da cozinha vegetariana é irreal. Assim, apresentamos aqui uma forma suave e agradável de substituir o consumo de produtos de origem animal por uma alimentação variada e saborosa.

Antes de passarmos às receitas, reunimos algumas sugestões que poderão facilitar seu trabalho.

ROTINA NÃO, RITMO SIM

Faça da arte de cozinhar um ato de harmonização. Se você cozinha sem pensar no que está fazendo, estará simplesmente executando uma rotina.

Rotina, como sabemos, é a repetição pura e simples de atos iguais ou quase iguais. Tente mudar de atitude. Crie todo dia, ou toda vez que repetir um prato, algo que melhore o que você já fez. Isso não vale só para a cozinha, vale para todos os atos em todos os dias de sua vida.

Substitua a palavra rotina por ritmo. Aparentemente, só aparentemente, você poderá estar repetindo um ato que necessita ser feito em determinada hora ou condição. Se cada vez você estiver tentando fazer o melhor possível, buscando soluções novas, assumindo atitudes mais conscientes, na certa estará quebrando as correntes da rotina. Estará usando aquele ato diário, aparentemente repetitivo, para aprofundar-se. Aí passará a enxergar o ritmo.

Essa conscientização poderá ser aplicada a tudo que você fizer ou pensar. Concentre-se no que está fazendo e, para isso, não acha que cozinhar é um bom começo?

A ATITUDE AO PREPARAR UMA REFEIÇÃO

Sempre verifique os ingredientes disponíveis e depois escolha a receita, mas, quando necessário, adapte-a, fazendo pequenas substituições. Isso ajuda na economia, além de desenvolver sua criatividade.

Verifique também se existem sobras da refeição anterior; as sobras de pão, salada, sopa, feijão, lentilha, etc. podem ser usadas em outros pratos, por exemplo:

- Os pães podem ser transformados em farinha, ou usados em tortas, bolos, pudins, etc.
- As saladas, os feijões e as lentilhas, transformados em sopas.
- As sopas, com adição de farinhas, em tortas salgadas.

Nunca deixe de executar um prato por falta de um dos ingredientes – quase sempre é possível achar um substituto que se ajuste à receita.

Aproveite integralmente todo o vegetal: as partes comumente desprezadas podem compor novos pratos: folhas de cenoura, de beterraba, talos, algumas cascas, etc. prestam-se como ingredientes de croquetes, farofas, sucos, etc.; isso é freqüentemente sugerido neste livro.

Combinação de alimentos

Para facilitar a digestão, devemos sempre observar a combinação dos alimentos.

Nos estudos de nutricionistas há princípios sobre a combinação de alimentos, mas as dificuldades apresentadas nos dias de hoje nem sempre nos permitem respeitar de maneira ideal esses critérios. Resta-nos usar de bom senso na utilização do que temos disponível, procurando dar às refeições uma conscienciosa variedade e harmonia, que, sem dúvida, fluirão espontaneamente.

O contato com os alimentos

Esteja consciente do que você transmite ao alimento na hora do seu preparo. Se nesse momento você estiver com raiva, angústia, expectativa ou qualquer tipo de emoção, saiba que esses sentimentos passarão em parte ao alimento e conseqüentemente aos que o consumirem. Isso é mais acentuado quando a preparação requer contato manual direto com o alimento, como nas massas que necessitam de manipulação.

Por isso, ao preparar os alimentos, passe o melhor de si. Irradie, transmita sua melhor energia.

TEMPEROS

Combinações e quantidades

À medida que você começar a habituar-se com o preparo de pratos vegetarianos, verá que é possível um intercâmbio entre o alimento básico e os diversos tipos de molhos e temperos.

Lembramos que nem sempre o acréscimo de determinado tempero melhora o sabor do prato. No início é melhor errar para menos e, aos poucos, convivendo com a sutileza e delicadeza deles, descobrir o que cada um pode acrescentar a um prato.

Também é recomendável evitar misturar vários temperos, pois alguns poderão perder suas características principais e a mistura resultar num conjunto de sabor desagradável. Comece usando-os parcimoniosamente e cada um em separado; depois, com o tempo, irá percebendo o uso adequado deles.

Alho e cebola

Existe um condicionamento quase mundial de que o alho e a cebola são imprescindíveis à preparação dos alimentos. Mas, se você busca a purificação do seu corpo, evite consumi-los, pois o odor de ambos "é tido como obstáculo ao contato do corpo etérico do homem com vibrações mais sutis" – segundo o Dr. José Maria Campos (Clemente). Também os cozinheiros budistas, que primam pela delicadeza de seus pratos, pelos mesmos motivos não usam tais condimentos. Mas o que foi citado acima não invalida as propriedades terapêuticas desses produtos.

Assim como não incluímos nas receitas nenhum tipo de produto animal, também não foram incluídos esses vegetais; porém, para os casos em que o paladar exija a presença deles, basta acrescentá-los na quantidade habitualmente apreciada.

Sal

Recomendamos o uso de sal marinho em todas as receitas onde o sal é indicado como ingrediente. O uso de sal refinado não impossibilita a execução da receita, porém leve-se em conta que o sal refinado não tem o valor nutritivo do marinho.

ARROZ INTEGRAL

O arroz integral é aquele do qual foi retirada somente a casca, não tendo sofrido, portanto, o processo de polimento. Tem aspecto mais escuro que o arroz tradicional polido (arroz branco). Suprimido o polimento, o arroz conserva sua parte protéica integralmente, e por isso é mais completo no que diz respeito às suas características nutricionais. Como prato, é mais saboroso que o arroz branco, porém mais rijo, pedindo melhor mastigação.

Dos que ouviram falar das vantagens do arroz integral sobre o arroz comum e tentaram prepará-lo, é comum escutarmos o seguinte:

- "Virou papa".
- "Não cozinhou após ter ficado muitas horas no fogo".
- "Queimaram-se as camadas de baixo e ficaram cruas as camadas de cima".

Para dar-lhe opções, sugerimos a preparação do arroz integral de muitas formas. Se, por acaso, uma das receitas escolhidas não der certo, não desanime. Tente outra. Temos certeza de que alguma vai ajustar-se bem ao seu modo de ser e ao seu paladar.

PÃES

Por tratar-se de um alimento básico, dedicamos ao pão atenção especial. Primeiramente lembramos que:

- Os pães de farinhas e grãos integrais são mais saudáveis que os exclusivamente de farinha de trigo branca.
- Os pães de farinha de trigo branca feitos em casa são muito mais saudáveis que os comumente comercializados.
- Seja qual for a receita escolhida, os ingredientes mais importantes serão a alegria e a boa disposição no seu preparo. Essa é a maior garantia para um pão saudável e saboroso.

- A inclusão de grãos e farelos nas massas deixam-nas mais saudáveis.
- As massas integrais são mais pesadas, portanto é melhor colocar-lhes pouco sal, pois ele geralmente inibe o crescimento do pão.
- Deve-se deixar de lado a crença de que sovar a massa significa batê-la rudemente sobre a pia. O trabalho de sovar o pão poderá ser feito de forma delicada e serena, amassando-o com firmeza, porém de maneira tranqüila e carinhosa.
- Quando assados em fogo alto, os pães tornam-se mais torrados e leves. No fogo baixo, tendem a ficar mais macios e um pouco mais pesados. A temperatura ideal para os fogões caseiros costuma estar entre 180 e 200 graus.

Existem ainda outros detalhes que, com o tempo e a prática, irão sendo percebidos, e as receitas iniciais irão até transformar-se em novas receitas, alteradas de acordo com preferências e possibilidades de cada pessoa ou situação.

Fermento

Seja qual for o fermento usado, a quantidade será sempre a mesma.

O fermento biológico poderá ser o seco ou o tradicional. Lembramos apenas que o pão maior ou mais gostoso não é conseguido com o uso exagerado do fermento, mas sim com o perfeito balanceamento dos ingredientes e, principalmente, com o bom trabalho manual de amaciamento.

Pode-se encontrar o fermento biológico nas seguintes formas:

- fresco, a granel, em padarias
- granulado, em latinha
- em tabletes, nas geladeiras de supermercados
- secos e instantâneos: em envelopes pequenos ou em grandes pacotes, fechados a vácuo

Se for do tipo seco, mistura-se à farinha; se for em tablete ou fresco, dissolve-se na água morna antes de colocá-lo na massa.

DOCES

A doçura existente em cada fruta poderá ser mais bem percebida se formos diminuindo o consumo do açúcar; podemos chegar até a sua eliminação total. Muitas vezes adoçamos chás, sucos e frutas sem nos darmos conta de que assim estamos encobrindo e até modificando seus suaves sabores, e não damos ao paladar a oportunidade de optar pela retirada do açúcar.

Frutas secas, como bananas, ameixas, damascos, figos, uvas e tantas outras, têm concentradas em si seus açúcares e tornam-se, após o processo de secagem, tão doces como qualquer outra sobremesa. Frescas ou secas, podem ser utilizadas, cortadas em pedacinhos ou inteiras, para adoçar pães, tortas, geléias, etc.

Nas nossas receitas sugerimos doces, bolos e sobremesas adoçados com frutas, mel, rapadura, melado e mesmo açúcar comum, mas, como já foi dito, dependendo de cada caso, sempre são possíveis, e até esperadas, adaptações e modificações.

UTENSÍLIOS

As panelas de pedra, barro ou ferro, por serem mais grossas, permitem o cozimento mais homogêneo dos alimentos. Além de colaborarem com o paladar e com a saúde, são também utensílios bonitos e pitorescos, podendo ser levados diretamente do fogo à mesa.

Conservação da temperatura dos alimentos prontos

Após preparado, o alimento pode conservar sua temperatura por mais de 3 horas se for armazenado em um recipiente térmico. Para isso reserve uma caixa, por exemplo, de isopor, com tamanho suficiente para guardar todas as panelas e travessas que você normalmente utiliza nas refeições. Em seu interior coloque uma tábua para que as panelas não danifiquem o isopor e, por cima, as panelas, à medida que forem sendo preparadas.

Tenha sempre um pano grosso, ou uma toalha de mesa dobrada algumas vezes, para cobrir os utensílios colocados dentro da caixa. Esse pano ajuda a manter a temperatura, e também absorve a umidade gerada pelo vapor dos alimentos, conservando as travessas secas.

MEDIDAS USADAS

1 xícara = 1 copo tipo americano, ou 250 ml, ou 200 gramas
4 xícaras = 1 litro
1 colher de sopa rasa = 10 ml
1 colher de sopa de farinha = 40 gramas
1 colher de sopa de açúcar = 20 gramas
1 colher de chá rasa = 5 ml

SALADAS

Raladinho agridoce	17
Salada de agrião e vagens grandes	17
Salada de alface e aspargo	18
Salada de macarrão argolinha	18
Salada de abobrinha e temperos verdes	18
Salada de agrião e abobrinha italiana	19
Salada de alface sofisticada	19
Salada de aspargo e batata	20
Salada de azedinha e broto de feijão	20
Salada de batata e chuchu	20
Salada de berinjela	21
Salada de berinjela assada	21
Salada de beterraba cozida e temperos verdes	22
Salada de beterraba, repolho e outras verduras	22
Salada de beterraba, pimentão e alcaparra	23
Salada de brócolis e tomates	23
Salada de broto cru	24
Salada tradicional de broto	24
Salada de brotos de ervilhas	24
Salada de chicória crua	25
Salada de chuchu e azeitonas	25
Salada de chuchu e milho	26
Salada de chuchu recheado	26
Salada de cogumelo e alface	27
Salada de couve-de-bruxelas	27
Salada de couve-flor, brócolis e cenoura	28
Salada de ervilhas frescas com cenoura	28

Salada de feijão branco e salsa fresca	29
Salada de folhas requintada	29
Salada de grão-de-bico com pimentão vermelho	29
Salada de jiló	30
Salada de jiló com azeitonas e salsa	30
Salada de legumes com molho de maionese sem ovos	31
Salada de legumes com molho roxo	31
Salada de lentilhas e rúcula	32
Salada de maxixe cru e tomate	32
Salada de melão	33
Salada de pepinos com tomates	33
Salada de pimentão amarelo recheado	34
Salada de pimentão verde recheado	34
Salada de pimentão vermelho recheado	34
Salada de quiabo	35
Salada de rabanetes enfeitados	35
Salada de repolho picado e azeitona portuguesa	36
Salada de repolho roxo	36
Salada de tomates e beldroega	37
Salada de vagem e cenoura	37
Salada no abacaxi	37
Salada picadinha	38
Salada romena	38
Salada tipo maionese com beterraba	39
Salada tricolor	40
Saladinha de palmito	40
Salada de palmito e acelga	41
Salpicão	41
Tabule	41

RALADINHO AGRIDOCE

- 5 cenouras médias cruas
- 1/2 repolho pequeno
- algumas folhas de alface

MOLHO
- 1 cenoura média bem cozida
- 2 colheres de sopa de coentro fresco picado
- 2 colheres de sobremesa de salsa picada
- 2 colheres de sopa de molho de mostarda
- 4 colheres de sopa de suco de limão
- 1/2 colher de sobremesa de sal
- 1 colher de sobremesa de açúcar mascavo
- 1/2 xícara de azeite de oliva

Ralar bem fininho o repolho cru e as cenouras cruas. Misturá-los e colocá-los numa tigela.

Liquidificar a cenoura cozida junto com o suco de limão, o azeite de oliva, o sal, o coentro, a salsa, o açúcar e o molho de mostarda. Juntar essa mistura ao repolho e à cenoura, mexer tudo bem, provar o tempero e corrigi-lo se precisar.

Colocar o raladinho em uma saladeira forrada com folhas de alface.

SALADA DE AGRIÃO E VAGENS GRANDES

- 1 maço de agrião
- 1 maço de vagens fervidas em água e sal
- 2 laranjas descascadas, sem sementes e sem peles, cortadas em cubinhos
- 1 colher de sopa de orégano
- 2 colheres de sopa de shoyo
- 2 colheres de sopa de azeite de oliva

Lavar as folhas de agrião (tirar os cabinhos mais grossos), escorrê-las e arrumá-las em saladeira. Colocar entre as folhas, uma a uma, as vagens, que deverão estar cozidas e salpicadas de shoyo e orégano. Sobre elas gotejar um pouco mais de shoyo, regar tudo com azeite de oliva e, por último, enfeitar a salada com as laranjas em cubinhos.

SALADA DE ALFACE E ASPARGO

- 24 aspargos
- 1 maço de alface crespa
- 2 colheres de sopa de manjericão picadinho
- 1/2 limão cortado em fatias
- 1/2 colher de café de sal
- azeite de oliva

Lavar bem as folhas de alface e arrumá-las em uma saladeira. Sobre elas colocar delicadamente os aspargos, polvilhar a salada de manjericão picado e sal, regá-la com azeite de oliva e enfeitá-la com as fatias de limão.

SALADA DE MACARRÃO ARGOLINHA

- 1/2 xícara de macarrão argolinha, usado em sopas
- 2 talos de aipo
- 2 pimentões roxos
- 1/2 xícara de uvas-passas escuras, sem sementes
- 1 xícara de azeitonas verdes picadinhas
- 1 colher de sobremesa de salsa seca
- 4 colheres de sopa de suco de limão
- sal
- azeite de oliva

Cozinhar o macarrão em água fervente com uma pitada de sal e um pouquinho de óleo. Escorrer a água do cozimento, passar o macarrão em água fria e esperar que esfrie.

Cortar os pimentões e o aipo em tiras bem finas. Misturá-los com o macarrão e acrescentar as azeitonas e as passinhas. Colocar a salada em uma travessa, temperá-la com sal, limão e salsa e, por último, regá-la com azeite de oliva.

SALADA DE ABOBRINHA E TEMPEROS VERDES

- 3 abobrinhas italianas
- 1 vidro de palmito
- 1/2 xícara de coentro fresco picado
- 1/2 xícara de salsa fresca picada
- 6 colheres de sopa de suco de limão
- 1 colher de chá de sal, ou mais
- 6 colheres de sopa de azeite de oliva

Cortar as abobrinhas em rodelas finas e dar-lhes um leve cozimento.

Escorrer a água e arrumar as abobrinhas em uma travessa, intercalando-as com rodelas de palmito. Salpicar os temperos verdes e acrescentar sal, limão e azeite de oliva. Manter a salada em geladeira até a hora de servir.

SALADA DE AGRIÃO E ABOBRINHA ITALIANA

- 2 maços de agrião
- 3 xícaras de abobrinha em cubinhos
- 1 colher de chá de salsa desidratada
- 1 colher de chá de manjerona
- 1 colher de chá de orégano
- 4 colheres de sopa de suco de limão
- 1 colher de chá de sal, ou mais
- 6 colheres de sopa de azeite de oliva

Cozinhar a abobrinha em água e sal e escorrer a água. Colocá-la em uma tigela e temperá-la com sal, limão e azeite de oliva. Acrescentar o orégano, a salsa e a manjerona e arrumar a salada em uma travessa previamente guarnecida de folhas de agrião picadas bem fininho.

Servir a salada logo para que as folhas não murchem.

SALADA DE ALFACE SOFISTICADA

- 10 folhas de alface crespa
- 10 folhas de alface roxa
- 10 folhas de alface americana
- 2 maçãs
- 10 unidades de uva fresca verdes, graúdas
- 1 colher de café de estragão ou salsa
- de 5 a 8 fundos de alcachofra
- 1/2 limão
- 1 colher de café de sal
- azeite de oliva

Cortar as maçãs ao meio no sentido horizontal. Fazer-lhes cuidadosamente uma cavidade central para retirar as sementes, fatiá-las em rodelas fininhas e salpicar sobre elas um pouco de suco de limão para não escurecerem.

Descascar as uvas, cortá-las ao meio pelo comprimento e retirar-lhes as sementes. Lavar as folhas de alface, escorrê-las bem, picá-las com as mãos em pedaços menores e arrumá-las em saladeira redonda e funda, de preferência transparente.

Colocar o sal, o limão e o azeite sobre as folhas, e entre elas arrumar harmoniosamente as duas frutas e os fundos de alcachofra temperados com sal e limão. Salpicar tudo com estragão ou salsa desidratada.

SALADA DE ASPARGO E BATATA

- de 20 a 25 aspargos
- 6 batatas descascadas e cozidas sem se desmancharem
- verduras (a gosto; sugestão: alface)
- 5 colheres de sopa de suco de limão
- sal a gosto
- 7 colheres de sopa de azeite de oliva

Cortar os aspargos ao meio, e as batatas cozidas, em pedaços de tamanhos iguais. Arrumá-los em uma travessa forrada com folhas a gosto e temperar tudo com suco de limão, azeite e sal. Manter a salada em geladeira até a hora de servir.

SALADA DE AZEDINHA E BROTO DE FEIJÃO

- 4 xícaras de azedinha cortada em tirinhas
- 2 xícaras de broto de feijão levemente cozido em água e sal
- 1 colher de sopa de manjericão
- 3 colheres de sopa de suco de limão ou vinagre
- sal a gosto
- 4 colheres de sopa de azeite de oliva

Cozinhar os brotos em água e sal e escorrê-los em seguida.

Misturá-los com as azedinhas em tirinhas e temperá-los com os demais ingredientes. Servir a salada logo, para que as folhas não escureçam.

SALADA DE BATATA E CHUCHU

- 4 batatas grandes
- 2 chuchus grandes
- 1 pimentão vermelho grande
- 2 tomates sem sementes picados
- 1 xícara de salsa fresca picada
- 4 colheres de sopa de molho de mostarda
- 5 colheres de sopa de suco de limão
- 1 colher de sobremesa, rasa, de sal
- 1/2 xícara da água quente em que foram cozidas as batatas
- 7 colheres de sopa de azeite de oliva

Cortar as batatas e os chuchus em pedaços grandes e cozinhá-los em água e sal. Separar uma batata cozida e arrumar as demais e os chuchus em uma saladeira ou travessa. Cobri-los com os tomates, o pimentão e a salsa.

Liquidificar a batata reservada junto com o azeite, o sal, a mostarda, o suco de limão e a água. Assim que esse molho ficar cremoso, provar o tempero, corrigi-lo se necessário e regar com ele a salada. Colocá-la em seguida na geladeira até a hora de servir.

SALADA DE BERINJELA

- 1 ou 2 berinjelas médias
- 1/3 de xícara de azeitonas pretas picadas
- 1 colher de sopa de talo de erva-doce picado bem fininho
- 1 colher de sobremesa de manjericão seco
- pimenta-do-reino moída a gosto
- 3 colheres de suco de limão ou vinagre
- 1 colher de chá de sal
- 4 colheres de sopa de azeite de oliva

Cortar as berinjelas em cubinhos de tamanhos semelhantes e colocá-los em uma panela com água e sal. Levar a panela ao fogo forte e, assim que a berinjela estiver cozida, escorrê-la e reservá-la.

Quando estiver morna, colocar os cubinhos harmoniosamente em uma travessa e temperá-los com os demais ingredientes. Manter a salada em geladeira até a hora de servi-la em refeições ou com pães frescos.

SALADA DE BERINJELA ASSADA

- 2 ou 3 berinjelas médias
- 3 colheres de sopa de azeitonas picadas
- 1/2 xícara de salsa fresca picada
- 1/2 xícara de coentro fresco picado
- 1 colher de chá de cominho (opcional)
- 1 colher de sopa de mostarda-de-dijon
- 2 colheres de sopa de suco de limão ou vinagre
- 1 colher de chá de sal
- 4 colheres de sopa de azeite de oliva

Assar as berinjelas inteiras no forno até murcharem. Retirar-lhes a casca e cortá-las em pequenos pedaços. Misturá-los com os demais ingredientes e manter a salada em geladeira até a hora de servir.

Esta salada pode ser acompanhada de folhas e de pães de folha ou pães sírios.

SALADA DE BETERRABA COZIDA E TEMPEROS VERDES

- 4 beterrabas grandes
- 1 maço de coentro fresco
- 1/2 maço de salsa fresca
- orégano
- 1 limão
- sal
- azeite de oliva

Lavar e cozinhar em água as beterrabas inteiras, sem descascá-las (na panela de pressão é mais rápido). Quando estiverem macias, escorrer a água e retirar-lhes as peles com as mãos.

Misturar a salsa e o coentro e picá-los bem miudinho.

Arrumar em um pirex uma camada de rodelas de beterraba e outra de temperos verdes, e assim sucessivamente até que terminem.

Regar a salada com suco de limão e azeite de oliva e, por último, colocar um pouco de orégano.

Pode-se preparar esta salada de véspera, desde que seja mantida em geladeira.

SALADA DE BETERRABA, REPOLHO E OUTRAS VERDURAS

- 1 xícara de beterraba ralada
- 1 xícara de repolho cru raladinho
- 1 xícara de agrião ou rúcula cortada bem fininho
- 1 xícara de azedinha cortada fininho
- 1 xícara de alface cortada bem fininho

MOLHO
- 1 nabo inteiro
- 1/2 xícara de óleo de milho
- 1/2 limão (opcional)
- 1 colher de chá de sal
- 1/3 de xícara de shoyo
- 1/3 de xícara de água
- 1 colher de sopa de azeite de oliva

Arrumar a beterraba e as verduras em uma travessa ou saladeira, de modo bem harmonioso. Liquidificar os ingredientes do molho e regar com ele a salada.

SALADA DE BETERRABA, PIMENTÃO E ALCAPARRA

- 4 beterrabas grandes
- 2 pimentões amarelos
- 2 colheres de sopa de alcaparras
- 2 pés de alface-quatro-estações (alface-roxa)
- 1/2 colher de chá de estragão
- 1/3 de xícara de suco de limão
- 1/2 colher de chá de sal
- 1/3 de xícara de azeite de oliva

Cozinhar as beterrabas em panela de vapor ou pressão, sem descascá-las. Depois de cozidas, retirar-lhes a pele e cortá-las em rodelas iguais. Reservá-las.

Cortar os pimentões em rodelinhas, após ter-lhes retirado as sementes.

Em uma travessa redonda e funda, forrada com as folhas de alface, arrumar harmoniosamente as rodelas de beterraba. Por cima colocar as rodelas de pimentão e as alcaparras.

Misturar em uma vasilha à parte o suco de limão, o azeite, o sal e o estragão, e regar a salada com esse molho.

SALADA DE BRÓCOLIS E TOMATES

- 1 maço de brócolis
- 4 tomates médios não muito maduros
- 10 azeitonas pretas
- de 6 a 7 folhas de alface
- 1 colher de sopa de orégano
- 2 colheres de sopa de molho de mostarda
- 1 limão
- sal
- 8 colheres de sopa de azeite de oliva

Cortar os brócolis em raminhos, colocá-los em água fervente com uma colher de sal e esperar até que fiquem cozidos, porém firmes. Escorrê-los e deixá-los esfriar.

Lavar os tomates e cortá-los ao comprido, formando 8 gomos.

Em uma travessa forrada com folhas de alface, arrumar os raminhos de brócolis de forma circular, depois os gomos de tomate, distribuindo-os harmoniosamente. Temperar tudo com sal e limão, e salpicar mostarda sobre os brócolis.

Enfeitar a salada com as azeitonas, salpicá-la de orégano e regá-la com azeite de oliva. Mantê-la em geladeira até a hora de servir.

SALADA DE BROTO CRU

- 2 pratos de broto de feijão *moyashi*
- 1/2 xícara de uvas-passas
- 1 pimentão vermelho
- 1 pimentão amarelo
- 2 talos grandes de aipo (salsão)
- 1 colher de sopa de manjerona
- 2 colheres de sopa de suco de limão
- 3 colheres de sobremesa de sal
- azeite de oliva a gosto

Lavar os brotos e escorrê-los bem. Cortar os pimentões e o aipo em tirinhas iguais. Misturar em uma tigela os brotos, as uvas-passas, os pimentões e o aipo Temperá-los com o suco de limão, o sal e a manjerona. Colocar o azeite e misturar tudo muito bem. Arrumar a salada em uma travessa e mantê-la em geladeira até a hora de servir.

SALADA TRADICIONAL DE BROTO

- 2 pratos de brotos de feijão *moyashi*
- 2 pimentões vermelhos (crus)
- 1/2 xícara de azeitonas verdes picadas
- 1/2 xícara de salsa picada
- 2 colheres de sopa de shoyo

Ferver os brotos por 3 minutos e escorrê-los. Cortar os pimentões em tiras finas e misturá-los com as azeitonas, a salsinha picada e o shoyo. Acrescentar os brotos à mistura e arrumá-los em uma saladeira. Conservar a salada em geladeira.

SALADA DE BROTOS DE ERVILHAS

- 1/2 xícara ou mais de ervilhas secas
- 1 xícara de cenoura picada em cubinhos
- 1 pé de alface, de preferência da crespa
- temperos verdes desidratados: orégano, manjerona, salsa, ou outros
- shoyo ou sal a gosto
- azeite de oliva

Deixar as ervilhas de molho em água durante uma noite inteira. Escorrê-las em peneira e cobri-las com um pano de prato limpo, mantendo, porém, os grãos úmidos por 2 ou 3 dias, para se transformarem em brotos. Assim que os brotos esti·

verem grandes, aferventá-los em água e sal (ou água e shoyo) até amaciarem. Aproveitar a mesma água para cozinhar a cenoura picadinha. Colocar os dois vegetais cozidos em uma tigela e temperá-los com azeite, temperos verdes e shoyo (ou sal).

Arrumar as folhas de alface em uma travessa e dispor a saladinha temperada ao centro.

SALADA DE CHICÓRIA CRUA

- 1 ou 2 pés de chicória
- 1 xícara de palmito picado
- 1 xícara de ervilhas frescas cozidas
- 1/2 xícara de azeitonas picadas
- 1 colher de sopa de manjericão
- de 4 a 6 colheres de sopa de suco de limão ou vinagre
- 2 colheres de chá, rasas, de sal
- 4 colheres de sopa de azeite de oliva

Após lavar a chicória, cortá-la bem fininho, em tirinhas iguais, e arrumá-la em uma saladeira, se possível, redonda.

Fazer um círculo com os palmitos picados e outro círculo, mais interno, com as ervilhas. Por último colocar as azeitonas.

Temperar a salada com o sal, o azeite de oliva, o limão ou vinagre e um pouco de manjericão. Servi-la em seguida.

SALADA DE CHUCHU E AZEITONAS

- 5 chuchus cortados ao meio no sentido longitudinal e cozidos em água
- 10 azeitonas pretas grandes picadas
- 4 folhas de alface para enfeitar a travessa
- 1 colher de sobremesa de salsa picada
- 1 colher de café de salsa desidratada
- 1 colher de café de orégano
- 4 colheres de sopa de suco de limão
- 1 pitada de sal
- 3 colheres de sopa de azeite de oliva

Após cozinhar os chuchus, arrumá-los em travessa forrada com folhas de alface. Sobre eles espalhar as azeitonas, a salsa fresca, o sal, o suco de limão e o azeite de oliva.

Misturar à parte a salsa desidratada e o orégano e salpicá-los sobre os chuchus. Conservá-los em geladeira até a hora de servir.

SALADA DE CHUCHU E MILHO

- 6 chuchus pequenos
- 2 xícaras de milho verde cozido
- 1/2 xícara de tomate bem picado, sem as sementes
- 1/3 de xícara de talo de erva-doce picado bem fino
- 1/3 de xícara de pimentão bem picado
- 1/3 de xícara de azeitona verde sem caroço
- 1/3 de xícara de suco de limão ou vinagre
- 1 colher de sobremesa de sal
- 1/3 de xícara de azeite de oliva

Descascar os chuchus e cozinhá-los inteiros em água com um pouco de sal. Abri-los ao meio e fazer uma pequena cavidade no centro de cada metade. Colocar os milhos nessa cavidade e arrumar os chuchus em uma travessa.

Liquidificar o pimentão junto com o suco de limão, o sal, o azeite de oliva e as azeitonas. Misturar nesse molho o tomate e os talos picados e regar com ele os chuchus. Mantê-los em geladeira até a hora de servir.

SALADA DE CHUCHU RECHEADO

- 6 chuchus grandes
- 2 tomates grandes, sem sementes
- 5 azeitonas verdes
- 1 pimentão amarelo
- 12 alcaparras
- 1/2 maço de coentro fresco
- 4 colheres de sopa de suco de limão
- 1 pitada de sal
- 1 pitada de pimenta-da-jamaica (tempero adocicado, não-ardido)
- 3 colheres de sopa de azeite de oliva

Descascar os chuchus e cortá-los ao meio, no sentido do comprimento. Cozê-los em água e sal até que fiquem macios. Escorrer a água e, com o auxílio de uma colher, fazer uma cavidade no centro de cada metade.

Em separado, picar bem miudinho o coentro, o tomate sem as sementes, as azeitonas e o pimentão. Misturá-los bem e temperá-los com limão, sal, azeite e pimenta-da-jamaica. Rechear os chuchus com essa salada e decorá-los com uma alcaparra em cada metade.

Dispor os chuchus em travessa forrada com folhas de alface ou arrumá-los em pratos individuais, meio chuchu por pessoa.

Regá-los com azeite de oliva e polvilhá-los de sal antes de servi-los.

SALADA DE COGUMELO E ALFACE

- 2 xícaras de cogumelo grande, cozido
- 1 maço de alface
- 3 azeitonas chilenas
- 2 colheres de sopa de sementes de mostarda (opcional)
- 1 colher de sopa de orégano
- 1 limão médio
- sal a gosto
- azeite de oliva

Cortar os cogumelos ao meio e deixá-los de molho, por duas horas, no suco do limão temperado com o sal, as azeitonas bem picadinhas, o orégano e as sementes de mostarda.

Lavar bem as folhas de alface, escorrê-las e arrumá-las numa saladeira.

Colocar sobre elas os cogumelos temperados, regar tudo com azeite de oliva e servir a salada.

SALADA DE COUVE-DE-BRUXELAS

- 1 prato de couve-de-bruxelas ou mini-repolhos
- 1 maço de salsa fresca picadinho
- 2 colheres de sopa de sementes de mostarda (opcional)
- 4 colheres de sopa de suco de limão
- sal
- 8 colheres de sopa de shoyo
- pimenta-do-reino
- 3 colheres de sopa de azeite de oliva

Ferver e escorrer as couves, banhando-as em água fria, e em seguida arrumá-las em uma travessa.

À parte, misturar a salsa, o shoyo, o suco de limão, o azeite, o sal, a pimenta-do-reino e as sementes de mostarda; estas dão um toque crocante à salada. Colocar esse molho sobre as couves e manter a salada em geladeira até a hora de servir.

SALADA DE COUVE-FLOR, BRÓCOLIS E CENOURA

- 1 couve-flor pequena cortada em raminhos de tamanhos iguais
- 2 maços de brócolis também cortados em raminhos de tamanhos iguais
- 2 cenouras grandes cortadas em rodelas grossas
- 1/2 colher de sopa de orégano
- 4 colheres de sopa de suco de limão
- sal a gosto
- 5 colheres de sopa de azeite de oliva

Aferventar a couve-flor e os brócolis e cozinhar as cenouras até estarem macias. Escorrê-los bem e passá-los em água fria. Sugestão: aproveitar a água do cozimento para sopas.

Arrumar em uma saladeira os raminhos verdes dos brócolis, os da couve-flor e as cenouras.

À parte, misturar o orégano, o limão, o azeite e o sal e regar com esse molho a salada.

Mantê-la em geladeira até a hora de servir.

SALADA DE ERVILHAS FRESCAS COM CENOURA

- 2 xícaras de ervilhas frescas
- 1 xícara de cenoura picada
- 1 xícara de pimentão picadinho
- 1/2 xícara de talo de erva-doce picadinho
- 1/2 xícara de azeitonas picadinhas
- 1/2 xícara de salsa fresca picadinha
- 4 colheres de sopa de suco de limão
- 2 colheres de sopa de shoyo
- sal a gosto
- 3 colheres de sopa de azeite de oliva

Cozinhar as ervilhas até ficarem macias. Escorrê-las e passá-las em água fria.

Cortar as cenouras em cubinhos. Cozinhá-las e passá-las em água fria.

Cortar em cubinhos o pimentão e o talo de erva-doce e misturá-los delicadamente com as ervilhas e as cenouras.

Arrumar a salada em travessa e cobri-la com as azeitonas, a salsa fresca, o sal, o shoyo, o limão e o azeite de oliva.

Provar o sal, corrigi-lo se necessário e conservar a salada em geladeira.

SALADA DE FEIJÃO BRANCO E SALSA FRESCA

- 2 xícaras de feijão branco
- 1 maço de salsa fresca
- 1/2 limão grande
- 1 colher de chá de suco de gengibre (centrifugar ou ralar e espremer em um pano)
- 1/2 colher de sobremesa de sal
- 1 colher de sopa de shoyo
- 5 colheres de sopa de azeite de oliva

Cozinhar os feijões em água e sal até ficarem macios. Escorrê-los e colocá-los em travessa, misturando-os em seguida com a salsa fresca bem picada.

Misturar à parte o sal, o limão, o shoyo, o azeite de oliva e o suco de gengibre e regar a salada com esse molho.

SALADA DE FOLHAS REQUINTADA

- 10 folhas de rúcula
- 10 folhas de alface americana
- 5 folhas de acelga
- 2 kiwis firmes, descascados e cortados em rodelas finas
- 1/2 manga descascada e cortada em tiras finas
- 1 colher de café de sálvia
- 1/2 limão
- sal a gosto
- azeite de oliva a gosto

Lavar as folhas, escorrê-las bem e rasgá-las em tamanhos que facilitem o consumo. Arrumá-las em saladeira funda, de preferência de material transparente. Temperá-las com sal e limão e regá-las com um fio de azeite de oliva.

Em seguida, colocar, uma a uma, as fatias de kiwi, intercalando-as com as de manga. Salpicar a salada de folhinhas secas de sálvia e servi-la.

SALADA DE GRÃO-DE-BICO COM PIMENTÃO VERMELHO

- 1/2 pacote de grão-de-bico
- 3 pimentões vermelhos
- 10 azeitonas pretas
- 1 colher de sopa de orégano
- 1/2 maço de salsa fresca
- 1 limão médio
- sal a gosto
- azeite de oliva a gosto

Cozinhar o grão-de-bico em panela de pressão. Quando estiver macio, sem se desmanchar, escorrer a água e esperar que esfrie.

Cortar os pimentões em tirinhas bem finas e misturá-las com o grão-de-bico.

Temperar a salada com a salsa fresca picada, o orégano, o suco do limão, o sal e o azeite de oliva.

Decorá-la com as azeitonas pretas e mantê-la em geladeira até a hora de servir. Regá-la com um pouco mais de azeite, se necessário.

SALADA DE JILÓ

- 1/2 kg de jiló
- 10 folhas de alface
- 1/2 maço de coentro fresco picado
- 1/2 maço de salsa fresca picado
- suco de 1 limão
- sal a gosto
- azeite de oliva a gosto

Cortar os jilós no sentido do comprimento e cozê-los com água e sal até que fiquem macios mas sem se desmancharem.

Escorrer a água e acrescentar os temperos frescos.

Colocar a salada em uma travessa forrada com folhas de alface.

Temperá-la com sal e suco de limão; regá-la com azeite de oliva.

SALADA DE JILÓ COM AZEITONAS E SALSA

- 4 xícaras de jilós cortados ao comprido
- 1/2 xícara de azeitonas picadas
- 1 tomate sem sementes picado
- 1/2 xícara de salsa e coentro picados e misturados
- 4 colheres de sopa de suco de limão
- 1 colher de chá de sal
- 4 ou 5 colheres de sopa de azeite de oliva

Cozinhar os jilós em água e sal e, assim que estiverem macios, sem se desmancharem, escorrer a água e arrumá-los em uma travessa.

Colocar por cima os demais ingredientes, temperando a salada.

Mantê-la em geladeira até a hora de servir.

SALADA DE LEGUMES COM MOLHO DE MAIONESE SEM OVOS

- 6 xícaras de batatas cozidas bem picadinhas
- 1 1/2 xícara de cenoura cozida, cortada em pequenos pedaços
- 1/2 xícara de pimentão amarelo picadinho
- 1/2 xícara de pimentão verde picadinho
- 1 1/2 xícara de maçã descascada e picadinha
- 1/2 xícara de azeitonas verdes bem picadas
- 2 colheres de sopa de uvas-passas sem sementes
- 4 colheres de sopa de molho de mostarda
- 8 colheres de sopa de suco de limão
- 1/2 colher de sobremesa de sal
- 10 colheres de sopa de azeite de oliva
- 1/2 xícara da água quente em que as batatas foram cozidas

Colocar em uma tigela 4 xícaras de batatas cozidas, as cenouras picadinhas, os pimentões, a maçã e as passinhas. Misturá-los e transferi-los para uma travessa ou saladeira.

Liquidificar as 2 xícaras restantes de batatas cozidas junto com o sal, a mostarda, o limão e o azeite de oliva. Acrescentar a água quente aos poucos, até tornar-se um creme, a maionese para a salada.

Misturar metade dessa maionese com os legumes da travessa e reservar a outra metade para colocar por cima da salada, antes de servi-la. Conservá-la em geladeira.

SALADA DE LEGUMES COM MOLHO ROXO

- 4 batatas graúdas
- 4 cenouras cozidas e cortadas ao meio
- 4 chuchus cozidos e cortados em tiras
- 1 beterraba cozida e fatiada em palitos
- 1/2 nabo comprido cozido e cortado em palitos
- 1/2 repolho roxo cozido
- 2 colheres de sopa de molho de mostarda
- 1 colher de café de páprica
- sal a gosto
- 1 colher de sopa de missô
- 1/2 xícara de azeite de oliva

Arrumar os legumes em uma travessa ou saladeira, acompanhados do molho roxo.

Para preparar o molho roxo, cozinhar as batatas, descascadas, em água e sal.

Quando estiverem macias, colocá-las no liquidificador junto com os temperos. Incluir o repolho cozido.

Acrescentar 1 xícara da água em que foram cozidas as batatas e ligar o aparelho, regando lentamente os ingredientes com um fio de azeite. Assim que a mistura se tornar homogênea, provar o sal e retirá-la do liquidificador.

SALADA DE LENTILHAS E RÚCULA

- 1 xícara de lentilhas deixadas de molho por 1 noite
- 1 maço de rúcula
- 1/2 maço de coentro fresco
- 6 folhinhas de alfavaca
- 4 colheres de sopa de suco de limão
- 1 colher de sopa de vinagre de maçã
- 1 colher de café de sal
- 3 colheres de sopa de azeite de oliva

Lavar e escorrer as folhas de rúcula, tirando-lhes os talinhos mais duros. Arrumá-las em uma travessa.

Cozinhar as lentilhas com um pouco de sal até ficarem cozidas, porém sem se desmancharem. Escorrê-las, banhá-las em água fria e colocá-las em uma tigela. Temperá-las com o coentro picadinho, as folhas de alfavaca e um pouco de sal.

Colocá-las então sobre as folhas arrumadas e temperar a salada a gosto com sal, limão, vinagre de maçã e azeite de oliva.

Conservá-la em geladeira até a hora de servir.

SALADA DE MAXIXE CRU E TOMATE

- 10 maxixes
- 4 tomates grandes sem sementes
- 1 colher de sopa de orégano
- 2 colheres de sopa de vinagre de maçã
- sal
- 3 colheres de sopa de azeite de oliva

Descascar os maxixes e picá-los em rodelas finas.

Lavar os tomates e picá-los bem miudinho.

Misturar bem o maxixe e o tomate, e espalhar sobre eles o sal, o vinagre, o orégano e, por último, o azeite de oliva.

Conservar a salada em geladeira até a hora de servir, mas não demorar demais para não acumulá-la de água.

SALADA DE MELÃO

- 1 melão grande
- 2 xícaras de cenoura crua passada em ralo grosso
- 2 xícaras de cogumelo picado
- 1 pé de alface crocante
- 2 talos de aipo (salsão) picados
- 1/2 xícara de uvas-passas escuras sem sementes
- 1 xícara de tofu cortado em cubinhos
- 6 cerejas, para decorar
- 1 colher de sopa de mostarda em pó
- 1 colher de chá de páprica doce
- 1 limão pequeno
- 1 colher de chá de sal
- 1/2 xícara de azeite de oliva

Lavar bem o melão e abri-lo ao meio no sentido do comprimento. Retirar a polpa sem ferir as cascas e cortá-la em cubinhos, sem as sementes. Separar 6 cubinhos, e misturar os demais com a cenoura ralada, as passinhas, o tofu, o aipo e os talos de alface.

Fazer um molho com os cogumelos, o suco do limão, o azeite de oliva, o sal, a mostarda e a páprica. Misturá-lo à salada e rechear com ela as duas metades do melão.

Cortar as folhas de alface bem fininho e colocá-las no centro dos melões recheados.

Enfeitá-los com os cubinhos de melão reservados e com as cerejas, espetados em palitinhos.

SALADA DE PEPINOS COM TOMATES

- 4 pepinos grossos e grandes
- 6 tomates bem firmes
- 5 azeitonas verdes
- 1 colher de café de orégano
- 1 colher de sopa de molho de mostarda
- 1 pitada de páprica
- sal a gosto
- 3 colheres de sopa de azeite de oliva

Cortar os pepinos em tiras grossas e arrumá-los em uma travessa. Cortar os tomates ao comprido, também em grossos gomos, e intercalá-los com os pepinos. Acrescentar sal e orégano.

Retirar os caroços das azeitonas, cortá-las em fatias finas e espalhá-las sobre o pepino e o tomate. Regar a salada com a mostarda diluída no azeite de oliva, salpicando, por último, páprica.

SALADA DE PIMENTÃO AMARELO RECHEADO

- 3 ou 4 pimentões amarelos
- 2 xícaras de tofu
- 1 xícara de azeitonas pretas picadas
- 1 xícara de salsinha picada
- 1 colher de sobremesa de sal
- 4 colheres de sopa de azeite de oliva

Amassar o tofu e temperá-lo com azeitonas, salsinha, sal e azeite de oliva.

Abrir os pimentões ao meio e retirar-lhes as sementes. Recheá-los com o tofu. Mantê-los em geladeira até a hora de servir. Enfeitá-los com orégano.

SALADA DE PIMENTÃO VERDE RECHEADO

- 5 pimentões verdes, médios
- 3 xícaras de cenouras raladas bem fininho
- 2 xícaras de tofu
- 1/2 xícara de azeitonas chilenas picadas
- 1/2 xícara de coentro picado
- 1 colher de sobremesa de sal
- 5 colheres de sopa de azeite de oliva
- 1/4 de xícara de água

Liquidificar o tofu com o azeite e a água e deixá-lo de reserva. Misturar em uma tigela a cenoura ralada, o sal, as azeitonas e o coentro, e juntar o tofu à mistura. Mexer bem.

Abrir os pimentões ao meio, retirar-lhes as sementes e recheá-los com o tofu. Mantê-los em geladeira até a hora de servir.

SALADA DE PIMENTÃO VERMELHO RECHEADO

- 3 pimentões vermelhos
- 1 xícara de trigo para kibe (triguilho)
- 3 pepinos grandes
- 1 xícara de tomatinho rubi picado
- 6 colheres de sopa de suco de limão
- 1 colher de sobremesa de sal

Deixar o trigo para kibe de molho por, pelo menos, duas horas. Escorrê-lo e misturá-lo com os pepinos cortados em cubinhos, os tomatinhos, o limão e o sal.

Cortar os pimentões ao meio, retirar-lhes as sementes e recheá-los com a salada anteriormente preparada. Colocá-los na geladeira por uma hora, no máximo, antes de servi-los.

SALADA DE QUIABO

- 2 dúzias de quiabos, se possível de tamanho uniforme
- 4 cenouras grandes
- 2 tomates grandes em rodelas
- 1 pé de alface
- 6 colheres de sopa de suco de limão
- 1 colher de chá de sal
- 7 colheres de sopa de azeite de oliva

Cozinhar os quiabos inteiros em uma panela de vapor, e, assim que estiverem cozidos, porém ainda crocantes, retirá-los da panela.

Raspar ligeiramente as cenouras e cozinhá-las. Quando estiverem macias, mas sem se desmancharem, retirá-las da panela, passá-las na água fria, cortá-las em rodelas e reservá-las.

À parte, misturar bem o sal, o suco de limão e o azeite.

Em uma travessa redonda e funda, arrumar as folhas de alface como se estivesse remontando o pé de alface. Entre suas folhas, distribuir as rodelas de tomate, os quiabos, um a um, e as rodelas de cenoura. Na hora de servir, regar a salada com a mistura de sal, limão e azeite.

Observação: Pode-se manter tanto o quiabo quanto a cenoura, já cozidos, na geladeira até o dia seguinte e montar a salada na hora de servir.

SALADA DE RABANETES ENFEITADOS

- 10 rabanetes grandes
- 6 folhas de acelga
- 1 talo de erva-doce
- de 10 a 15 sementes de abóbora torradas, descascadas e salgadas
- 1 colher de café de sal
- 1 colher de sopa de shoyo
- 4 colheres de sopa de azeite de oliva

Cortar o talo de erva-doce em tiras finas.

Lavar as folhas de acelga e cortá-las em tiras muito fininhas. Forrar uma travessa com essas folhas, e sobre elas espalhar fatias também finas de rabanete (não retirar a casquinha vermelha) e o talo de erva-doce.

Adicionar sal e shoyo, regar a salada com azeite de oliva e, se houver, distribuir sementes de abóbora por cima.

SALADA DE REPOLHO PICADO E AZEITONA PORTUGUESA

- 1/2 repolho médio, cru
- 10 azeitonas pretas portuguesas (miudinhas)
- 1/2 maço de coentro
- 1 ramo de salsa crespa
- 1 colher de café de páprica doce
- 1 limão
- sal
- azeite de oliva

Lavar o repolho e picá-lo bem fininho (usar o ralador com a lâmina reta ou uma faca afiada).

Escorrê-lo bem, arrumá-lo em uma saladeira e temperá-lo com sal a gosto, suco de limão e coentro e salsa picados.

Decorar a salada com as azeitonas e regá-la com azeite de oliva. Salpicar-lhe a páprica e mantê-la em geladeira até a hora de servir.

SALADA DE REPOLHO ROXO

- 1/2 repolho roxo médio
- 20 azeitonas verdes
- 1/2 xícara de uvas-passas sem sementes
- 1 talo de erva-doce
- 1 colher de chá de alecrim seco
- 1 colher de chá de orégano seco
- 4 colheres de sopa de suco de limão
- 1 colher de café de sal
- 6 colheres de sopa de azeite de oliva

Lavar o repolho e ralá-lo bem fininho ou cortá-lo com uma faca grande, afiada.

Descaroçar e picar as azeitonas.

Misturá-las, bem como as passas e o talo de erva-doce cortado em tiras, ao repolho picadinho.

Salpicar a salada de orégano e alecrim e temperá-la com sal e limão. Regá-la com azeite de oliva e servi-la.

SALADA DE TOMATES E BELDROEGA

- 4 tomates maduros
- 2 xícaras de folhinhas de beldroega
- azeitonas a gosto
- 1 colher de sopa de orégano
- 1 colher de sobremesa de mostarda em pó ou sementes de mostarda
- 1 colher de chá de sal
- 6 colheres de sopa de azeite de oliva

Dar um breve cozimento nas folhas de beldroega e escorrê-las. Cortar os tomates em rodelas e dispô-los em uma travessa. Acrescentar as folhinhas de beldroega e temperar a salada com o orégano, o azeite, o sal e a mostarda. Arrumar as azeitonas por cima e manter a salada em geladeira até a hora de servir.

SALADA DE VAGEM E CENOURA

- 1/2 kg de vagens
- 1/2 kg de cenouras
- 1/2 maço de coentro
- 4 colheres de sopa de suco de limão
- sal
- azeite de oliva

Retirar as pontinhas e as fibras laterais das vagens. Cortá-las em pedaços pequenos, em diagonal.

Cortar as cenouras em cubinhos, colocá-los em uma panela com água e sal e levá-la ao fogo forte.

Após 8 minutos de fervura, acrescentar as vagens. Assim que ambas estiverem bem cozidas, porém sem se desmancharem, escorrer a água e arrumar os cubinhos em uma travessa ou saladeira não muito rasa.

Temperar a salada com o coentro picadinho, o sal e o limão. Regá-la com azeite de oliva a gosto e servi-la quando a temperatura estiver fresca.

SALADA NO ABACAXI

- 1 abacaxi
- 4 batatas médias cozidas
- 1/2 repolho pequeno ralado
- 3 cenouras médias cozidas
- 5 talos de aipo picadinhos
- 2 talos de aipo inteiros, para decorar
- 1 colher de sopa de alcaparras

Salada no abacaxi
(continuação)

- de 4 a 6 azeitonas picadas
- 1 limão médio
- sal
- 1 xícara de azeite de oliva

Lavar bem o abacaxi e cortá-lo ao meio no sentido do comprimento, retirar-lhe cuidadosamente a polpa, cortá-la em cubinhos e reservá-los.

Cortar as cenouras e duas batatas em cubinhos. Liquidificar as duas batatas restantes com 1 xícara da água do seu cozimento, sal e suco de limão, e colocar o azeite de oliva em fio. Juntar todos os ingredientes em uma tigela, incluídos os cubinhos de abacaxi, e misturá-los bem. Rechear as metades dos abacaxis com a salada assim preparada e enfeitá-las com os talos de aipo.

SALADA PICADINHA

- 1 1/2 xícara de palmito picadinho
- 1 1/2 xícara de tomate sem sementes picadinho
- 1/2 xícara de azeitonas pretas picadas
- 1 xícara de mini-espigas de milho em conserva cortadinhas
- 1 pé de alface cortado em tirinhas
- 1/2 xícara de salsa fresca picada

MOLHO
- 1 colher de sopa de estragão
- 1/3 de xícara de suco de limão
- 1/2 colher de sobremesa de sal
- 1 colher de café de pimenta-do-reino moída
- 1/3 de xícara de azeite de oliva

Misturar delicadamente com uma colher grande todos os ingredientes da salada e, separadamente, os do molho. Juntar as duas misturas em uma saladeira, provar o tempero e corrigi-lo se necessário.

Conservar a salada em geladeira até a hora de servir. Caso preferir, colocar o molho em uma molheira e servi-lo à parte.

SALADA ROMENA

- 1 pimentão vermelho
- 1 pimentão amarelo
- 1 pimentão verde
- cerca de 115 g de ervilhas-tortas
- 2 xícaras de cogumelo fresco
- 1/2 xícara de castanha de caju moída

Salada romena
(continuação)

- ♦ 1 talo de erva-doce cortado em rodelas finas
- ♦ 1 colher de sopa de óleo de gergelim
- ♦ 1 colher de sopa de vinagre
- ♦ 1 colher de sobremesa de mel
- ♦ pimenta-do-reino moída na hora

Cortar os pimentões ao meio, retirar-lhes as sementes e cortá-los em tirinhas. Misturar o talo de erva doce.

Cozinhar as ervilhas para que fiquem macias e cortá-las em três, na diagonal.

Cortar os cogumelos em fatias finas (cozinhá-los se estiverem crus).

Misturar, à parte, o óleo de gergelim com a pimenta-do-reino, o mel e o vinagre. Arrumar os legumes em uma saladeira e regá-los com esse molho. Por último, salpicar a salada de castanhas moídas.

SALADA TIPO MAIONESE COM BETERRABA

- ♦ 4 batatas grandes cozidas
- ♦ 2 beterrabas grandes cozidas inteiras, sem descascar
- ♦ 1/2 xícara de azeitonas chilenas picadas
- ♦ 1 xícara de pimentão verde picadinho
- ♦ 1 xícara de maçã descascada e picadinha
- ♦ 1 xícara de coentro fresco bem picado
- ♦ 1 punhado de passinhas sem sementes

MOLHO
- ♦ 2 batatas grandes cozidas
- ♦ 4 colheres de sopa de molho de mostarda
- ♦ 1/2 xícara da água quente em que foram cozidas as batatas
- ♦ folhinhas de hortelã, para decorar
- ♦ 7 colheres de sopa de suco de limão
- ♦ 1 colher de sobremesa, rasa, de sal
- ♦ 8 colheres de sopa de azeite de oliva

Cortar as batatas e as beterrabas cozidas em pedaços pequenos, de tamanhos iguais. Adicionar todos os demais ingredientes da salada (não os do molho).

Bater no liquidificador os ingredientes do molho, até obter um creme.

Provar o tempero, corrigi-lo se necessário e colocar metade desse molho sobre os legumes.

Mexer delicadamente, com um pão-duro ou colher de pau, e arrumar a salada em saladeira ou potinhos individuais.

Conservar a salada em geladeira até a hora de servir. Regá-la com mais molho e enfeitá-la com folhinhas de hortelã.

SALADA TRICOLOR

- 3 beterrabas
- 4 cenouras
- 1 nabo

MOLHO
- 1 batata média cozida
- 5 azeitonas verdes sem os caroços
- 1/2 xícara da água em que foram cozidas as batatas
- 2 colheres de sopa de salsa fresca picada
- 2 folhas de salsa sem picar
- 2 colheres de sopa de suco de limão
- 1 colher de chá de sal
- 4 colheres de sopa de azeite de oliva

Ralar as cenouras cruas bem fininho. Em seguida ralar o nabo cru e, por último, as beterrabas cruas. Colocar, de maneira harmoniosa, os três legumes em uma travessa, tomando cuidado para a beterraba não tingir os demais.

Bater no liquidificador a batata cozida junto com a água, o limão, o sal, as azeitonas, a salsa e o azeite de oliva. Colocar esse molho em uma molheira, enfeitado com duas folhas de salsa. Deixá-lo ao lado da salada ao servi-la.

SALADINHA DE PALMITO

- 1 1/2 xícara de palmito bem picado
- 1 1/2 xícara de tomate sem sementes picadinho
- 1/2 xícara de azeitonas picadas
- 1 pé de alface roxa picadinha (alface-quatro-estações)
- 1 pé de alface crespa
- 1/2 xícara de salsa fresca picada
- 1/2 xícara de coentro fresco picado

MOLHO
- 1 colher de sopa de estragão
- 1/3 de xícara de suco de limão
- 1/2 colher de sobremesa de sal
- 1 colher de café de pimenta-do-reino moída
- 1/3 de xícara de azeite de oliva

Misturar o palmito, o tomate, a salsa, o coentro, as azeitonas e a alface roxa. Misturar os ingredientes do molho, reservar metade e acrescentar a outra metade à salada. Forrar uma travessa com as folhas de alface crespa, inteiras, e arrumar decorativamente a salada picadinha ao centro. Servi-la com o molho à parte.

SALADA DE PALMITO E ACELGA

- 4 xícaras de palmito cortado em rodelas
- 1 maço de acelga
- 2 colheres de sopa de manjerona
- 1 limão
- sal
- azeite de oliva

Lavar as folhas de acelga e cortá-las bem fininho, usando também os talos. Colocá-las em uma tigela e delicadamente misturar-lhes as rodelas de palmito. Temperar a salada com sal, manjerona, suco de limão e azeite de oliva a gosto. Colocá-la em saladeira e servi-la.

Observação: Para economizar tempo, pode-se cortar a acelga na véspera e mantê-la na geladeira, em um saquinho plástico seco e bem fechado.

SALPICÃO

- 10 g de broto de feijão
- 3 cenouras cruas raladas
- 3 pimentões médios, verdes, ralados ou picados em tirinhas
- 1 pimentão médio, vermelho, ralado ou picado em tirinhas
- 10 azeitonas verdes recheadas
- 3 tomates médios, sem sementes, picados
- 1/2 maço de salsa fresca
- 1/2 colher de sopa de manjericão
- 1 pitada de páprica
- 3 colheres de sopa de suco de limão
- 1/2 colher de sobremesa de sal
- 5 colheres de sopa de azeite de oliva

Após preparar os ingredientes, ralando-os e cortando-os conforme necessário, misturá-los cuidadosamente em uma tigela.

Temperar o salpicão e deixá-lo descansar algumas horas na geladeira.

Arrumá-lo em saladeira e servi-lo fresquinho.

TABULE

- 1 xícara de trigo para quibe (triguilho)
- 4 pepinos grandes
- 4 tomates firmes
- 1 pé de alface cortado em tirinhas finas
- 1 maço de hortelã

Tabule
(continuação)

- 1 maço de salsinha
- 1 colher de sopa de zattar (tempero sírio)
- 2 limões grandes
- sal
- 4 colheres de sopa de azeite de oliva

Deixar o triguilho de molho por no mínimo 2 horas. Retirá-lo da água com as mãos e espremê-lo firmemente. Colocá-lo em uma tigela grande.

Cortar os pepinos, descascados, em cubinhos e adicioná-los à tigela do triguilho.

Tirar as sementes dos tomates e cortá-los em cubinhos semelhantes aos dos pepinos. Juntá-los ao triguilho. Acrescentar então os temperos verdes bem picados, o zattar, o suco de limão, o sal e o azeite de oliva. Mexer bem o tabule, delicadamente, e arrumá-lo em saladeira. Servi-lo com gomos de limão.

Pode ser usado como acompanhamento nas refeições ou em lanches

CONSERVAS

Azeitonas chilenas temperadas 45
Chutney fácil de manga 45
Conserva de berinjela no azeite 46
Conserva de beterraba 46
Conserva de cenoura 46
Conserva de cenouras em rodelas finas 47
Conserva de cogumelo 47
Conserva de couve-de-bruxelas 48
Conserva de couve-flor 48
Conserva de nabo branco comprido e cenoura 49
Conserva de pepino caipira no azeite 49
Conserva de pepino japonês 50
Conserva de pimentão 50
Conserva de rabanetes 50
Conserva de repolho 51
Conserva de vagens 51
Conserva de vegetais variados 52
Picles de nabo comprido 52

As conservas apresentadas neste livro se mantêm por meses,
e às vezes anos, sem precisar de geladeira.

AZEITONAS CHILENAS TEMPERADAS

- 1 xícara de azeitonas chilenas (pretas, graúdas)
- 2 colheres de chá de zattar (tempero sírio, encontrado em empórios árabes)
- 1 colher de café de pimenta-do-reino moída
- 3 colheres de sopa de vinagre de álcool
- 1 colher de chá de sal
- 1/2 xícara de azeite de oliva

Escorrer a água das azeitonas e transferi-las para uma vasilha com tampa. Cobri-las com azeite e vinagre e acrescentar o zattar, a pimenta-do-reino e o sal. Misturar tudo muito bem e deixar a conserva na geladeira por dois dias antes de consumi-la.

CHUTNEY FÁCIL DE MANGA

- 20 mangas maduras
- 1/2 kg de açúcar mascavo
- 6 colheres de sopa de gengibre em fatias bem finas
- 2 xícaras de suco de limão
- 3 xícaras de uvas-passas sem sementes
- 1 colher de sopa de noz-moscada em pó
- 1/2 colher de chá de pimenta-do-reino moída (opcional)
- 1 colher de sobremesa de sal

Descascar as frutas e cortá-las em fatias grossas. Aquecer o suco de limão em uma panela, juntar-lhe as mangas e o gengibre e esperar ferver. Colocar as uvas-passas, o açúcar mascavo, a noz-moscada, o sal e a pimenta-do-reino e deixá-los ferver até engrossar. Quando ao mexer o chutney estiver aparecendo o fundo da panela, tirá-la do fogo e esperar que esfrie, para então acondicioná-lo em vidros esterilizados. Guardar os vidros na geladeira, bem tampados. Servir o chutney para acompanhar refeições salgadas, ou mesmo em lanches, com pães e biscoitos.

CONSERVA DE BERINJELA NO AZEITE

- 10 berinjelas pequenas
- 1 vidro de vinagre
- 2 folhas de louro
- 1 colher de sobremesa de alecrim
- 2 colheres de sobremesa de sal
- azeite de oliva

Lavar as berinjelas, secá-las com um pano limpo e cortá-las em tiras não muito finas. Levar ao fogo uma panela com o vinagre e o sal e, assim que estiver fervendo, colocar as tiras de berinjela. Cozê-las por no máximo 5 minutos, retirá-las com uma escumadeira e deixá-las sobre um pano de prato para secar bem.

Quando estiverem frias, arrumá-las em vidro esterilizado, e em seguida completar o vidro com azeite de oliva. Colocar os temperos e fechar o vidro hermeticamente.

Deixar a conserva curtindo por 4 semanas antes de consumi-la.

CONSERVA DE BETERRABA

- 4 beterrabas grandes, descascadas e cortadas em palitinhos
- 2 colheres de sopa de alcaparras
- 4 xícaras de vinagre
- 1 colher de sobremesa de sal
- 1 1/2 xícara de azeite de oliva

Escaldar um vidro grande e arrumar dentro dele as beterrabas em palitos e as alcaparras.

Colocar os demais ingredientes em uma panela, deixá-los ferver por 4 minutos e colocá-los no vidro, por cima das beterrabas. Tampar bem o vidro e guardá-lo em lugar fresco e escuro por 3 ou 4 semanas antes de consumir a conserva.

CONSERVA DE CENOURA

- 7 cenouras bem lavadas e raspadas com faca
- 6 azeitonas portuguesas
- 1 colher de sopa de alecrim
- 1 colher de sopa de pimenta-da-jamaica
- 1 litro de vinagre
- 2 colheres de sobremesa de sal
- 3 colheres de sopa de açúcar
- 2 xícaras de azeite de oliva

Cortar as cenouras em palitos finos e compridos.

Colocá-los em uma panela grande, junto com os demais ingredientes, e levá-la ao fogo; depois que levantar fervura, deixá-los cozinhar por 5 minutos, não mais.

Esperar que esfriem na panela destampada. Enquanto isso, escaldar vidros e deixá-los secar.

Arrumar as cenouras nos vidros e completá-los com o caldo da panela.

Aguardar algumas semanas para consumir a conserva.

CONSERVA DE CENOURAS EM RODELAS FINAS

- 8 cenouras
- 2 colheres de sopa de alcaparras
- 1 vidro de vinagre
- 1 colher de sobremesa de sal
- azeite de oliva

Dar uma leve descascada nas cenouras com faca ou descascador apropriado. Cortá-las em rodelas bem finas (usar fatiador elétrico, ou a lateral do ralador, ou ainda uma faca grande bem afiada) e deixá-las envoltas em um pano de algodão limpo e seco.

Colocar o vinagre e o sal em uma panela e levá-la ao fogo. Assim que o vinagre começar a ferver, colocar as cenouras e deixar que cozinhem por 4 minutos. Tirar as cenouras com escumadeira e escorrê-las em pano de prato.

Quando esfriarem, arrumá-las em vidro esterilizado, acrescentar as alcaparras e completar o vidro com azeite de oliva.

Tampá-lo hermeticamente e guardá-lo em lugar escuro e fresco por 4 semanas, no mínimo, antes de consumir a conserva.

CONSERVA DE COGUMELO

- 1 xícara de cogumelos (*champignon, shiitake* ou *pleurotus*) cozidos
- 1 colher de café de pimenta-do-reino moída
- 1 colher de café de pimenta-da-jamaica
- 1 colher de chá de segurelha
- vinagre
- 1 colher de sobremesa de sal
- 1/2 xícara de azeite de oliva

Colocar os cogumelos cozidos e os temperos em um vidro esterilizado. Acrescentar o azeite de oliva e o vinagre.

Tampar bem o vidro e deixá-lo em lugar fresco, seco e escuro por pelo menos dois dias antes de consumir a conserva.

CONSERVA DE COUVE-DE-BRUXELAS

- 4 xícaras de couve-de-bruxelas cruas
- 1 colher de sopa de segurelha
- 1 colher de café de pimenta-do-reino moída
- 1 colher de sopa de orégano
- 2 folhas de louro
- 1 pedacinho de gengibre
- 1 vidro de vinagre
- 1 colher de sobremesa de sal
- 1/2 colher de sopa de açúcar
- azeite de oliva

Lavar e enxugar as couves.

Escaldar o vidro a ser utilizado e levar ao fogo uma panela com o vinagre, o sal e o açúcar. Assim que começar a ferver, colocar as couves e deixá-las cozinhar por 6 minutos, não mais. Retirá-las e escorrê-las em um pano de prato. Quando estiverem completamente secas e frias, arrumá-las no vidro esterilizado.

Colocar os temperos no vidro e completá-lo com azeite de oliva. Tampá-lo hermeticamente e guardá-lo em lugar fresco e escuro por, no mínimo, 5 semanas antes de consumir a conserva.

CONSERVA DE COUVE-FLOR

- 1 couve-flor grande
- 1 folha de louro para cada vidro
- 1 colher de sopa de pimenta-da-jamaica
- 1 limão médio (usar somente a casca)
- 1 pedaço de canela em pau
- 1 litro ou mais de vinagre
- 2 colheres de sobremesa de sal
- 2 colheres de sopa de açúcar
- bastante azeite de oliva

Cortar a couve-flor separando os buquês, todos do mesmo tamanho.

Em uma panela grande, colocar aproximadamente um litro de vinagre para ferver com o sal, o açúcar e os demais temperos. Assim que o vinagre estiver fervendo, colocar a couve-flor e deixá-la cozinhar por 7 minutos.

Escorrê-la bem, deixá-la esfriar e enxugá-la com um pano.

Arrumá-la em um vidro previamente escaldado e seco.

Juntar-lhe algumas folhas de louro e completar o vidro com azeite de oliva. Esperar uns 30 minutos para fechar o vidro, pois o nível do azeite diminuirá. Completar o vidro com mais azeite, tampá-lo e guardá-lo em lugar fresco e escuro.

Consumir a conserva depois de pelo menos um mês.

CONSERVA DE NABO BRANCO COMPRIDO E CENOURA

- 1 nabo
- 6 cenouras grandes
- 2 xícaras de vinagre
- 2 colheres de sopa de segurelha
- 1 colher de sopa de orégano seco
- 1 colher de café de pimenta-do-reino moída
- 1 colher de sobremesa de sal
- 2 colheres de sopa de açúcar
- 1 xícara de azeite de oliva

Descascar tanto o nabo quanto a cenoura com um descascador manual ou, se não for possível, com uma faca.

Cortar os legumes em palitos do mesmo tamanho e reservá-los.

Colocar todos os demais ingredientes em uma panela ou leiteira e levá-la ao fogo alto até ferver.

Enquanto isso, deixar os vidros que serão utilizados de molho em água quente. Arrumar então os palitos de nabo e cenoura bem apertados dentro dos vidros já esterilizados, tentando não deixar espaço entre eles. Despejar em seguida o caldo de temperos, que deverá estar fervendo. Tampar os vidros hermeticamente e guardá-los em lugar fresco e escuro por algumas semanas antes de consumir a conserva.

CONSERVA DE PEPINO CAIPIRA NO AZEITE

- 7 pepinos caipiras lavados e enxutos
- 1 colher de sopa de zimbro
- 6 sementes de pimenta-do-reino
- 1 litro de vinagre
- 1 colher de sobremesa de sal
- bastante azeite de oliva

Levar ao fogo, em uma panela grande, o vinagre com o zimbro, a pimenta-do-reino e o sal.

Cortar os pepinos em palitos não muito finos e, quando o vinagre ferver, colocá-los na panela. Deixá-los cozinhar por no máximo 5 minutos.

Retirá-los com uma escumadeira e colocá-los em cima de um pano de prato para escorrer.

Assim que esfriarem, arrumá-los em vidros previamente esterilizados e secos.

Colocar dentro deles o louro e o zimbro e preenchê-los com azeite de oliva.

Esperar uns 30 minutos antes de tampar os vidros e completá-los com mais azeite. Tampá-los hermeticamente e guardá-los em lugar fresco e escuro.

Consumir a conserva após algumas semanas.

CONSERVA DE PEPINO JAPONÊS

- 10 pepinos grandes cortados em rodelas
- 1/2 colher de chá de pimenta-do-reino
- 1 colher de chá de orégano
- 3 xícaras de vinagre
- 2 colheres de sobremesa de sal
- 5 colheres de sopa de açúcar
- 1 xícara de azeite de oliva

Misturar o pepino com os outros ingredientes em uma panela grande. Levá-la ao fogo e esperar a fervura, mexendo sempre para dissolver o açúcar. Tampar então a panela e deixá-la no fogo por 2 minutos. Destampá-la e deixar o pepino esfriar no líquido. Colocá-lo em vidros esterilizados. Tornar a ferver o caldo da panela e despejá-lo sobre os pepinos. Tampar o vidro e curtir o pepino por pelo menos 2 semanas antes de consumi-lo. Guardar o vidro em lugar escuro e fresco.

CONSERVA DE PIMENTÃO

- 10 pimentões grandes
- 1/2 xícara de alcaparras
- 1 maço de salsa
- 1 maço de manjericão
- bastante vinagre
- 1 1/2 colher de sobremesa de sal
- bastante azeite de oliva

Lavar os pimentões, enxugá-los com um pano de prato, retirar-lhes as sementes e cortá-los em tirinhas não muito finas.

Levar ao fogo uma panela grande com bastante vinagre e o sal. Assim que ferver, colocar as tirinhas de pimentão. Deixá-las cozinhar por aproximadamente 8 minutos. Retirar os pimentões da panela com uma escumadeira e esperar que esfriem em cima de um pano de prato. Arrumá-los em um vidro esterilizado com água fervente e depois seco. Colocar nele as folhas de salsa e as de manjericão, enxutas, e as alcaparras. Completá-lo com azeite de oliva até a borda. Fechá-lo hermeticamente e guardá-lo, em lugar fresco e escuro, por pelo menos 1 mês.

CONSERVA DE RABANETES

- de 10 a 15 rabanetes cortados em 4
- 1 colher de sobremesa de alecrim
- 2 cravos
- 1 pedacinho de gengibre
- 1 xícara de vinagre
- 1 1/2 colher de sobremesa de sal
- 1/2 xícara de azeite de oliva

Colocar todos os ingredientes em uma panela e levá-la ao fogo. Deixá-los ferver por 6 minutos. Destampar a panela e esperar que esfrie, para então retirar os rabanetes com uma escumadeira e arrumá-los em vidros esterilizados.

Retornar ao fogo o caldo da panela e, quando estiver fervendo, completar os vidros com ele. Tampar os vidros hermeticamente e guardá-los em lugar escuro e fresco, por 3 a 4 semanas aproximadamente.

CONSERVA DE REPOLHO

- ◆ 1 repolho médio
- ◆ 1 litro de vinagre
- ◆ 1 colher de sopa de alecrim
- ◆ 5 colheres de sopa de açúcar
- ◆ 1 pedaço de mais ou menos 2 cm de gengibre
- ◆ 1/2 xícara de azeitonas verdes
- ◆ 2 colheres de sobremesa de sal
- ◆ 2 xícaras de azeite de oliva

Cortar o repolho em fatias. Misturar em uma panela grande o vinagre com o azeite de oliva, o sal, o açúcar, o alecrim e as azeitonas. Deixar a mistura em fogo alto até ferver. Colocar os repolhos e deixá-los ferver por aproximadamente 8 minutos. Escaldar os vidros, sem se esquecer das tampas, e colocar o repolho dentro deles, assim que estiverem frios. Tornar a ferver o caldo da panela e completar os vidros com ele. Tampar bem os vidros e guardá-los em lugar fresco e escuro, por no mínimo 3 semanas.

CONSERVA DE VAGENS

- ◆ 3 dúzias ou mais de vagens
- ◆ 1/2 xícara de azeitonas chilenas
- ◆ 1 colher de chá de curry
- ◆ 1 litro de vinagre
- ◆ 2 1/2 colheres de sobremesa de sal
- ◆ 1/2 xícara de açúcar
- ◆ 2 xícaras de azeite de oliva

Cortar os cabinhos das vagens, lavadas e secas, e levá-las ao fogo em uma panela com o curry, o vinagre, o sal, o açúcar, as azeitonas e o azeite de oliva. Esperar ferver, e então tampar a panela e deixar as vagens cozinhando por 6 minutos aproximadamente. Destampar a panela e esperar que as vagens esfriem no líquido. Colocá-las em vidros esterilizados, tornar a ferver o líquido e despejá-lo sobre as vagens. Fechar os vidros hermeticamente e guardá-los em lugar escuro e fresco. Deixar a vagem curtir por pelo menos 1 mês.

CONSERVA DE VEGETAIS VARIADOS

- 1/2 couve-flor média
- 4 cenouras médias
- 5 alcaparras
- 1 pimentão vermelho
- 1 pimentão amarelo
- 1/2 xícara de azeitonas
- 1 colher de sobremesa de pimenta-do-reino moída
- 5 xícaras de vinagre
- 2 colheres de sobremesa de sal
- 1 colher de sobremesa de açúcar
- 2 xícaras de azeite de oliva

Cortar a couve-flor em raminhos iguais. Descascar as cenouras e cortá-las em palitos. Tirar as sementes dos pimentões e cortá-los em tiras semelhantes às das cenouras. Colocar então todos os ingredientes em uma panela, incluídos os legumes, e deixá-los ferver por 4 ou 5 minutos, no máximo, com a panela tampada. Destampar a panela e esperar que tudo esfrie completamente. Retirar os legumes da panela com uma escumadeira e arrumá-los em um vidro grande, esterilizado. Levar ao fogo o caldo que sobrar e, assim que ferver, despejá-lo em cima dos legumes, dentro do vidro. Fechar os vidros e guardá-los em lugar fresco e escuro por 4 semanas antes de consumir a conserva.

PICLES DE NABO COMPRIDO

- 1 nabo comprido descascado e cortado em palitinhos
- 1/2 xícara de azeitonas em pedaços
- 3 xícaras de vinagre
- 3 grãos de pimenta-do-reino
- 2 colheres de sobremesa de sal
- 2 colheres de sopa de açúcar
- 1 1/2 xícara de azeite de oliva

Colocar em uma panela grande o vinagre, o azeite de oliva, o sal, o açúcar, a pimenta-do-reino, a azeitona e os palitinhos de nabo. Tampar a panela e levá-la ao fogo para ferver por 6 ou 7 minutos. Destampar a panela e esperar que esfrie. Escaldar os vidros que serão utilizados e, com uma escumadeira, arrumar os palitos de nabo dentro deles. Retornar ao fogo o caldo da panela e, assim que levantar fervura, completar os vidros com ele. Tampá-los hermeticamente, pingar cera de vela na boca dos vidros se for demorar a consumir os picles, e guardá-los em lugar fresco e escuro por 4 semanas no mínimo.

SOPAS

Creme de aspargos com cenoura 55
Minestrone 55
Shop sue 56
Sopa de lentilha 57
Sopa com macarrão e cogumelo 57
Sopa comum 58
Sopa cremosa de abóbora com grão-de-bico 59
Sopa cremosa de beterraba com tapioca 59
Sopa cremosa de cenoura 60
Sopa cremosa de couve-flor e ervilhas 60
Sopa cremosa de legumes 61
Sopa cremosa de milho 61
Sopa cremosa de milho verde 62
Sopa de arroz 62
Sopa de arroz e abobrinha 62
Sopa de batata e brócolis 63
Sopa de batata e repolho 63
Sopa de beterraba 64
Sopa de chuchu, cenoura e cogumelo 64
Sopa de couve-flor e abóbora 65
Sopa simples de ervilha com aveia 66
Sopa de ervilha seca e brócolis 66
Sopa de espinafre 66
Sopa de feijão azuki 67
Sopa de batata e aspargos 67
Sopa de feijão reforçada 68
Sopa de funghi seco 69

Sopa de grão-de-bico e beterraba crua ... 69
Sopa de grão-de-bico e repolho ... 70
Sopa de legumes com cogumelo francês ... 70
Sopa de legumes com spaghetti ... 71
Sopa de legumes e arroz ... 72
Sopa de legumes e funghi ... 72
Sopa de legumes ... 73
Sopa de mandioca ... 73
Sopa de mandioca com cogumelo ... 74
Sopa de mandioquinha ... 74
Sopa de mandioquinha e abóbora ... 75
Sopa simples de feijão preto ... 75
Supersopa de feijão ... 75

CREME DE ASPARGOS COM CENOURA

- 2 vidros comuns de aspargos
- 8 cenouras médias
- 1 xícara de coentro fresco picado
- 1 colher de café de molho de mostarda
- 2 colheres de sobremesa de sal
- 5 colheres de sopa de azeite de oliva
- 6 xícaras de água

Cozinhar as cenouras em uma panela comum com as 6 xícaras de água e mais a água de um vidro de aspargos.

Assim que estiverem macias, começando a se desmanchar, desligar o fogo e bater tudo no liquidificador.

Colocar o azeite de oliva, o coentro picado, a pimenta-do-reino moída e o sal em uma panela limpa. Fritá-los por uns 5 minutos, e então acrescentar o creme de cenouras. Mexer tudo bem e deixar em fogo alto.

Bater no liquidificador, com a própria água e sal, todo o aspargo contido em um vidro e juntar esse creme à panela.

Cortar os aspargos restantes em tamanhos iguais e colocá-los na panela.

Abaixar o fogo e deixar a panela semitampada por 25 minutos.

Servir o creme quente, acompanhado por tirinhas de pão ligeiramente torradas em frigideira, com azeite, orégano e sal.

MINESTRONE

- 1/3 de pacote de spaghetti de sêmola ou grano duro
- 1 couve-flor pequena, cortada em raminhos
- 1 xícara de vagem picadinha
- 1/2 xícara de cenoura crua, cortada em cubinhos
- 2 raízes de bardana cortadas em cubinhos
- 1/2 xícara de abóbora crua, cortada em cubinhos
- 1/2 xícara de cará cru cortado em cubinhos

Minestrone
(continuação)

- 1/2 xícara de pimentão vermelho picado
- 1 colher de sopa de molho de mostarda
- 1 xícara de salsa fresca picada
- 1/2 colher de sopa de alecrim
- 1/2 colher de sobremesa de sal
- 3 colheres de sopa de óleo
- água quente

Refogar no óleo a salsa, o alecrim, o sal e a mostarda. Acrescentar os legumes cortadinhos, encher a panela com água quente, deixá-la semitampada, em fogo baixo e, assim que estiverem cozidos, colocar o macarrão. Após o macarrão estar cozido, provar o sal e os demais temperos e servir o minestrone com torradas de pão cortadas bem fininho, levadas ao forno até dourarem.

SHOP SUE

- 1 prato raso de macarrão cozido
- 1/2 xícara de arroz cozido
- 1 xícara de batata cozida picadinha
- 1 xícara de cenoura cozida picadinha
- 1 xícara de raminhos de couve-flor
- 1 xícara de ervilha fresca
- 1 xícara de ervilha-torta
- 1/2 xícara de tofu cortado em quadradinhos
- 1 xícara de funghi seco, bem lavado
- 1 xícara de tomate sem sementes picadinho
- 1/2 xícara de pimentão vermelho picado
- 1/2 xícara de pimentão amarelo picado
- 1 colher de sopa de raiz-forte
- 1 colher de sopa de molho de mostarda
- 1 xícara de salsa fresca picadinha
- 1 xícara de coentro picadinho
- 2 colheres de sopa de louro em pó
- 1 xícara de shoyo
- de 6 a 8 colheres de sopa de óleo

Colocar o óleo e os temperos em uma panela grande. Deixá-los fritar por 5 minutos e acrescentar então todos os demais ingredientes, exceto o macarrão cozido e o tofu, que deverão ser deixados para o fim.

Cobrir os legumes com água e deixá-los em fogo brando por 50 minutos, com a panela semitampada. Provar o sal e o tempero e corrigi-lo se necessário. Acrescentar o macarrão e o tofu (opcional). Servir o shop sue imediatamente, acompanhado de torradas feitas na frigideira, com manjericão, azeite de oliva e sal.

SOPA DE LENTILHA

- 1/2 xícara de macarrãozinho de sopa
- 1/2 pacote de 250 gramas de lentilhas
- 2 raízes grandes de bardana
- 1/2 xícara de tomate picadinho
- 1 colher de sopa de manjericão
- 1 xícara de salsinha picada
- 1 colher de sopa de gengibre picado
- 1/2 colher de sobremesa de sal
- 5 colheres de sopa de shoyo
- 5 colheres de sopa de óleo

Cozinhar as lentilhas, com os cubinhos de bardana, em panela de pressão ou comum. Batê-los no liquidificador com a própria água do cozimento e reservar o caldo.

Esquentar o óleo e refogar nele a salsinha, o manjericão, o tomate e o gengibre. Colocar o sal e o shoyo e, após 5 minutos em fogo alto, acrescentar o caldo de lentilhas. Colocar o macarrão e deixá-lo ferver por 20 minutos, ou até estar cozido.

Fatiar um pão de forma, espalhar sobre cada fatia tahine, missô, algumas rodelas de tomates e azeitonas. Levar as fatias ao forno até estarem torradas. Servi-las quentes com a sopa.

Observação: A lentilha tende a engrossar, portanto, para não ficar uma sopa muito grossa, cozinhá-la com duas vezes a sua quantidade de água.

SOPA COM MACARRÃO E COGUMELO

- 1 xícara de macarrão miúdo, para sopa, ou qualquer outro sem ovos
- 2 xícaras de cogumelos (*champignon, shiitake* ou *pleurotus*) inteiros
- ½ xícara de cenoura picada
- ½ xícara de chuchu picadinho
- ½ xícara de mandioquinha crua picadinha
- 1 xícara de milho verde
- ½ xícara de ervilhas frescas
- ½ xícara de pimentão vermelho picado
- ½ xícara de pimentão verde
- 3 colheres de sopa de coentro fresco picado
- 2 colheres de sobremesa de salsa picada
- 1 colher de sopa de orégano fresco picado
- 1 colher de café de açafrão em pó
- 1 colher de café de gengibre fresco, ralado ou seco
- 1 colher de sobremesa sal
- ½ xícara de shoyo

Sopa com macarrão
e cogumelo
(continuação)

- 3 colheres de sopa de óleo
- água quente

Esquentar o óleo em uma panela grande e refogar todos os ingredientes, exceto o shoyo e a água, por 15 minutos, sem tampar a panela, mexendo-a sempre.

Colocar o shoyo e cobrir os legumes com água quente.

Deixar a panela semitampada, em fogo brando, por 40 minutos.

Experimentar o tempero, e corrigi-lo se necessário. Servir a sopa quente.

Usar araruta para engrossá-la se for preciso.

SOPA
COMUM

- 4 colheres de macarrão para sopa, de sêmola ou grano duro
- 6 batatas grandes
- 1 beterraba média
- 1/4 de uma abóbora kambutiá
- 1/2 xícara de cogumelos, se houver
- 6 colheres de sopa de salsa fresca picada
- 1 pitada de alecrim
- 6 colheres de sopa de shoyo
- sal a gosto
- 4 colheres de sopa de azeite de oliva

TORRADA DE TOMATE
- 1 pão
- 6 tomates sem sementes
- azeitonas a gosto
- orégano a gosto
- sal a gosto
- azeite de oliva a gosto

Colocar as batatas, a abóbora e a beterraba em uma panela, cobri-las com água e levá-las ao fogo alto até estarem cozidas.

Esquentar o azeite em outra panela e refogar nele a salsa, o alecrim e os cogumelos cortados ao meio. Temperá-los com sal e shoyo.

Acrescentar os legumes cozidos, amassados com garfo, mexer tudo bem e colocar a água em que os legumes foram cozidos. Assim que a água começar a ferver, adicionar o macarrão e esperar que cozinhe.

Servir a sopa em sopeira, acompanhada de torradas de tomates.

TORRADA DE TOMATE

Fatiar um pão bem fininho e temperar as fatias com azeite de oliva, sal, orégano, azeitonas e tomates sem sementes, bem batidinhos. Levá-las ao forno.

SOPA CREMOSA DE ABÓBORA COM GRÃO-DE-BICO

- 1 pacote de 500 gramas de grão-de-bico
- 1/2 abóbora japonesa
- 2 cenouras simples
- 1 xícara de tomate picadinho
- 1 xícara de coentro picado
- 1 xícara de salsinha picada
- 2 folhas de louro
- 2 colheres de sopa de mostarda
- 1 colher de café de pimenta-do-reino em pó
- 1 colher de sobremesa de sal
- 4 colheres de sopa de azeite de oliva
- 4 colheres de sopa de óleo

Cozinhar em panela de pressão a abóbora, o grão-de-bico e as cenouras (cerca de 1 hora e 30 minutos); batê-los no liquidificador com a água e passar a massa em uma peneira. Reservar o creme.

Levar ao fogo em uma panela grande o azeite de oliva e o óleo e refogar neles todos os temperos por 10 minutos.

Adicionar então o creme e mexer bem a sopa.

Deixá-la em fogo baixo por 15 minutos aproximadamente.

SOPA CREMOSA DE BETERRABA COM TAPIOCA

- 1 pacote de 500 gramas de grão-de-bico
- 3 beterrabas grandes
- 3 batatas grandes
- 1 chuchu grande
- 3 colheres de tapioca
- 1/2 xícara de tomate picado
- 1/3 de xícara de pimentão picado
- 1/3 de xícara de salsinha picada
- 1/2 xícara de coentro picado
- 4 folhas de louro
- 1 colher de sobremesa de raiz-forte em pó
- 1 colher de sobremesa de açafrão em pó
- 6 colheres de sopa de leite de coco
- sal a gosto
- 3 colheres de sopa de azeite de oliva
- 3 colheres de sopa de óleo

Colocar os quatro primeiros ingredientes em uma panela de pressão, com água até cobrir os legumes, e deixá-los cozinhar em fogo alto, por uma hora e meia aproximadamente.

Assim que os grãos estiverem macios, desligar o fogo, bater tudo no liquidificador e passar a massa por peneira.

Esquentar o azeite de oliva e o óleo em uma panela grande. Acrescentar os ingredientes restantes, exceto a tapioca e o leite de coco. Deixá-los refogar na panela destampada por cerca de 8 minutos.

Colocar sal a gosto, e em seguida o creme (que deverá estar bem vermelho).

Acrescentar o leite de coco e deixá-lo ferver por 10 minutos.

Colocar a tapioca e mexê-la por mais 8 minutos.

Observações: Pôr os legumes inteiros dentro da panela de pressão.

Se for necessário reaquecer a sopa, mexê-la sem parar, pois a tapioca poderá grudar no fundo da panela.

SOPA CREMOSA DE CENOURA

- 6 ou 7 cenouras
- 1 batata
- 2 tomates grandes
- 1 xícara de coentro fresco picado
- 1 colher de sopa de raiz-forte
- 1 colher de sopa de louro em pó
- 1 pitada de pimenta-do-reino moída
- 1 colher de sobremesa de sal

Cozinhar em água e sal as cenouras, a batata e os tomates, e batê-los no liquidificador assim que estiverem cozidos. Passar a massa por peneira.

Em uma panela com óleo quente, refogar os temperos por uns 5 minutos e acrescentar o caldo de legumes. Mexer tudo bem e deixar a sopa em fogo brando por 40 minutos. Provar o tempero e servi-la, ainda quente, com pimenta-do-reino polvilhada na própria sopeira.

SOPA CREMOSA DE COUVE-FLOR E ERVILHAS

- 1 couve-flor de tamanho médio
- 1 pacote de 500 gramas de ervilhas secas
- 1 xícara de pimentão vermelho picadinho
- 1 vidro pequeno de aspargos
- 1 xícara de coentro picado
- 4 folhas de louro
- 2 colheres de sopa de mostarda
- 1 colher de café de gengibre ralado
- 1 colher de sobremesa de sal
- 10 colheres de sopa de azeite de oliva

Cozinhar juntas as ervilhas lavadas e as partes duras da couve-flor, em uma panela semitampada, com duas (ou três) vezes a sua quantidade de água, além da água do vidro de aspargos. Manter o fogo alto por aproximadamente 1 hora e 15 minutos, ou até as ervilhas estarem se desmanchando. Batê-las no liquidificador e deixar o creme reservado.

Aquecer o azeite e fritar nele o coentro, as folhas de louro, a mostarda, o gengibre, os pimentões e a couve-flor escaldada.

Colocar sal e mexer tudo bem com uma colher de pau. Após uns sete minutos, acrescentar à panela o creme de ervilha e os aspargos cortados ao meio.

Mexer a sopa e deixá-la em fogo baixo por 20 minutos.

Servi-la quente, acompanhada de torradas fininhas.

SOPA CREMOSA DE LEGUMES

- 4 cenouras
- 4 beterrabas
- 1/2 abóbora japonesa ou comum
- 1 maço de coentro fresco picado
- 1/2 maço de salsa fresca picada
- 1 colher de chá de manjericão em pó
- 2 colheres de sopa de shoyo

Cozinhar juntos, em panela de pressão, os 3 legumes com metade da salsinha e do coentro.

Após 20 minutos de pressão, retirar a panela do fogo, bater os legumes ligeiramente no liquidificador e despejar o caldo em uma panela, juntamente com o shoyo, o manjericão e o restante do coentro e da salsa. Ao levantar fervura, a sopa estará pronta para servir.

SOPA CREMOSA DE MILHO

- 8 xícaras de milho verde recém-tirado das espigas
- 1/2 xícara de macarrão miúdo (opcional)
- 1 colher de sopa de manjericão
- 1 xícara de salsa fresca picada
- 1/2 xícara de coentro fresco picado
- 1 colher de sobremesa de sal
- 12 xícaras de água morna

Bater no liquidificador o milho com a água morna, fazendo-o em partes para não forçar o aparelho. Passar o milho liquidificado por peneira e levar o caldo ao fogo com os demais ingredientes (o bagaço pode ser aproveitado para bolinhos). Assim que o caldo começar a ferver, adicionar o macarrão. Quando estiver cozido, despejar a sopa em sopeira e servi-la com torradinhas ou pão fresco.

SOPA CREMOSA DE MILHO VERDE

- de 10 a 12 espigas de milho verde
- 2 colheres de chá de orégano
- 1/2 xícara de salsa fresca picada
- 1 colher de café de pimenta-do-reino
- sal a gosto

Tirar os grãos de milho das espigas e batê-los, com água, no liquidificador. Passar a massa por uma peneira.

Esquentar o óleo em uma panela e dar uma ligeira fritada nas salsinhas, com o orégano e o sal. Colocar o creme de milho, abaixar o fogo e deixar a sopa ferver por 30 minutos. Mexê-la de vez em quando, pois poderá grudar no fundo da panela.

Adicionar a pimenta-do-reino e provar o tempero. Servir a sopa quente, acompanhada de torradinhas finas.

SOPA DE ARROZ

- 1/3 de xícara de arroz cru
- 1 xícara de batatas cruas em cubo
- 1 xícara de cenoura crua em cubinhos
- 1 xícara de chuchu cru em cubinhos
- 1 xícara de cogumelo
- 1/2 xícara de coentro picado
- 1/2 xícara de salsa picada
- 4 colheres de sopa de shoyo
- 2 colheres de sopa de azeite de oliva
- 2 litros de água ou mais

Refogar os temperos verdes no azeite. Acrescentar os cogumelos e fritá-los por 5 minutos. Colocar o arroz e os legumes e, após 8 minutos, acrescentar a água. Deixar a sopa em fogo brando por 40 minutos. Provar o tempero antes de servi-la.

SOPA DE ARROZ E ABOBRINHA

- 2 xícaras de arroz
- 2 xícaras de abobrinha picada
- 2 cenouras médias
- 1 batata média

Sopa de arroz e abobrinha (continuação)

- 1 tomate grande
- 1 xícara de coentro
- 5 colheres de sopa de shoyo
- 4 colheres de sopa de azeite de oliva
- 4 xícaras de água

Cozinhar, nas 4 xícaras de água, as cenouras, a batata e o tomate. Assim que estiverem cozidos, batê-los no liquidificador e deixar o caldo reservado.

Colocar em outra panela o azeite de oliva e fritar o coentro. Após 5 minutos, acrescentar as abobrinhas e o arroz cozido. Mexê-los bem e deixá-los mais 8 minutos no fogo, com a panela tampada. Adicionar então o caldo de legumes e o shoyo, e deixar a sopa em fogo brando, com a panela semitampada, por 20 minutos. Provar o tempero antes de servi-la.

SOPA DE BATATA E BRÓCOLIS

- 6 batatas grandes
- 1 maço de brócolis com os talos
- 1 xícara de coentro fresco picado
- 1 pitada de alecrim
- 1 pitada de pimenta-calabresa
- 1 colher de sobremesa de sal
- 2 colheres de sopa de azeite de oliva

Cozinhar as batatas e os talos dos brócolis em água e sal. Assim que as batatas estiverem cozidas, desmanchando-se, bater duas delas no liquidificador com os talos e a água da panela. Esquentar o azeite de oliva em outra panela e refogar o coentro, o alecrim, a pimenta-calabresa e os raminhos dos brócolis. Deixá-los refogar por 10 minutos e acrescentar as batatas cozidas restantes, juntamente com os talos batidos. Mexer tudo bem e tirar a panela do fogo após 15 minutos de fervura. Servir a sopa com pãezinhos quentes.

SOPA DE BATATA E REPOLHO

- 3 batatas grandes raladas
- 1/2 repolho médio cortado em tiras longas
- 2 raízes pequenas de bardana
- 1 xícara de milho verde cozido, ou 1 lata de 200 g
- 1/2 xícara de coentro fresco picado
- 2 colheres de sopa de manjericão em pó
- 1 colher de sopa de louro em pó
- 4 colheres de sopa de sementes de mostarda

Sopa de batata e repolho
(continuação)

- 1/2 xícara de shoyo ou de missô diluído em água
- 2 colheres de sopa de óleo

Refogar no óleo o manjericão, o coentro, o louro e as sementes de mostarda; após 5 minutos, acrescentar as tiras do repolho, as batatas raladas, as bardanas cortadas e o milho verde. Colocar o shoyo.

Cobrir os legumes com água quente e deixar a panela em fogo baixo por aproximadamente 40 minutos.

Provar o sal e corrigi-lo, se necessário. Servir a sopa quente.

SOPA DE BETERRABA

- 2 beterrabas médias para cozinhar
- 1 beterraba média crua
- 1/2 pacote de grão-de-bico
- 1 batata-inglesa grande
- 2 cenouras grandes
- 1 xícara de coentro fresco picado
- 1 colher de sopa de semente de coentro
- 1 pitada de curry
- 1 pitada de alecrim
- 1 colher de sopa de molho de tomate
- 2 colheres de sopa, rasas, de sal
- 6 colheres de sopa de óleo
- água

Cozinhar juntos, em panela de pressão, o grão-de-bico, as cenouras, a batata e as duas beterrabas, com água suficiente para cobrir os ingredientes. Assim que estiverem bem cozidos (principalmente o grão-de-bico), batê-los no liquidificador, com a própria água. Passar a massa por uma peneira e reservar o caldo.

Esquentar o óleo em outra panela e refogar os temperos. Adicionar o molho de tomate, o caldo do liquidificador e, por último, a beterraba ralada. Deixar a sopa em fogo brando por 35 minutos. Provar o sal e corrigi-lo se necessário. Servir a sopa quentinha, acompanhada de torradas ou de pão fresco.

SOPA DE CHUCHU, CENOURA E COGUMELO

- 3 chuchus grandes
- 4 cenouras médias
- 2 xícaras de cogumelos (*champignon, shiitake* ou *pleurotus*)
- 1 batata grande

Sopa de chuchu, cenoura e cogumelo (continuação)

- 3 colheres de sopa de macarrão para sopa, de sêmola ou grano duro
- 1/3 de xícara de coentro fresco picado
- 1/3 de xícara de salsa fresca picada
- 1 pitada de alecrim
- 1/2 colher de sobremesa de sal
- 2 colheres de sopa de azeite de oliva

Aquecer o azeite de oliva em uma panela grande e refogar a salsa fresca, o coentro, o alecrim, o sal e os cogumelos.

Descascar as cenouras, as batatas e os chuchus, cortá-los em tamanhos iguais e levá-los à panela. Mexê-los bem e deixá-los refogando por 5 minutos.

Encher a panela com água, tampá-la e deixá-la em fogo médio durante 30 minutos, ou até os legumes estarem macios.

Amassá-los com um garfo, devolvê-los à panela, e colocar o macarrão. Assim que este estiver cozido, provar o sal e colocar a sopa em uma sopeira.

Caso não seja consumida em seguida ou haja necessidade de reaquecê-la, desligar o fogo antes de estar o macarrão totalmente cozido, para que não se desmanche até ir para a mesa.

SOPA DE COUVE-FLOR E ABÓBORA

- 1 couve-flor média
- 1/2 abóbora
- 1 pimentão amarelo
- 2 tomates picados
- 1 colher de chá de açafrão
- 2 colheres de sopa de mostarda em pó
- 2 colheres de chá de sal
- 4 colheres de sopa de shoyo
- 10 colheres de sopa de azeite de oliva

Cozinhar a abóbora e batê-la no liquidificador com a água em que foi cozida. Reservar o creme.

Picar a couve-flor em raminhos e colocá-la em uma panela com os demais ingredientes, exceto o shoyo.

Deixá-los refogar por uns 7 minutos e acrescentar o creme de abóbora e o shoyo.

Misturar tudo bem e deixar a panela em fogo baixo por 30 minutos.

Corrigir o tempero, se necessário, e servir a sopa bem quente, se possível em sopeira de barro.

SOPA SIMPLES DE ERVILHA COM AVEIA

- 1 saquinho de ervilhas secas
- 1/2 xícara de flocos de aveia
- 1/2 xícara de coentro picadinho
- 5 colheres de sopa de shoyo
- 7 colheres de sopa de azeite de oliva

Cozinhar as ervilhas em uma panela grande, semitampada, com 4 vezes o seu volume de água; assim que estiverem cozidas, batê-las no liquidificador e reservar o caldo.

Esquentar o azeite em uma panela grande e nele dourar a aveia. Adicionar o coentro e o caldo de ervilha e temperar a sopa com o shoyo e, se houver necessidade, com um pouco de sal. Deixá-la ferver por 15 minutos em fogo baixo, colocá-la em uma sopeira e servi-la com pãezinhos frescos.

SOPA DE ERVILHA SECA E BRÓCOLIS

- 1 pacote de 500 gramas de ervilhas secas
- 1 maço de brócolis
- 1/2 xícara de pimentão verde picado em tamanhos não muito pequenos
- 1/2 xícara de tomate picado
- 1/2 xícara de coentro picado
- 1/2 xícara de salsinha picada
- 7 folhas de louro
- 1 colher de sobremesa de sal
- 5 colheres de sopa de shoyo
- 10 colheres de sopa de azeite de oliva

Cozinhar as ervilhas e 1/3 dos brócolis em panela comum, semitampada, com o dobro de água. Assim que estiverem cozidos, cerca de uma hora, batê-los no liquidificador, com o shoyo, até formarem um creme.

Em outra panela, colocar o azeite, o coentro, as folhas de louro, a salsinha, o tomate picado, o pimentão e o sal e mexer tudo bem.

Deixá-los refogar por cinco minutos aproximadamente, e então acrescentar o restante dos brócolis cortados em tamanhos iguais. Mexer a panela por mais uns cinco minutos e colocar o creme de ervilhas.

Deixar a sopa em fogo baixo até os brócolis estarem cozidos.

SOPA DE ESPINAFRE

- 2 maços de espinafre escaldados
- 1 xícara de grão-de-bico
- 1 xícara de cenoura crua picada

Sopa de espinafre
(continuação)

+ 2 xícaras de batata picada
+ 2 tomates inteiros
+ 1/2 xícara de pimentão vermelho bem picado
+ 1/2 xícara de coentro fresco picado
+ 1 colher de sopa de gengibre ralado
+ 1/2 colher de sobremesa de sal
+ 4 colheres de sopa de shoyo
+ 4 colheres de sopa de óleo

Colocar em uma panela de pressão 1 maço de espinafre, o grão-de-bico, a cenoura, os dois tomates inteiros, as batatas e cobri-los com água e shoyo. Deixá-los cozinhar por 1 hora e então bater tudo no liquidificador e reservar o caldo.

Colocar o óleo em uma panela média e refogar os temperos com o outro maço de espinafre cortado em tiras e previamente escaldado. Após 7 minutos, acrescentar o caldo de legumes. Deixar a sopa em fogo brando por 20 minutos ou mais. Provar o tempero e servi-la quente.

SOPA DE FEIJÃO AZUKI

+ 2 xícaras de feijão azuki cozido
+ 1 xícara de tomate picadinho, sem sementes
+ 2 xícaras de couve picada bem fininho
+ 1 xícara de coentro fresco picadinho
+ 2 colheres de sopa de louro em pó
+ 1 colher de sobremesa de sal
+ 1/2 xícara de shoyo
+ 6 colheres de sopa de azeite de oliva
+ 3 xícaras de água quente

Aquecer o azeite de oliva em uma panela e refogar levemente o coentro, o tomate, o louro e o sal. Acrescentar a couve picadinha, tampar a panela e, assim que a couve estiver bem cozida, adicionar o feijão, que deverá estar batido no liquidificador com a água e o shoyo, e em seguida peneirado.

Deixar a sopa em fogo baixo por 30 minutos. Provar o tempero e servi-la quente, com torradas.

SOPA DE BATATA E ASPARGOS

+ 4 batatas-inglesas grandes, cozidas e amassadas com um garfo
+ 2 xícaras de aspargos picados
+ 2 xícaras de broto de feijão moyashi
+ 1/2 xícara de coentro

Sopa de batata e
aspargos (continuação)

- 1 folha de louro
- 4 colheres de sopa de leite de coco
- 1 colher de sopa de maisena
- 1/2 colher de sobremesa de sal
- 4 colheres de sopa de azeite de oliva
- 1/2 xícara de água

TORRADAS

- 1 pão
- orégano
- sal a gosto
- 5 colheres de azeite de oliva

Aquecer o azeite de oliva em uma panela e refogar o coentro e o louro. Adicionar os brotos e a batata amassada. Colocar duas xícaras e meia da água em que as batatas foram cozidas e deixá-los ferver por 25 minutos aproximadamente.

Engrossar a sopa com a maisena diluída em meia xícara de água e, por último, colocar os aspargos picados, o leite de coco e o sal. Misturá-la bem e colocá-la em sopeira. Servir a sopa bem quentinha, acompanhada de torradas de orégano.

TORRADAS

Após fatiar um pão, cortar as fatias em quatro, colocá-las em uma frigideira com 5 colheres de azeite de oliva e polvilhá-las de sal e orégano. Deixá-las dourar dos dois lados, arrumá-las em cestinhos e servi-las.

SOPA DE FEIJÃO REFORÇADA

- 2 xícaras de feijão cozido já temperado (usar sobras do almoço)
- 2 colheres de sopa de macarrão para sopa, de sêmola ou grano duro
- 1/2 xícara de chuchu cru em cubinhos
- 1/2 xícara de cenoura crua em cubinhos
- 1/2 xícara de batata crua em cubinhos
- 1/2 xícara de couve-manteiga em tirinhas
- 1 xícara de salsa fresca picada
- 1 pitada de curry
- 3 folhas de louro
- 1/2 colher de sobremesa de sal
- 4 colheres de sopa de óleo
- 2 xícaras de água

Refogar no óleo a salsa, o louro, o curry e o sal. Adicionar os legumes e a couve e mexê-los bem com uma colher de pau. Deixá-los refogar por 10 minutos.

Bater o feijão no liquidificador, com a água, e passá-lo em uma peneira.

Juntar esse caldo à panela dos legumes e deixá-la em fogo baixo até os legumes estarem quase cozidos. Acrescentar o macarrão e, assim que este estiver cozido, colocar a sopa em uma sopeira e servi-la.

SOPA DE FUNGHI SECO

- 3 xícaras de funghi seco
- macarrão japonês sem ovos (tipo *sômem*) para sopas
- 2 batatas
- 1/2 saquinho de brotos de feijão moyashi
- 1 pimentão vermelho
- 1 pimentão amarelo
- 1 colher de sopa de araruta
- 1/2 xícara de shoyo
- 3 xícaras de água

Lavar muito bem os funghis e deixá-los de molho nas 3 xícaras de água e 1/2 de shoyo por 30 minutos ou mais.

Levar ao fogo uma panela com o azeite de oliva, os pimentões cortados em cubinhos, as batatas descascadas e também cortadas em cubinhos, e o broto.

Mexer tudo bem, por 5 minutos, e tampar a panela.

Passados de 7 a 10 minutos, colocar os funghis e a água com shoyo em que ficaram de molho.

Deixar a panela em fogo brando até as batatas começarem a amaciar.

Acrescentar o macarrão, e assim que este cozinhar, diluir a araruta em um pouco de água fria e despejá-la na sopa, mexendo-a lentamente, para engrossar.

Servi-la quente, acompanhada de bolinhos assados ou de torradas.

SOPA DE GRÃO-DE-BICO E BETERRABA CRUA

- 2 1/2 xícaras de grão-de-bico bem cozido em panela de pressão
- 3 beterrabas cruas picadas
- 1 tomate picado
- 1/2 xícara de salsa e coentro picados e misturados
- 1 colher de sopa de manjericão
- 1 colher de sopa de sementes de coentro
- 2 colheres de sobremesa de sal
- 6 colheres de sopa de óleo
- 2 xícaras de água

Bater no liquidificador o grão-de-bico cozido com a água e as beterrabas. Reservar o creme.

Aquecer o óleo em uma panela e refogar os demais ingredientes por 7 minutos.

Colocar o creme do liquidificador na panela dos temperos, mexer a sopa com colher de pau e deixá-la em fogo brando por 30 minutos. Provar o tempero e corrigi-lo, se necessário. Servir a sopa quente, acompanhada de torradas fininhas.

SOPA DE GRÃO-DE-BICO E REPOLHO

- 1 pacote de 500 gramas de grão-de-bico
- 1/4 de repolho grande
- 1 xícara de tomate picadinho
- 1 xícara de cogumelos cortados somente ao meio
- 1 xícara de coentro picadinho
- 10 grãos de pimenta-do-reino
- 6 colheres de sopa de leite de coco
- 1 colher de sobremesa de sal
- 8 colheres de sopa de óleo

Cozinhar o grão-de-bico e o repolho em panela de pressão com bastante água. Assim que estiverem cozidos, retirar o repolho e deixá-lo reservado.

Bater o grão-de-bico no liquidificador, com a própria água, e reservar o creme.

Em uma panela grande, refogar no óleo o tomate, o coentro, o cogumelo e o sal. Acrescentar o repolho, previamente picado em fatias iguais, e mexer bem.

Após uns 5 minutos, juntar o creme de grão-de-bico e mexer tudo bem.

Colocar o leite de coco e as pimentas. Deixar a sopa em fogo baixo por aproximadamente 25 minutos.

SOPA DE LEGUMES COM COGUMELO FRANCÊS

- 2 xícaras de cenoura picada
- 2 xícaras de vagem-torta sem as pontas e as laterais fibrosas
- 1/4 de um repolho roxo de tamanho médio
- 1 1/2 xícara de cogumelo (*champignon*) francês, congelado (escuro, facilmente encontrado nos supermercados, atualmente com preços mais acessíveis que os nacionais)
- 1 xícara de batata crua picada
- 1 colher de sobremesa de orégano

Sopa de legumes
com cogumelo francês
(continuação)

- 1 colher de sopa de raiz-forte em pó
- 1/2 colher de café de páprica doce
- 1 colher de café de curry
- 3 colheres de sobremesa de sal
- 3 colheres de sopa de azeite de oliva
- 6 xícaras de água quente
- 1/2 xícara de água fria

Aquecer o azeite de oliva em uma panela grande e juntar-lhe as cenouras, as vagens, o repolho em tiras, o cogumelo escuro e a batata picada.

Temperar com sal, páprica, curry e orégano.

Mexer tudo bem com colher de pau.

Diluir a raiz-forte na 1/2 xícara de água e colocá-la na panela, junto com o restante da água.

Deixar a panela em fogo baixo, semitampada, por 40 minutos.

Provar o tempero e corrigi-lo, se necessário.

Servir a sopa quente.

SOPA DE LEGUMES COM SPAGHETTI

- 1/2 xícara de cenoura picada
- 1/2 xícara de nabo picado
- 1/2 xícara de batata crua, descascada e picada
- 1/3 de 1 pacote de spaghetti sem ovos
- 1 xícara de ervilha fresca (congelada)
- 1/2 xícara de pimentão vermelho em pedaços
- 1/2 xícara de pimentão verde em pedaços
- 1 xícara de cogumelo em pedaços
- 1 xícara de coentro fresco picado
- 2 colheres de sobremesa de sal
- 1/3 de xícara de missô concentrado
- 4 colheres de sopa de azeite
- 6 xícaras de água quente

Colocar todos os ingredientes em uma panela grande, exceto a água, o macarrão e o missô. Refogá-los por 20 minutos, acrescentar o missô e continuar refogando tudo por mais 5 minutos.

Adicionar a água quente, e deixar a panela em fogo brando por 40 minutos.

Colocar então o macarrão ligeiramente quebrado.

Mexê-lo sem parar, com um garfo, até ficar bem cozido.

Servir a sopa quente.

SOPA DE LEGUMES E ARROZ

- 1 xícara de arroz integral cozido
- 1 xícara de cenoura crua picadinha
- 1 xícara de couve crua picadinha
- 1 xícara de broto de feijão
- 1 xícara de pimentão vermelho picado
- 1 xícara de tomate picado
- 1 xícara de coentro fresco picado
- 3 folhas de louro
- 2 colheres de sopa de molho de mostarda
- 1 colher de chá de curry
- 1/2 xícara de shoyo ou missô diluído

Colocar todos os ingredientes em uma panela com água suficiente para cobri-los e deixá-la em fogo baixo, semitampada, por 45 minutos. Provar o tempero e corrigi-lo, se necessário.

Servir a sopa bem quente, acompanhada de pãezinhos frescos.

SOPA DE LEGUMES E FUNGHI

- 2 xícaras de feijão branco deixado de molho por 2 horas
- 1/2 xícara de nabo picado em pedaços iguais
- 1 xícara de broto de feijão moyashi
- 1 xícara de funghi seco
- 1/2 xícara de macarrão para sopa, sem ovos
- 1/3 de xícara de tomate cortado em pedacinhos
- 1/2 xícara de pimentão picado
- 1/3 de xícara de salsa fresca picada
- 1/3 de xícara de coentro fresco picado
- 1 colher de sobremesa de sal
- 3 colheres de sopa de óleo

Após deixar o feijão de molho, cozinhá-lo até ficar macio e inchado.

Lavar muito bem os funghis, pois é comum virem com terra. Deixá-los de molho em 2 xícaras de água.

Em uma panela grande, esquentar o óleo e refogar os temperos, o pimentão e os tomates. Acrescentar os brotos e tampar a panela. Assim que ficarem macios, adicionar o nabo picado, o funghi com a água em que ficou de molho, e os feijões, já escorridos.

Deixar a panela em fogo brando até os nabos estarem bem macios, 20 minutos aproximadamente. Colocar o macarrãozinho e deixar a panela em fogo alto de 5 a 8 minutos para que cozinhe.

Provar o tempero e servir a sopa acompanhada de pão fresco ou de torradinhas de pão de forma cortado em tiras, descascado e frito em frigideira com 5 colheres de sopa de azeite de oliva, 1 colher de chá de orégano e 1 pitada de sal. Servir as torradas quando estiverem bem douradas.

SOPA DE LEGUMES

- ◆ 1 abobrinha pequena
- ◆ 2 batatas médias
- ◆ 2 cenouras médias
- ◆ 1 xícara de ervilha fresca ou congelada
- ◆ 1 xícara de vagem picadinha
- ◆ 1/2 xícara de feijão branco deixado de molho por 1 noite
- ◆ 1 xícara de macarrão para sopa, de sêmola ou grano duro
- ◆ 2 tomates médios descascados e sem sementes
- ◆ 1 maço de manjericão fresco
- ◆ 1 colher de chá de sal
- ◆ 5 colheres de sopa de shoyo
- ◆ 3/4 de xícara de azeite de oliva
- ◆ 8 ou 9 xícaras de água

Cozinhar o macarrão, lavá-lo com água e deixá-lo escorrendo. Cozinhar os feijões até ficarem macios mas firmes, escorrê-los e colocá-los em uma panela grande. Acrescentar os legumes picados, a água, o shoyo, a pimenta e o sal. Deixar a panela em fogo baixinho por 1 hora.

Adicionar o macarrão cozido e mais tempero se houver necessidade.

Bater no liquidificador os tomates, o manjericão, o sal e o azeite de oliva. Juntá-los à sopa e misturar tudo com uma colher de pau. Provar o tempero e corrigi-lo, se necessário.

Colocar a sopa em sopeira e servi-la quente, com pedaços de baguete torrados em frigideira, com azeite de oliva e sal.

SOPA DE MANDIOCA

- ◆ 2 xícaras de mandioca cozida e amassada
- ◆ 1 xícara de cogumelos (*champignon, shiitake* ou *pleurotus*) inteiros
- ◆ 1 xícara de tofu em cubinhos
- ◆ 2 tomates picados
- ◆ 1/2 xícara de pimentão picado bem miudinho
- ◆ 2 colheres de sopa de salsa fresca picada
- ◆ 2 colheres de chá de orégano

Sopa de mandioca
(continuação)

- 1 colher de sobremesa de louro em pó
- 1 colher de chá de açafrão em pó
- 4 colheres de sopa de shoyo
- 4 colheres de sopa de óleo
- 2 ou mais litros de água

Refogar todos os ingredientes por 20 minutos e, então, acrescentar a água. Deixar a panela em fogo brando por 35 minutos, semitampada.

Provar o tempero antes de servir a sopa.

SOPA DE MANDIOCA COM COGUMELO

- 1 1/2 xícara de mandioca crua ralada
- 1 1/2 xícara de cogumelos cortados ao meio
- 1 prato de tofu em cubinhos
- 4 colheres de sopa de azeite de oliva ou óleo
- 1/2 xícara de shoyo

Colocar o azeite de oliva em uma panela e refogar o coentro, o tofu e os cogumelos.

Acrescentar a mandioca ralada, mexer, e deixá-la refogando por 5 minutos antes de colocar o shoyo e encher a panela com água.

Cozinhar a mandioca até ficar macia.

Provar o tempero e servir a sopa quente.

SOPA DE MANDIOQUINHA

- 6 xícaras de mandioquinha (batata-baroa) picada
- 1 xícara de tomates bem picados
- 1 xícara de salsa, coentro e manjericão fresco picadinhos
- 1 colher de chá de gengibre ralado
- 2 colheres de sopa de missô
- 3 colheres de sopa de azeite de oliva
- 2 litros ou mais de água

Colocar todos os ingredientes, exceto a água, em uma panela, refogá-los por 15 minutos, acrescentar a água e deixar a panela em fogo alto até as mandioquinhas ficarem macias.

Bater tudo no liquidificador e voltar ao fogo; temperar a sopa com mais missô se necessário.

SOPA DE MANDIOQUINHA E ABÓBORA

- 4 xícaras de mandioquinha picada
- 2 xícaras de abóbora picada
- 1/2 xícara de ervilha seca deixada de molho por 30 minutos
- 1 colher de sobremesa de alcaparras picadas
- 2 colheres de sopa de azeitonas picadas
- 2 tomates picados
- 3 colheres de sopa de coentro fresco picado
- 2 colheres de sopa de salsa fresca picada
- 1 colher de sobremesa de raiz-forte em pó
- 1 pitada de açafrão em pó
- 1 colher de sobremesa de sal
- 2 colheres de sopa de aveia em flocos
- 3 colheres de sopa de óleo

Cozinhar os três primeiros ingredientes em água e sal, com a panela destampada e em fogo alto.

Refogar em uma panela grande todos os demais ingredientes por 15 minutos.

Passar os legumes por uma peneira e adicioná-los à panela juntamente com a água em que foram cozidos.

Deixar a sopa em fogo brando por 30 minutos e então servi-la.

SOPA SIMPLES DE FEIJÃO PRETO

- 3 xícaras de feijão cozido e já temperado (sobras de refeições)
- 4 colheres de sopa de coentro fresco picado
- 4 colheres de sopa de shoyo
- 3 xícaras de água

Bater o feijão no liquidificador com as três xícaras de água ou mais, se estiver muito grosso. Peneirá-lo, temperá-lo com shoyo e coentro e deixá-lo ferver por 8 minutos. Colocá-lo em sopeira e servi-lo com pão fresco.

SUPERSOPA DE FEIJÃO

- 2 xícaras de feijão cozido
- 1/2 xícara de cenoura bem picadinha e cozida
- 1/2 xícara de batata bem picadinha e cozida
- 1/2 xícara de ervilha fresca cozida
- 2 colheres de sopa de alcaparras
- 1 xícara de cogumelos (*champignon*, *shiitake* ou *pleurotus*) cortados ao meio

Supersopa de feijão
(continuação)

- 1/2 xícara de couve cozida e picadinha
- 1/2 xícara de macarrão para sopa
- 1/2 xícara de tomate picadinho, sem as sementes
- 1 xícara de coentro fresco picado
- sal a gosto
- 1/2 xícara de shoyo
- 5 colheres de sopa de azeite de oliva
- 3 xícaras de água quente

Colocar em uma panela o azeite de oliva, o coentro, as alcaparras e os cogumelos e deixá-los refogar por 6 minutos aproximadamente.

Bater o feijão no liquidificador com a água quente e em seguida passá-lo por uma peneira.

Colocar todos os ingredientes na panela, menos o caldo de feijão. Mexê-los bem com uma colher de pau, e deixá-los refogar de 5 a 8 minutos. Acrescentar então o caldo, abaixar o fogo e cozinhar a sopa por 30 minutos.

Provar o tempero antes de virá-la em uma sopeira. Servi-la com pedacinhos de pão fritos em azeite quente e polvilhados de sal.

ARROZ E RISOTOS

Arroz branco com ervilhas secas 79
Arroz branco com espinafre 79
Arroz com cenouras e passas 79
Arroz com repolho roxo 80
Arroz integral colorido 80
Arroz integral com amêndoas e manjericão 80
Arroz integral com brócolis 81
Arroz integral com castanha-do-pará e aspargos 81
Arroz integral com curry 81
Arroz integral com flocos de ervilha
   feito em panela comum 82
Arroz integral com milho verde 82
Arroz integral com gersal em panela de pedra 83
Arroz integral feito no forno 83
Arroz integral na panela de pressão 83
Arroz integral simples com funghi 84
Risoto com arroz integral 84
Risoto com proteína de soja 85
Broto de arroz integral com batatas 85
Risoto de cogumelos frescos 86
Risoto de palmito e alcaparras 86

ARROZ BRANCO COM ERVILHAS SECAS

- 1 xícara de arroz branco
- 1/2 xícara de ervilhas secas deixadas de molho de véspera
- 1/2 xícara de azeitonas picadas
- 1/2 colher de sobremesa de sal
- 2 xícaras de água quente

Colocar 1 xícara de água quente, junto com os demais ingredientes, em uma panela e levá-la ao fogo alto. Deixá-la tampada e, assim que secar, acrescentar mais 1 xícara de água quente. Conservar a panela destampada até secar novamente.

Apagar o fogo, tampar a panela e deixar o arroz repousar até a hora de servir. Colocá-lo em travessa para ir à mesa.

ARROZ BRANCO COM ESPINAFRE

- 1 1/2 xícara de arroz branco cru
- 1 maço de espinafre
- 1/2 colher de sobremesa de curry
- 1 1/2 colher de sobremesa de sal
- 2 xícaras de água

Misturar todos os ingredientes em uma tigela e, em seguida, arrumá-los em um pirex com tampa. Colocá-lo no forno já aquecido há cerca de 15 minutos e deixar o arroz assar por 1 hora.

Destampar o pirex com cuidado, mexer o arroz com uma colher, tampá-lo novamente e deixá-lo 5 minutos fora do forno, até a hora de servir.

ARROZ COM CENOURAS E PASSAS

- 1/2 xícara de arroz integral cru
- 1 xícara de cenoura crua ralada
- 1/2 xícara de passas sem sementes
- 1 xícara de salsa fresca picada
- 1/2 colher de sobremesa de sal
- 1 xícara de água

Levar ao fogo em uma panela de pressão o arroz já lavado com a água, as passinhas, o sal e a cenoura ralada. Deixá-lo por 30 minutos sem abaixar o fogo.

Após desligar, esperar a pressão sair naturalmente, e então abrir a panela, retirar o arroz, e colocá-lo em uma travessa.

Servi-lo quente.

ARROZ COM REPOLHO ROXO

- 2 xícaras de arroz integral cozido
- 1/2 repolho roxo cortado em tirinhas
- 1/2 xícara de shoyo

Cortar o repolho, colocá-lo em uma panela com o shoyo, tampá-la e levá-la ao fogo. Assim que o repolho estiver cozido, acrescentar o arroz e misturá-los bastante com colher de pau. Colocá-los em uma travessa e servi-los quentes.

ARROZ INTEGRAL COLORIDO

- 3 xícaras de arroz integral já cozido
- 5 xícaras de ervilha-torta crua sem as pontas e as laterais fibrosas
- 1/2 xícara de azeitonas sem caroços picadas
- 1/2 xícara de pimentão vermelho picado
- 1/2 xícara de pimentão amarelo picado
- 1/2 xícara de salsa fresca picada
- 1/2 xícara de coentro fresco picado
- 1/2 colher de sobremesa de sal
- 4 colheres de sopa de azeite de oliva

Esquentar o azeite e refogar a salsa, o coentro, os pimentões e as azeitonas e temperá-los com sal. Após 5 minutos, acrescentar a ervilha e tampar a panela. Assim que a ervilha estiver macia, adicionar o arroz cozido e mexê-lo até ficar bem misturado e aquecido. Colocá-lo em travessa, enfeitá-lo com salsa fresca e servi-lo quentinho.

ARROZ INTEGRAL COM AMÊNDOAS E MANJERICÃO

- 1 xícara de arroz integral cru
- 1/2 xícara ou mais de amêndoas picadas
- 3 colheres de sopa de manjericão
- 1/2 xícara de shoyo
- 1 1/2 xícara de água

Misturar os ingredientes em uma tigela e colocar a mistura em um pirex com tampa. Levá-la ao forno já aquecido e deixá-la assar por 1 hora.

Deixar o arroz 5 minutos fora do forno, tampado, antes de servi-lo.

ARROZ INTEGRAL COM BRÓCOLIS

- 3 xícaras de arroz integral cozido
- 1 maço de brócolis cortados em raminhos iguais
- 2 colheres de sopa de alcaparras
- 1/2 xícara de ervilhas frescas cozidas
- 1/2 colher de sobremesa de sal
- 4 colheres de sopa de azeite de oliva

Levar ao fogo uma panela com as alcaparras, as ervilhas, o sal, os raminhos de brócolis e o azeite e tampá-la. Assim que os raminhos estiverem cozidos, acrescentar o arroz já cozido.

Deixá-lo cerca de 3 minutos, para ficar bem quentinho. Colocá-lo em travessa, temperando-o com mais sal e azeite, se necessário, e servi-lo.

ARROZ INTEGRAL COM CASTANHA-DO-PARÁ E ASPARGOS

- 1 xícara de arroz integral cozido (aproveitar sobra da refeição anterior)
- 1/3 de xícara de castanha-do-pará picadinha
- 1 xícara de aspargos picadinhos
- 1 colher de chá de sementes de endro
- 1 colher de sobremesa de orégano
- 1 colher de chá de sal
- 4 colheres de sopa de óleo ou azeite de oliva

Levar ao fogo o óleo em uma panela e fritar os aspargos com o orégano, o sal e o endro. Após 5 minutos, adicionar o arroz cozido e as castanhas picadinhas. Mexer tudo bem até obter uma mistura homogênea.

Provar o tempero, colocar o arroz em uma travessa e servi-lo ainda quente.

ARROZ INTEGRAL COM CURRY

- 1 xícara de arroz integral
- 1 colher de sobremesa de curry
- 3 colheres de sopa de castanha de caju picadinha

Arroz integral
com curry
(continuação)

- 1 colher de sopa de mostarda-de-dijon em pasta
- 1/2 colher de sobremesa de sal
- 1 1/2 xícara de água fria

Colocar os ingredientes em uma panela de pressão. Misturá-los bem com uma colher de pau e levar a panela ao fogo.

Deixá-la 30 minutos em fogo alto após ter atingido pressão.

Esperar a pressão sair naturalmente e servir o arroz.

ARROZ INTEGRAL COM FLOCOS DE ERVILHA FEITO EM PANELA COMUM

- 1 xícara de arroz integral cru
- 3/4 de xícara de flocos de ervilha
- 1 colher de sobremesa de manjericão seco
- 1/2 colher de sobremesa de sal
- 2 xícaras de água
- 2 xícaras de água gelada

Colocar todos os ingredientes em uma panela comum, exceto as 2 xícaras de água gelada. Tampar a panela e deixá-la em fogo alto.

Assim que a água secar, colocar 1 xícara de água gelada, sem mexer. Tampar a panela e esperar que seque novamente, para então colocar a outra xícara de água gelada. Quando tornar a secar, os grãos já deverão estar macios. Acrescentar então 1 colher de sopa de água gelada. Desligar o fogo e tampar a panela. Deixar o arroz descansar por 10 minutos antes de colocá-lo em travessa e servi-lo.

Leva em média 1 hora.

ARROZ INTEGRAL COM MILHO VERDE

- 3 xícaras de arroz integral cozido
- 2 xícaras de milho verde
- 1 colher de chá de açafrão
- 2 sementes de cardamomo
- 1 pitada de noz-moscada
- 1/2 colher de sobremesa de sal
- 4 colheres de sopa de óleo

Esquentar o óleo em uma panela comum e fritar o açafrão com o cardamomo e a noz-moscada. Colocar o milho e o sal e deixá-los refogar por mais 6 minutos. Adicionar o arroz integral já cozido (aproveitar sobra da refeição anterior). Misturá-lo bastante com o milho e, assim que estiver bem quente, colocar a mistura em uma travessa e servi-la.

ARROZ INTEGRAL COM GERSAL EM PANELA DE PEDRA

- 4 xícaras de arroz integral
- 30 colheres de sopa de gergelim integral
- 1 colher de sobremesa de sal
- 4 xícaras de água

Após escolher e lavar o arroz, colocá-lo em uma panela de pedra, adicionar a água e levar a panela ao fogo alto. Deixá-la semitampada até a água secar. Colocar 1/2 xícara de água fria, tampar a panela e deixá-la em lugar protegido por 30 minutos antes de servir o arroz.

Para reaquecê-lo, basta colocá-lo em uma panela de vapor e levá-la ao fogo. Ficará bem soltinho, pronto para servir.

GERSAL

Colocar o gergelim e o sal em uma panela. Torrá-los em fogo alto, mexendo-os sempre com colher de pau. Quando as sementes começarem a estourar, prestar atenção para que fiquem torradinhas e douradas, mas não muito morenas.

Retirá-las da panela e batê-las levemente no liquidificador.

Se o gersal for batido quente, ficará mais macio e mais úmido e, se já frio, ficará mais soltinho. Usa-se o gersal em potinhos à mesa, consumido com arroz integral ou com alimentos cozidos sem sal.

ARROZ INTEGRAL FEITO NO FORNO

- 1 xícara de arroz integral cru
- 2 xícaras de água fria

Colocar o arroz e a água em um pirex com tampa e levá-lo ao forno já ligado há cerca de 10 minutos.

Deixar o arroz em fogo alto por 1 hora e 15 minutos. Servi-lo quente, com gersal à parte, para ser consumido a gosto.

Observação: Pode-se colocar 1 xícara de trigo em grão para cozinhar junto com o arroz.

ARROZ INTEGRAL NA PANELA DE PRESSÃO

- 1 xícara de arroz integral
- 1/2 xícara de salsa fresca picadinha
- 1/2 colher de sobremesa de sal
- 1 1/2 xícara de água

Após escolher e lavar o arroz, levá-lo ao fogo em uma panela de pressão, com a água. Iniciada a pressão, deixar a panela por 30 minutos em fogo alto e desligar o fogo. Só abrir a panela quando sair toda a pressão naturalmente. Tirar o arroz da panela, colocá-lo em uma travessa e enfeitá-lo com salsinha.

ARROZ INTEGRAL SIMPLES COM FUNGHI

- 1 xícara de arroz integral cru
- 1 1/2 xícara de funghi seco
- 1 colher de sobremesa de sal
- 1 xícara de água

Lavar muito bem os funghis até sair toda a areia. Deixá-los de molho em 1 xícara de água por 40 minutos.

Colocar em uma panela, de preferencia de pedra, o arroz lavado, o sal, o funghi e a água em que ficou de molho.

Misturar tudo muito bem com uma colher e levar a panela semitampada ao fogo médio, até que a água seque por completo.

Caso queira um arroz mais macio, colocar mais 1/2 xícara de água fria, tampar a panela e deixá-la mais 6 minutos em fogo baixo.

RISOTO COM ARROZ INTEGRAL

- 2 xícaras de arroz integral cozido
- 1 xícara de ervilha fresca (ou congelada)
- 1 xícara de milho fresco (ou congelado)
- 1/2 xícara de cogumelo picado
- 1/2 xícara de nozes em pequenos pedaços
- 1/2 xícara de pimentão vermelho picado
- 1 xícara de talo de aipo picadinho
- 1/2 xícara de salsa fresca picada
- 1/2 xícara de coentro fresco picado
- batata palha a gosto
- 1 colher de sobremesa de sal
- 5 colheres de sopa de óleo

Aquecer o óleo em um panela e refogar por 15 minutos a salsa, o coentro, o aipo, o pimentão, o cogumelo e o sal.

Acrescentar o milho e a ervilha. Mexê-los com uma colher de pau e deixar que descongelem com a panela destampada. Adicionar o arroz e as nozes e misturar tudo bem. Assim que o arroz estiver quente, colocar o risoto em uma travessa, cobri-lo com batata palha e servi-lo.

RISOTO COM PROTEÍNA DE SOJA

- 2 xícaras de arroz integral cozido
- 1 xícara de proteína de soja
- 1/3 de xícara de pistache picado
- 1 colher de sopa de gengibre fresco ralado
- 1/2 xícara de coentro fresco ralado
- 1/2 colher de sopa de casca de limão ralada
- 3 colheres de sopa de leite de coco
- 4 colheres de sopa de shoyo
- 1 colher de sobremesa de sal
- 3 colheres de sopa de óleo
- 2 colheres de sopa de azeite de oliva

Deixar a proteína de soja de molho em bastante água e sal por 20 minutos, e então escorrê-la em uma peneira, espremendo-a bem com as mãos para retirar o excesso de água.

Esquentar o óleo e o azeite juntos em uma panela. Fritar nela o coentro, o gengibre, a casca de limão e o sal. Após 5 minutos, colocar a soja já inchada. Mexer tudo bastante e deixar a panela em fogo alto.

Temperar com o shoyo e colocar o arroz.

Deixar a panela ainda em fogo alto de 5 a 8 minutos e então colocar o leite de coco e o pistache.

Deixar o risoto mais um pouquinho no fogo para não ficar muito molhado.

Colocá-lo em travessa e servi-lo.

BROTO DE ARROZ INTEGRAL COM BATATAS

- 1/2 xícara de arroz integral
- 1 1/2 xícara de batata picada em cubinhos
- 1 pitada de curry (opcional)
- sal a gosto
- 5 colheres de sopa de azeite de oliva

Após lavar o arroz integral, deixá-lo de molho por uma noite em uma tigela.

Na manhã seguinte, escorrer a água em uma peneira, cobrir o arroz com um pano de prato limpo, e deixá-lo sempre úmido por dois dias, até brotar, sendo necessário então lavá-lo duas vezes (pelo menos) ao dia.

Colocar os brotos em uma panela com todos os demais ingredientes e, sem parar de mexê-los, esperar que cozinhem.

Adicionar algumas gotas de água se for necessário, ou seja, se os brotos começarem a grudar muito no fundo da panela, e servi-los quentes.

RISOTO DE COGUMELOS FRESCOS

- 3 xícaras de arroz cozido, integral ou não
- 4 xícaras de cogumelos crus
- 1 colher de sopa de coentro picado
- 1 colher de sopa de pimenta-do-reino verde amassada
- 1/2 colher de café de noz-moscada ralada
- 1/2 colher de sobremesa de sal
- 4 colheres de sopa de azeite de oliva

Esquentar o azeite de oliva e refogar o coentro, a pimenta-de-reino e os cogumelos. Temperá-los com o sal e a noz-moscada.

Após refogá-los por 5 minutos, colocar o arroz cozido. Deixar a panela tampada por 10 minutos.

Colocar o risoto em uma travessa e servi-lo quente.

RISOTO DE PALMITO E ALCAPARRAS

- 6 xícaras de arroz cozido, integral ou não
- 1 vidro de palmito
- 1/2 xícara de alcaparras
- 1 xícara de milho cozido (pode-se usar o enlatado)
- 1/2 xícara de pimentão bem picadinho
- 1/2 xícara de salsinha picada
- 1/3 de xícara de molho de tomate
- 2 colheres de sopa de maisena
- sal
- 1/2 xícara de azeite de oliva

Esquentar o azeite de oliva e refogar o pimentão, a salsinha, o milho, as alcaparras e, por último, os palmitos bem picadinhos. Após 7 minutos, colocar o molho de tomate, o arroz e o sal.

Deixar a panela tampada por 15 minutos. Diluir então a maisena em uma xícara da água do palmito e juntar esse líquido à panela, mexendo tudo bem por mais uns 5 minutos.

Servir o risoto quente.

PRATOS PRINCIPAIS

Legumes e verduras no vapor 89
Abóbora japonesa assada (kambutiá) 89
Abóbora temperada 90
Abobrinha italiana ao forno 90
Abobrinha italiana com folha de mostarda 90
Abobrinha italiana com vagem-torta 91
Abobrinha italiana no shoyo 91
Abobrinha italiana recheada 91
Bardana cremosa 92
Batata com cogumelo 93
Batata de munique 93
Batata recheada com broto de feijão azuki 93
Batata e brócolis 94
Batata e maçã 94
Batata simples 95
Berinjela ao forno 95
Berinjela deliciosa 96
Berinjela e funghi 96
Berinjela turca 96
Beterraba em panela de barro 97
Beterraba refogada 97
Beterraba temperada 97
Bobó de abóbora 98
Bobó vegetariano 98
Brócolis ao forno 99
Broto de bambu com funghi seco 99
Cará com legumes e curry 100

Caruru com molho de cogumelo ... 100
Cenoura com curry ... 101
Cenoura com molho e tofu ... 101
Cenoura picadinha no azeite de oliva ... 102
Chuchu assado ... 102
Chuchuzada ... 102
Couve-flor com curry ... 103
Couve-flor com molho de milho verde ... 103
Couve-flor refogada ... 104
Couve-manteiga refogada ... 104
Cuscuz de cenoura ... 105
Ervilha seca refogada ... 105
Ervilha-torta com tomate ... 106
Ervilha-torta no vapor ... 106
Escarola com chuchu ... 106
Escarola com milho verde ... 107
Escarola refogada ... 107
Espinafre e azeitonas ... 107
Feijão azuki refogado ... 108
Feijão guandu ... 108
Feijão para o dia-a-dia ... 109
Feijão preto ... 109
Folha de nabo refogada ... 110
Folhas de beterraba cozidas ... 110
Grão-de-bico com pequi ... 111
Grão-de-bico cremoso ... 111
Grão-de-bico ensopado ... 111
Grão-de-bico temperado ... 112
Legumes ao forno ... 112
Legumes chineses ... 112
Refogado de legumes ... 113
Lentilhas refogadas ... 113
Lentilhas soltas refogadas ... 114
Mamão verde refogado ou "falso chuchu" ... 114
Mandioca ao curry ... 115
Mandioquinha refogada ... 115

Mandioquinha temperada ... 116
Milho assado ... 116
Milho verde em creme ... 116
Moranga com batata frita ... 117
Nabo com ervilhas ... 117
Nabo abafado com shoyo ... 118
Nabo diferente ... 118
Nabo refogado ... 118
Pirão ... 118
Polenta ... 119
Polenta ao forno ... 119
Proteína de soja com milho e azeitonas ... 120
Proteína de soja com palmito ... 120
Proteína de soja grande ... 121
Quadrados de berinjela ao forno ... 121
Quiabo com manjericão ... 121
Quiabo com milho verde ... 122
Quiabo com tomates secos ... 122
Raízes no vapor ... 122
Repolho à francesa ... 123
Repolho com cogumelos e azeitonas ... 123
Repolho cremoso com tomates secos ... 123
Repolho e milho ... 124
Repolho em tiras ... 124
Repolho roxo com maçã e curry ... 125
Repolho simples ... 125
Tofu em cubinhos com couve-flor ... 125
Tomates recheados ... 126
Tutu de feijão mole ... 126
Tutu de feijão na forma ... 127
Vagem ensopada ... 127
Vatapá de inhame ... 128
Xadrez de legumes ... 128

LEGUMES E VERDURAS NO VAPOR

- ♦ legumes cortados em pedaços
- ♦ verduras a gosto

Lavar e cortar os legumes, conservando as cascas sempre que possível.

Se forem usadas verduras, lavá-las bem e deixá-las inteiras ou rasgá-las com as mãos, conservando seus talos sempre que possível.

Qualquer verdura ou legume poderão ser cozidos no vapor, bastando para isso colocá-los na parte superior de uma cuscuzeira tampada (ou improvisar com um escorredor de alumínio dentro de uma panela comum com água) e deixar a água ferver o tempo suficiente para torná-los macios.

Podem estar umedecidos com shoyo ou temperados com sal e ervas aromáticas, como, por exemplo, orégano, manjerona, alecrim, etc.

Se forem cozidos sem tempero nenhum, servi-los acompanhados de missô, shoyo ou molhos a gosto.

ABÓBORA JAPONESA ASSADA (KAMBUTIÁ)

- ♦ 1 abóbora kambutiá de tamanho médio
- ♦ 2 tomates grandes em rodelas
- ♦ 1 xícara de azeitonas sem os caroços
- ♦ 1 xícara de cogumelos
- ♦ 1 colher de sopa de maisena
- ♦ 1/2 xícara de molho de soja shoyo

Lavar a abóbora inteira com uma esponja e sabão e cortá-la em cubinhos iguais, com a casca.

Arrumá-los em um pirex untado com óleo, e colocar por cima as rodelas de tomates, as azeitonas e os cogumelos cortados ao meio. Regar com a maisena diluída no molho de soja.

Cobrir o pirex com papel alumínio e levá-lo ao forno médio por aproximadamente 45 minutos.

ABÓBORA TEMPERADA

- 3 1/2 xícaras de abóbora descascada e picada
- 1 xícara de ervilha fresca ou 1 lata de ervilha em conserva
- 1/2 xícara de azeitonas picadinhas
- 1 colher de sopa de alcaparras picadas
- 1/2 xícara de coentro picado
- 3 colheres de sopa de salsa fresca picada
- 1 colher de chá de noz-moscada
- 1/2 colher de sobremesa de sal
- 1 colher de sobremesa de mel
- 4 colheres de sopa de óleo

Levar ao fogo todos os ingredientes em uma panela grande, se possível de barro, e tampá-la.

Misturar tudo bem de três em três minutos e, assim que as abóboras estiverem macias, provar o sal e corrigi-lo se necessário. Colocar a abóbora em travessa, se não for utilizada a panela de barro, e servi-la quentinha.

ABOBRINHA ITALIANA AO FORNO

- 1 ou 2 abobrinhas italianas cortadas em rodelas
- 1 xícara de salsa fresca picada
- 1 colher de sobremesa de orégano
- sal ou shoyo a gosto

Colocar as rodelas de abobrinha italiana em um pirex, com a salsinha e o sal ou shoyo por cima. Salpicar orégano e levar o pirex ao forno.

Deixá-lo no forno por 25 minutos, ou até as abobrinhas estarem macias.

ABOBRINHA ITALIANA COM FOLHA DE MOSTARDA

- 2 xícaras de abobrinha italiana picada
- 4 xícaras de folhas de mostarda picadas
- 1/2 xícara de coentro
- 4 colheres de sopa de shoyo
- 4 colheres de sopa de azeite de oliva

Esquentar o azeite de oliva e refogar o coentro. Colocar os demais ingredientes e misturá-los muito bem com uma colher de pau. Tampar a panela e deixá-la em fogo brando por 15 minutos, ou até tudo estar macio.

Provar o sal antes de servir a abobrinha.

Observação: Para ganhar tempo, pode-se deixar na geladeira as abobrinhas italianas e as folhas cortadas um dia antes.

ABOBRINHA ITALIANA COM VAGEM-TORTA

- 2 xícaras de abobrinha italiana picada
- 4 xícaras de vagens-tortas sem as pontas e as laterais fibrosas
- 1/2 xícara de pimentão picado em tiras
- 1/2 xícara de salsa fresca picada
- 1/2 xícara de coentro fresco picado
- 3 sementes de cardamomo (disponíveis em bons supermercados)
- sal a gosto
- 6 colheres de sopa de shoyo
- 4 colheres de sopa de azeite de oliva

Colocar todos os ingredientes em uma panela. Misturá-los bem com uma colher de pau e deixar a panela tampada por 20 minutos, em fogo brando, ou até estar tudo cozidinho. Mexer a panela de 5 em 5 minutos, para misturar bem o sabor dos temperos. Servir quente.

ABOBRINHA ITALIANA NO SHOYO

- 3 xícaras de abobrinha italiana picada em tamanhos iguais
- 1 xícara de batatas cortadas do mesmo tamanho
- 1/2 xícara de shoyo

Colocar os ingredientes em uma panela, tampá-la e deixá-la em fogo brando por 15 minutos, ou até os legumes estarem macios.

Transferi-los para uma travessa e servi-los quentes, acompanhados de arroz simples.

ABOBRINHA ITALIANA RECHEADA

- 6 abobrinhas italianas
- 1 xícara ou mais de arroz cozido
- 1 tomate em rodelas
- 1 pimentão vermelho picadinho
- 10 azeitonas verdes picadinhas
- 1/2 xícara de coentro picadinho

Abobrinha italiana recheada (continuação)

- orégano
- 1 colher de café de pimenta-do-reino
- 2 colheres de sopa de shoyo
- 2 colheres de sopa de azeite de oliva

Lavar as abobrinhas italianas e tirar-lhes uma tampinha em um dos lados. Cuidadosamente retirar por esse orifício parte do miolo, deixando espaço interno para receber o recheio.

Colocar em uma panela o azeite de oliva para aquecer e nele refogar todos os ingredientes, exceto o arroz. Colocar também o miolo retirado das abobrinhas, bem picados. Após 10 minutos de fogo alto, acrescentar o arroz cozido.

Rechear as abobrinhas, aumentando o recheio com mais arroz cozido se necessário.

Fechar as aberturas feitas nas abobrinhas com as tampas retiradas e espetar um palito em cada uma para segurá-las.

Arrumá-las em um pirex untado com óleo. Colocar rodelas de tomate por cima e regar tudo com azeite e shoyo.

Deixar as abobrinhas no forno até perceber que estão macias e servi-las quentes.

BARDANA CREMOSA

- 6 raízes de bardana
- 1 xícara de farinha de trigo integral
- 1/2 xícara de salsa fresca bem picadinha
- 1 colher de chá de suco de gengibre
- 1 colher de chá de louro em pó
- 1/2 colher de sobremesa de sal
- 3 colheres de sopa de azeite de oliva
- 2 xícaras de água quente

Cozinhar a bardana no vapor, sem descascá-la, e cortá-la em rodelinhas. Aquecer o azeite de oliva em uma panela e nele dourar as rodelinhas de bardana, o gengibre, o louro e o sal.

A seguir adicionar a farinha de trigo integral e a água, mexendo tudo até engrossar (nesse creme a quantidade de água poderá ser alterada, dependendo da consistência desejada).

Apagar o fogo, misturar a salsinha, passar a bardana para uma travessa e servi-la.

BATATA COM COGUMELO

- 3 ou 4 batatas-inglesas grandes
- 3 xícaras de cogumelos (*champignon, shiitake* ou *pleurotus*) crus fatiados
- 4 colheres de sopa de azeitonas picadinhas
- 2 colheres de sopa de coentro picadinho
- 1 colher de sopa de salsa fresca picadinha
- 1 colher de chá de espinafre em pó
- 4 colheres de sopa de shoyo
- 1/2 colher de sobremesa de sal
- 4 colheres de sopa de azeite de oliva
- água e sal para cozinhar as batatas

Esquentar o azeite de oliva e fritar os cogumelos. Passados de 8 a 10 minutos, adicionar as azeitonas, o coentro, a salsa, o espinafre em pó e o sal. Assim que essa mistura estiver homogênea, acrescentar o shoyo.

Colocar as batatas recém-cozidas em um pirex ou travessa e cobri-las com a mistura acima. Deixá-las 15 minutos em forno alto antes de servi-las.

BATATA DE MUNIQUE

- 6 batatas médias cozidas com sal
- 1 xícara de ervilhas fervidas
- 1 xícara de cogumelos (*champignon, shiitake* ou *pleurotus*) cozidos e fatiados
- 1 colher de sopa de salsa desidratada
- 1/2 colher de sopa de orégano
- 1 xícara de molho de tomate
- 1/2 colher de sobremesa de sal
- 2 colheres de sopa de azeite de oliva

Cortar as batatas em rodelas grossas e dispô-las num pirex.

Regá-las com o molho de tomate, e por cima espalhar os demais ingredientes. Aquecê-las por 15 minutos em fogo alto e servi-las.

BATATA RECHEADA COM BROTO DE FEIJÃO AZUKI

- 3 ou mais batatas grandes, cozidas com casca
- 1/2 xícara de feijão azuki
- 1/2 xícara de azeitonas picadas
- 1/2 xícara de coentro
- 2 colheres de sopa de missô
- 3 colheres de sopa de azeite de oliva

Deixar os grãos de azuki de molho em bastante água por 1 noite inteira. Escorrer a água em uma peneira e cobri-la com uma pano de prato limpo. Manter os grãos úmidos e cobertos por 3 dias, ou até os brotos estarem grandes.

Colocar o azeite, as azeitonas, o coentro e os brotos em uma panela em fogo alto e não parar de mexê-la. Temperar o refogado com missô ou sal a gosto.

Descascar as batatas, que não devem estar cozidas a ponto de se desmancharem. Cortá-las ao meio e, com o auxílio de uma colher, fazer-lhes uma cavidade, retirando parte da batata (colocar em sopas).

Assim que estiverem parecidas com canoas, colocar o refogado de broto na cavidade e arrumar as batatas em um pirex untado com azeite de oliva.

Regá-las com mais azeite de oliva, cobrir o pirex com papel alumínio e deixá-lo no forno médio por 15 minutos aproximadamente. Servir as batatas quentes.

BATATA E BRÓCOLIS

- 5 batatas médias
- 1 maço de brócolis em raminhos
- 2 pimentões, de preferência vermelhos ou amarelos
- 6 ou 7 azeitonas inteiras com os caroços
- 3 colheres de sopa de coentro fresco picadinho
- 1/2 colher de sobremesa de sal
- 4 colheres de sopa de azeite de oliva

Cozinhar as batatas em água e uma pitada de sal e deixá-las reservadas.

Esquentar o azeite de oliva e refogar nele os raminhos de brócolis, o coentro e os pimentões cortados em quadrados médios e iguais. Tampar a panela e aguardar o cozimento.

Colocar as batatas em uma travessa e, entre elas, arrumar harmoniosamente os raminhos de brócolis, assim como os pimentões e as azeitonas.

Regá-los com azeite de oliva, se achar necessário, e acrescentar-lhes 1 pitada de sal. Levar a travessa ao forno para uma rápida aquecida. Servir quente.

BATATA E MAÇÃ

- 6 batatas-inglesas graúdas
- 3 maçãs vermelhas sem o miolo e com casca
- 1 xícara de azeitonas pretas e verdes picadas
- 2 colheres de sobremesa de orégano
- 6 colheres de sopa de shoyo
- 3 colheres de sopa de azeite de oliva

Cozinhar as batatas, sem descascá-las, em água e, assim que começarem a amolecer, retirá-las do fogo e cortá-las em rodelas grossas.

Distribuir as rodelas de batata intercaladas com as de maçã em forma refratária.

Espalhar por cima uma mistura feita com o orégano, as azeitonas e o shoyo.

Regar tudo com azeite de oliva e levar a forma ao forno médio até as maçãs assarem.

Deixá-la coberta com papel alumínio durante os primeiros dez minutos e retirá-lo para terminar de assar.

BATATA SIMPLES

- 6 batatas grandes
- páprica doce
- 1 azeitona preta grande
- 1 colher de sobremesa de sal
- 1 colher de sopa de açúcar
- azeite de oliva

Levar ao fogo uma panela cheia de água com as batatas, o sal, o açúcar e a azeitona para dar sabor.

Assim que estiverem cozidas (fazer o teste com a ponta de uma faca), escorrer a água e arrumar as batatas em uma travessa.

Polvilhá-las de sal e páprica doce a gosto, regá-las com azeite de oliva e servi-las bem quentes.

BERINJELA AO FORNO

- 6 xícaras de berinjela picada (aproximadamente 2 berinjelas médias)
- 1/2 xícara de azeitonas pretas picadas
- 1 xícara de coentro fresco picado
- 1/2 colher de sobremesa de sal
- 6 colheres de sopa de óleo ou azeite de oliva

Esquentar o óleo em uma panela e juntar-lhe em seguida todos os ingredientes.

Mexê-los com uma colher de pau e tampar a panela.

Deixar as berinjelas cozinhar até ficarem bem macias.

Levá-las ao forno quente por 20 minutos.

BERINJELA DELICIOSA

- ♦ 4 berinjelas médias cortadas em fatias
- ♦ 1 xícara de molho de tomate já preparado
- ♦ 1 xícara de salsinha fresca picada
- ♦ 1/2 xícara de farelo de pão, ou farinha de pão torrado
- ♦ óleo para fritar

Fritar as berinjelas fatiadas em óleo quente e escorrê-las em papel absorvente. Arrumá-las em um pirex forrado com o farelo de pão e cobri-las com o molho de tomate e a salsinha picada. Levar o pirex ao forno por 15 minutos e servir a berinjela em seguida.

Observação: Ao fazer o molho, não usar óleo nem azeite, para não sobrecarregar o prato.

BERINJELA E FUNGHI

- ♦ 2 xícaras de berinjela em cubinhos
- ♦ 2 xícaras de funghi seco
- ♦ 1 colher de chá de sal
- ♦ 4 colheres de sopa de shoyo
- ♦ 3 colheres de sopa de óleo
- ♦ 2 xícaras de água

Lavar muito bem os funghis e deixá-los de molho nas 2 xícaras de água, por 20 minutos.

Colocar em uma panela o óleo, as berinjelas, o sal e os funghis escorridos. Mexer tudo bem e deixar a panela em fogo alto, destampada, por 6 minutos. Acrescentar o shoyo, abaixar o fogo, tampar a panela e deixá-la por mais 10 minutos. Assim que a berinjela estiver macia, desligar o fogo. Colocá-la em travessa e servi-la.

Observação: A água em que o funghi ficou de molho pode ser aproveitada para enriquecer e dar sabor a caldos, sopas, tortas e assados.

BERINJELA TURCA

- ♦ 2 berinjelas grandes
- ♦ 1/2 xícara de azeitonas pretas picadas
- ♦ 1 maço de salsinha picado
- ♦ 2 raminhos de hortelã picados
- ♦ 2 colheres de sopa de zattar (tempero sírio encontrado em empórios árabes)
- ♦ 1 limão médio
- ♦ 1/2 colher de sobremesa de sal
- ♦ 1/2 xícara de azeite de oliva

Picar as berinjelas em quadradinhos e colocá-los em água fervente. Retirá-los assim que estiverem macios, porém consistentes. Escorrer a água, temperar a berinjela com os demais ingredientes e arrumá-la em uma travessa. Decorá-la com algumas folhas de hortelã.

BETERRABA EM PANELA DE BARRO

- 2 beterrabas cortadas em palitos
- 1 tomate grande cortado em pedacinhos
- 1/2 xícara de coentro picado
- 1/2 xícara de manjericão fresco picadinho
- 5 colheres de sopa de shoyo
- 3 colheres de sopa de óleo

Esquentar o óleo em uma panela de barro e nele fritar o coentro e o manjericão. Adicionar as beterrabas, o tomate e o shoyo. Mexer tudo bem com colher de pau e tampar a panela. Colocar mais shoyo se a quantidade antes colocada começar a secar e, assim que as beterrabas estiverem macias, servi-las na própria panela ou em travessa.

BETERRABA REFOGADA

- 5 beterrabas grandes
- 1 maço de coentro
- 1/2 maço de salsa fresca
- 1 xícara de talo de aipo picadinho
- 1 colher de sopa de orégano
- 1/2 colher de sobremesa de sal
- 2 colheres de sopa de shoyo
- 3 colheres de sopa de azeite de oliva

Descascar as beterrabas e cortá-las em palitinhos.

Picar o coentro e a salsa, com os talinhos.

Juntar então todos os ingredientes em uma panela grande, tampá-la e levá-la ao fogo até as beterrabas estarem macias (30 minutos aproximadamente). Mexê-las de vez em quando e manter a panela tampada. Servir a beterraba quente

BETERRABA TEMPERADA

- 3 xícaras de beterraba picadinha
- 1 xícara de ervilha congelada
- 1 xícara de pimentão picado
- 1/2 xícara de coentro picado
- 1/2 colher de sobremesa de sal
- 3 colheres de sopa de azeite de oliva

Aquecer o azeite em uma panela, acrescentar o coentro e o pimentão e deixá-los fritar por 5 minutos. Adicionar a beterraba, as ervilhas e o sal e tampar a panela. Deixá-la em fogo alto até a beterraba estar macia. Provar o tempero e servi-la quente

---

BOBÓ DE ABÓBORA

- 4 xícaras de abóbora japonesa descascada e picada
- 6 azeitonas chilenas inteiras
- 3 tomates grandes, aproximadamente 1 1/2 xícara de tomate picado
- 1 xícara de salsa fresca
- 1 xícara de coentro fresco picado
- 1/2 colher de sobremesa de urucum em pó
- 2 colheres de sobremesa de sal
- 8 colheres de sopa de leite de coco
- 10 colheres de sopa de azeite de oliva
- 1/2 xícara de água quente

Levar ao fogo em uma panela de barro o azeite, as abóboras, a salsa fresca bem picada, o coentro também picadinho, os tomates picados e o sal.

Misturar tudo bem com colher de pau e após 6 minutos acrescentar as azeitonas, o urucum e a água quente. Mexer e colocar 2 colheres de leite de coco.

Tampar a panela e deixá-la em fogo alto até as abóboras se desmancharem Não parar de mexer, para o bobó não grudar no fundo e para ficar bem homogêneo Assim que estiver cremoso, adicionar as 6 colheres de leite de coco restantes e mexer o bobó. Enfeitá-lo com um pouquinho mais de coentro fresco ou salsa. Servi-lo quente.

Observação: A panela de barro é imprescindível para o sabor do prato.

BOBÓ VEGETARIANO

- 1 prato cheio de mandioca (aipim) cozida e amassada
- azeitonas pretas inteiras
- 1 prato de tomate picado
- 1 pimentão picadinho
- 1 prato de coentro picado
- 1/2 prato de salsa picadinha
- 1 colher de sobremesa de urucum
- 1 vidro de leite de coco
- 1 colher de chá de gengibre fresco ralado

Bobó vegetariano
(continuação)

+ sal a gosto
+ 1/3 de xícara de shoyo (molho de soja)
+ 1 colher de sopa de azeite-de-dendê
+ 1/4 de xícara de azeite de oliva

Esquentar uma panela de barro e colocar nela os azeites. Fritar o coentro, meio prato de tomate, o pimentão, a salsinha, o gengibre e o urucum. Acrescentar a mandioca, meio vidro de leite de coco, as azeitonas, o shoyo e sal a gosto. Deixar a panela 10 minutos em fogo baixo. Colocar o restante dos tomates e do leite de coco. Mexer o bobó levemente e servi-lo com um pouquinho de coentro picado.

Podem ser colocados pedaços de palmito ou cogumelo.

Observação: A panela de barro é imprescindível para o sabor do prato.

BRÓCOLIS
AO FORNO

+ 2 maços de brócolis (apenas os raminhos)
+ 1 pimentão amarelo cortado em rodelas
+ 1 pimentão vermelho cortado em rodelas
+ 1 colher de sopa de manjericão
+ 3 colheres de sopa de molho de mostarda
+ 1 colher de sopa de sal para cozinhar os brócolis
+ 1/2 colher de sobremesa de sal
+ 1 colher de chá de bicarbonato de sódio
+ 1/3 de xícara de azeite de oliva

Encher uma panela grande com água e levá-la ao fogo. Assim que a água estiver fervendo, colocar uma colher de sopa de sal, os raminhos de brócolis e o bicarbonato de sódio. Não deixar passar do ponto; quando os raminhos estiverem macios, escorrer a água e arrumá-los em um prato refratário.

Bater no liquidificador a mostarda com o manjericão, o azeite e o sal e acrescentar um pouquinho de água para dar consistência ao molho.

Regar os brócolis com o molho, arrumar sobre eles as rodelas de pimentão, cobrir o prato com papel alumínio e deixá-lo no forno por 25 minutos aproximadamente.

BROTO DE
BAMBU COM
FUNGHI SECO

+ 4 xícaras de broto de bambu
+ 2 xícaras de funghi seco bem lavado e deixado de molho em água por pelo menos 20 minutos
+ 1/2 pimentão verde bem picado
+ 1/2 pimentão amarelo bem picado

99

Broto de bambu com funghi seco (continuação)

- 3 colheres de sopa de amendoim torrado, descascado e levemente quebrado
- 1 colher de sopa de maisena ou araruta
- 1 colher de chá de sal
- 2 colheres de sopa de shoyo
- 4 colheres de sopa de óleo

Cozinhar em uma panela com água e sal o broto de bambu até tornar-se macio. Escorrer a água e deixá-lo reservado.

Colocar em outra panela o óleo, os pimentões e o sal. Deixá-los fritar em fogo alto por 6 minutos aproximadamente. Escorrer a água dos funghis, cortá-los e fritá-los junto com os pimentões.

Após 5 minutos, adicionar os brotos pré-cozidos, o amendoim e a maisena diluída no shoyo. Deixar a panela ainda em fogo alto, destampada, por 5 minutos, sem parar de mexê-la. Provar o tempero antes de colocar os brotos de bambu em uma travessa e servi-los.

CARÁ COM LEGUMES E CURRY

- 1 xícara de cará picadinho
- 1 xícara de nabo branco picadinho
- 1 xícara de abobrinha italiana picadinha
- 15 vagens cortadas somente ao meio
- 1 tomate grande, sem sementes, cortado em pedaços
- 1 colher de sobremesa de curry
- 1 colher de sobremesa, rasa, de sal
- 4 colheres de sopa de missô diluído
- 1 colher de sobremesa, rasa, de óleo de gergelim

Misturar todos os legumes delicadamente com as mãos.

Colocá-los em uma panela e adicionar os demais ingredientes.

Tampar a panela e deixá-la em fogo alto de 10 a 15 minutos. Mexê-la de vez em quando e, assim que o cará estiver macio, colocá-lo em travessa e servi-lo.

CARURU COM MOLHO DE COGUMELO

- 2 maços de folhas de caruru fresco
- 2 xícaras de cogumelos cortados ao meio
- 1/2 xícara de coentro fresco
- 3 colheres de sopa de molho de mostarda
- 2 colheres de sopa de maisena

Caruru com molho
de cogumelo
(continuação)

- ♦ 1/2 xícara de leite de soja
- ♦ 1 colher de chá de sal
- ♦ 2 colheres de sopa de shoyo
- ♦ 1/2 colher de sopa de açúcar
- ♦ 5 colheres de sopa de azeite de oliva

Escaldar as folhas de caruru em água e sal até tornarem-se macias e arrumá-las em uma travessa.

Fritar os cogumelos no azeite de oliva por 5 minutos, em uma panela média. Colocar os demais ingredientes, exceto a maisena, que deverá ser diluída no leite de soja e colocada depois de uns 5 ou 10 minutos. Mexer o molho até ficar bem grosso.

Cobrir o caruru com esse molho e servi-lo quente.

CENOURA COM CURRY

- ♦ 4 xícaras de cenoura picadinha
- ♦ 2 xícaras de tomate picado
- ♦ 1 xícara de coentro fresco picado
- ♦ 1 1/2 colher de café de curry
- ♦ 1 1/2 colher de café de sal
- ♦ 4 colheres de sopa de óleo

Colocar todos os ingredientes em uma panela, tampá-la e deixá-la em fogo alto até as cenouras estarem cozidas.

CENOURA COM MOLHO E TOFU

- ♦ 6 cenouras médias
- ♦ 2 xícaras de tofu em cubinhos
- ♦ 1/2 xícara de azeitonas verdes picadas
- ♦ 1/2 xícara de salsa fresca picada

MOLHO BRANCO
- ♦ 1/3 de xícara de farinha de trigo
- ♦ 1 colher de chá de açafrão em pó
- ♦ 1 colher de café de pimenta-do-reino moída
- ♦ 1/2 colher de sobremesa de sal
- ♦ 5 colheres de sopa de óleo
- ♦ água quente

Cozinhar as cenouras até ficarem macias, porém sem se desmancharem. Cortá-las ao meio e arrumá-las em uma travessa refratária, juntamente com o tofu. Espalhar os temperos verdes por cima.

Torrar a farinha de trigo até começar a ficar dourada. Acrescentar o óleo e torrar mais um pouco. Adicionar o sal, o açafrão e, aos poucos, a água fervente, mexendo-os muito bem com uma colher de pau, até se obter um creme. Se formarem pelotas, bater tudo no liquidificador, sem adicionar água.

Regar as cenouras com o molho, espalhar a pimenta por cima e deixar a travessa 20 minutos em forno alto.

CENOURA PICADINHA NO AZEITE DE OLIVA

- 2 xícaras de cenoura bem picadinha
- 1/2 xícara de amêndoas picadas
- 1 pitada de sal ou shoyo a gosto
- 1 colher de sobremesa de açúcar mascavo
- 1 colher de sopa de óleo
- 5 colheres de sopa de azeite de oliva

Colocar o azeite de oliva e a cenoura picadinha em uma panela e deixá-la em fogo alto. Não parar de mexê-la até a cenoura estar totalmente macia. Juntar o açúcar, mexê-lo e acrescentar a pitada de sal ou shoyo. Colocar a cenoura em uma travessa.

Separadamente, torrar as amêndoas com óleo e sal e espalhá-las sobre as cenouras. Servi-las quentes.

CHUCHU ASSADO

- 4 chuchus médios
- 1 xícara de tomates secos temperados
- 1 colher de chá de sal
- 4 colheres de sopa de shoyo
- 3 colheres de sopa de azeite de oliva

Descascar os chuchus, cortá-los em palitos iguais e arrumá-los em um pirex raso ou forma refratária. Dispor os demais ingredientes por cima, cobrir o pirex com papel alumínio e deixá-lo em forno médio por 40 minutos, ou até os chuchus estarem macios.

CHUCHUZADA

- 3 xícaras de chuchus descascados e picados em pedaços iguais
- 1 xícara de azeitonas picadas
- 1 xícara de tomate picado
- 1/2 xícara de coentro picado
- 1 colher de sopa de sementes de endro
- 1 colher de sobremesa de sal
- 4 colheres de sopa de azeite de oliva

Esquentar o azeite de oliva em uma panela grande e fritar nele o coentro, as azeitonas, as sementes de endro e os chuchus picados. Mexê-los bem com uma colher de pau e temperá-los com sal.

Deixar a panela tampada e, assim que os chuchus estiverem macios, colocar os tomates picados. Provar o tempero e servir os chuchus quentes.

COUVE-FLOR COM CURRY

- 1 saco de 100 g de couve-flor congelada
- 3 xícaras de cenoura picada
- 1 colher de sobremesa de curry
- 1 xícara de pimentão vermelho picado
- 1 xícara de pimentão verde picado
- 1 xícara de salsa fresca picada
- 1/2 xícara de coentro fresco picado
- 2 colheres de sobremesa de sal
- 8 colheres de sopa de óleo

Levar ao fogo uma panela com todos os ingredientes, exceto a couve-flor. Deixá-los fritar por 10 minutos, e então colocar a couve-flor. Mexer tudo bem com colher de pau e tampar a panela.

Assim que a couve-flor estiver cozida, passá-la para uma travessa e servi-la quente.

COUVE-FLOR COM MOLHO DE MILHO VERDE

- 1 couve-flor média
- 1 lata de milho verde com a água
- 1 xícara de cogumelos
- 1/2 xícara de tomate picadinho
- 1/2 xícara de coentro picado
- 2 colheres de sopa de maisena
- sal a gosto
- 5 colheres de sopa de azeite de oliva
- 6 colheres de sopa de óleo
- 1/2 xícara de água

Cozinhar a couve-flor em raminhos em uma panela grande, com água e sal. Acrescentar uma colher de café de bicarbonato de sódio para a couve-flor não descorar. Escorrer a água e arrumar os raminhos em um pirex.

Bater no liquidificador o milho com a água e passá-lo em uma peneira.

Esquentar o azeite e refogar o coentro, o tomate e o sal. Colocar o caldo de milho na panela e deixá-lo refogar por 5 minutos.

Diluir a maisena em 1/2 xícara de água e juntá-la à panela. Mexer o creme de milho até engrossar e colocá-lo sobre a couve-flor cozida.

Fritar os cogumelos no óleo até dourarem e espalhá-los por cima do creme de milho.

Cobrir o pirex com papel alumínio e esquentar a couve-flor no forno antes de servi-la.

COUVE-FLOR REFOGADA

- 1 couve-flor grande
- 1 xícara de pimentão bem picadinho
- 1/2 xícara de azeitonas pretas e verdes picadinhas
- 1 xícara de tomate sem sementes picado
- 3 colheres de sopa de coentro bem picado
- 1 colher de sopa de manjericão fresco picado
- 1 colher de sopa de salsa fresca picada
- 1 colher de chá de espinafre seco (opcional)
- 1 colher de sopa de segurelha (tempero muito usado)
- água, sal e 1 pitada de bicarbonato de sódio
- 4 colheres de sopa de azeite de oliva

Colocar uma panela grande no fogo, com bastante água e 1 colher de sobremesa de sal.

Quando começar a ferver, adicionar a couve-flor cortada em raminhos e em seguida 1 colher de café de bicarbonato de sódio.

Ao estar levemente macia, escorrer a água e reservar a couve-flor.

Voltar a panela, já seca, ao fogo e esquentar o azeite de oliva.

Refogar todos os temperos por 6 minutos e então acrescentar os raminhos de couve-flor pré-cozidos.

Mexê-los delicadamente com uma colher de pau e, sem tampar a panela, esperar que estejam bem macios.

Provar o tempero e servir a couve-flor quente.

COUVE-MANTEIGA REFOGADA

- 2 maços de couve-manteiga
- 1/2 xícara de coentro
- 1 colher de sobremesa de gengibre ralado
- 1/2 colher de sobremesa de sal
- 4 colheres de sopa de shoyo
- 5 colheres de sopa de óleo

Cortar as couves com uma faca afiada para que as tirinhas fiquem bem finas. Reservá-las.

Esquentar o óleo em uma panela e dourar o gengibre.

Colocar o sal, o coentro e em seguida a couve cortadinha e o shoyo.

Misturar tudo bem e deixar a panela tampada até a couve ficar macia.

Tirá-la da panela com uma escumadeira e arrumá-la em uma travessa.

CUSCUZ DE CENOURA

- 1 xícara de farinha de milho para cuscuz
- 1 xícara de cenoura desfiada com descascador
- 1/3 de xícara de azeitonas verdes em pedaços grandes
- 1/3 de xícara de coentro fresco picado
- 1/3 de xícara de salsa fresca picada
- 1 colher de sobremesa de sal
- 1/2 xícara de água

Misturar todos os ingredientes em uma tigela e em seguida pressionar a mistura numa cuscuzeira com água no fundo.

Colocar um pano de prato limpo antes da tampa.

Deixar a cuscuzeira em fogo alto por 20 minutos.

Desenformar o cuscuz e servi-lo.

ERVILHA SECA REFOGADA

- 1 xícara de ervilha seca (deixada de molho 40 minutos antes)
- 1/2 xícara de tomate sem semente picado
- 1/2 xícara de coentro fresco picado
- 1 colher de chá de açafrão
- 1 colher de café de páprica doce
- 1/2 colher de sobremesa de sal
- 3 colheres de sopa de shoyo
- 5 colheres de sopa de óleo ou azeite de oliva

Aquecer o óleo em uma panela e refogar nele o coentro, o açafrão, os pedaços de tomate e a páprica. Após 5 minutos, adicionar o sal e as ervilhas já deixadas de molho e escorridas.

Mexer tudo bem e acrescentar o shoyo.

Deixar a panela destampada por 15 minutos.

Passar a ervilha para uma travessa e servi-la quente.

ERVILHA-TORTA COM TOMATE

- 3 xícaras de ervilha-torta sem as pontas e as laterais fibrosas
- 2 tomates grandes picados
- 1/2 xícara de coentro fresco picado
- 1/2 xícara de salsa fresca picada
- 1 colher de manjerona
- 1/2 colher de sobremesa de sal
- 3 colheres de sopa de óleo

Esquentar o óleo e refogar todos os temperos por 10 minutos aproximadamente. Acrescentar as ervilhas e o tomate. Misturá-los bem com uma colher de pau, tampar a panela e, assim que as ervilhas estiverem bem macias, colocá-las em travessa e servi-las.

ERVILHA-TORTA NO VAPOR

- 5 xícaras de ervilhas sem as pontas e as laterais fibrosas
- 1/2 xícara de azeitonas pretas picadas
- 1 colher de chá de orégano seco
- sal a gosto
- 5 colheres de sopa de azeite de oliva

Colocar as ervilhas em uma panela de vapor e deixar que cozinhem por aproximadamente 30 minutos depois do iniciada a fervura.

Assim que estiverem macias, colocá-las em uma travessa.

Acrescentar azeite de oliva, orégano e as azeitonas por cima. Temperar a ervilha com sal a gosto e servi-la quente.

ESCAROLA COM CHUCHU

- 1 pé de escarola em tiras
- 2 xícaras de chuchu picado
- 1/4 de xícara de coentro fresco picado
- 1/4 de xícara de salsa fresca picada
- 1 colher de sobremesa rasa de sal
- 3 colheres de sopa de óleo

Levar ao fogo o óleo em uma panela e refogar nele os temperos verdes com o sal. Acrescentar a escarola e o chuchu, mexê-los bem com colher de pau e deixar a panela semitampada. Assim que os chuchus estiverem macios, colocá-los em uma travessa e servi-los quentes.

ESCAROLA COM MILHO VERDE

- 2 maços de escarola
- 1 latinha de milho verde
- 1 colher de sopa de manjericão
- 1 pitada de pimenta-do-reino
- 1 colher de sopa de maisena
- 1 pitada de sal
- 3 colheres de sopa de missô
- 3 colheres de sopa de azeite de oliva
- 1/2 xícara de água fria

Levar ao fogo o azeite numa panela e refogar nele a escarola cortada em tiras. Temperá-la com missô, sal, pimenta e manjericão. Assim que estiver cozida, colocar o milho verde e misturá-lo com um garfo. Retirar a mistura com uma escumadeira e arrumá-la em uma travessa.

Diluir a maisena na água fria, juntá-la ao caldo que sobrou na panela e deixá-la em fogo alto, mexendo-o sempre, até engrossar.

Colocar o molho na travessa e servir a escarola em seguida.

ESCAROLA REFOGADA

- 2 pés de escarola fresca
- 1 pires de coentro fresco picado
- 4 colheres de sopa de molho de mostarda
- 1 colher de café de pimenta-do-reino verde amassada
- 2 colheres de sobremesa rasas de sal

Lavar a escarola e cortá-la em tirinhas. Levá-la ao fogo em uma panela com os demais ingredientes e, sem tampar a panela, esperar que fique macia.

Provar o tempero, passar a escarola para uma travessa e servi-la quente.

ESPINAFRE E AZEITONAS

- 2 maços de espinafre sem as partes mais duras
- 1/2 xícara de azeitonas pretas sem os caroços e picadas
- 2 colheres de sopa de pimentão seco
- 2 colheres de sopa de coentro picado
- 4 colheres de sopa de leite de coco
- sal a gosto
- 3 colheres de sopa de óleo

Escaldar o espinafre ligeiramente picado e então levá-lo ao fogo em uma panela, tampá-la e esperar que fique macio, o que é rápido.

Em outra panela, se possível de barro, esquentar o óleo e dar uma ligeira fritada no coentro, nas azeitonas e nos pimentões. Adicionar o espinafre cozido e misturá-lo bem. Quando estiver com o tempero bem misturado, colocar o leite de coco e mexer a panela. Servir o espinafre em seguida.

FEIJÃO AZUKI REFOGADO

- 2 xícaras de feijão azuki
- 1/2 xícara de tomate picado
- 1/2 xícara de pimentão verde picado
- 1 xícara de salsa picada
- 1/2 xícara de coentro picado
- 5 folhas de louro
- 1 colher de sobremesa de sal
- 4 colheres de sopa de shoyo
- 4 colheres de azeite de oliva
- 3 colheres de sopa de óleo
- 4 xícaras de água

Cozinhar o feijão na água, em panela de pressão, por aproximadamente 30 minutos após o início da pressão.

Levar ao fogo uma panela de ferro, de pedra, ou de barro, se possível, com o óleo e o azeite de oliva. Refogar neles todos os ingredientes, deixando-os fritar por 5 minutos. Acrescentar o feijão, que deverá estar bem macio, e também a água da panela.

Deixá-lo em fogo médio, sem mexer, por 30 minutos ou até o caldo estar grosso. Provar o tempero e servi-lo.

FEIJÃO GUANDU

- 1 xícara de feijão guandu cru
- 4 colheres de sopa de azeitonas picadas
- 2 colheres de sopa de pimentão picado
- 3 colheres de sopa de coentro fresco picado
- 2 colheres de sopa de salsa fresca picada
- 2 folhas de louro
- 1 colher de sobremesa de gengibre ralado
- 1/2 colher de sobremesa de sal
- 4 colheres de sopa de shoyo
- 1 colher de sopa de azeite de oliva
- 3 colheres de sopa de óleo
- 2 xícaras de água

Cozinhar o feijão em panela de pressão com as 2 xícaras de água. Após

20 minutos, retirar a pressão, jogar fora a água e colocar 2 xícaras de água fervente. Deixá-lo de novo em pressão por mais 30 minutos.

Em outra panela, se possível de barro, pedra ou ferro, aquecer o óleo com o azeite e fritar todos os temperos, exceto o shoyo. Após 5 minutos, colocar o feijão cozido. Deixá-lo ferver até engrossar o caldo.

Provar o tempero antes de servir o feijão.

FEIJÃO PARA O DIA-A-DIA

- 1 kg de feijão
- 1/2 xícara de nabo branco ralado
- 1/2 xícara de coentro fresco picado
- 1/2 xícara de salsa fresca picada
- 5 folhas de louro
- 1 colher de sopa de gengibre ralado
- 2 colheres de sopa de molho de tomate ou purê de tomate
- 1 colher de sobremesa de sal
- 3 colheres de sopa de shoyo
- 5 colheres de sopa de óleo

Cozinhar o feijão com bastante água em panela de pressão (o feijão claro cozinha mais rápido que o preto), por 1 hora, ou até os grãos estarem macios.

Verificar se a panela está sem pressão antes de abri-la.

Em uma panela grande, se possível de barro, pedra ou ferro, esquentar o óleo e fritar o gengibre e o nabo. Em seguida acrescentar a salsa, o coentro, as folhas de louro, temperar com sal ou shoyo e refogá-los rapidamente. Colocar o feijão cozido, o molho de tomate e a água na panela, mexê-la bem e deixá-la semitampada, em fogo médio, por 35 minutos ou até que o caldo esteja grosso.

FEIJÃO PRETO

- 1/2 pacote de feijão preto
- 1 xícara de bardana picada
- 1/2 xícara de tomates picados
- 1/2 xícara de pimentão verde picadinho
- 1/2 xícara de coentro picado
- 1/2 xícara de salsinha picada
- 1 colher de sobremesa de gengibre ralado
- 4 folhas de louro
- 1 colher de sobremesa de sal
- 3 colheres de sopa de shoyo
- 2 colheres de sopa de azeite de oliva
- 1/3 de xícara de óleo

Cozinhar o feijão e as bardanas com bastante água em panela de pressão, por aproximadamente 1 hora, dependendo da qualidade do feijão, ou até estar bem macio. Molhar a panela e retirar-lhe toda a pressão antes de abri-la.

Em uma panela de ferro ou de pedra, esquentar o óleo e o azeite e colocar nela o louro, o coentro, a salsa, o gengibre, o pimentão e por último os tomates e o sal. Mexê-los bem com uma colher de pau e deixá-los refogar por uns 6 minutos.

Acrescentar o shoyo e duas conchas de feijão cozido, que deverá ser amassado com ajuda da concha para que fique cremoso.

Deixá-lo ferver por mais uns 5 minutos antes de colocar todo o restante do feijão. Mexer tudo bem e deixar a panela em fogo alto por uns 20 minutos e por mais 20 em fogo baixo, até o feijão ficar cremoso. Provar o tempero e servir o feijão.

FOLHA DE NABO REFOGADA

- 2 maços de folhas de nabo
- 1 colher de sopa de alcaparras
- 1 lata de ervilhas verdes
- 1 lata de milho verde
- 1/2 pimentão vermelho cortado em grandes pedaços
- 2 colheres de sopa de leite de coco
- 1 colher de sobremesa de sal
- 8 colheres de sopa de óleo

Picar o mais possível as folhas de nabo e levá-las ao fogo em uma panela grande com óleo. Adicionar as alcaparras e o sal e tampar a panela.

Quando estiverem cozidas, colocar a ervilha, o milho e o leite de coco. Misturar tudo bem e por último colocar o pimentão picado. Servir o refogado quente.

FOLHAS DE BETERRABA COZIDAS

- 4 xícaras de folhas de beterraba picadinhas
- 2 xícaras de pimentão picado
- 1 colher de sobremesa de manjericão
- 3 colheres de sopa de tahine diluído em água
- 1 colher de sopa de gergelim descascado
- 1 colher de sobremesa de sal
- 2 colheres de sopa de óleo

Levar ao fogo uma panela com as folhas picadas, o óleo, o pimentão picado, o sal e o manjericão. Mexê-los com colher de pau e deixar a panela destampada até as folhas murcharem. Colocar então o tahine diluído e esperar que as folhas fiquem bem cozidas. Passá-las para uma travessa pequena e enfeitá-la com gergelim descascado.

GRÃO-DE-BICO COM PEQUI

- ♦ 1/2 pacote de grão-de-bico
- ♦ 12 ou mais pequis
- ♦ 1 colher de sopa de manjericão
- ♦ 1 colher de sobremesa de sal

Cozinhar o grão-de-bico na pressão e, antes que ele se desmanche, adicionar os pequis, o sal e o manjericão. Deixar então a panela em fogo alto, sem a tampa de pressão. Mexer o grão-de-bico até os grãos estarem se desmanchando e a água ter-se transformado em um creme.

GRÃO-DE-BICO CREMOSO

- ♦ 1 xícara de grão-de-bico
- ♦ 2 xícaras de tomate picado
- ♦ 1 xícara de coentro
- ♦ 1 colher de sobremesa de louro em pó
- ♦ 1 colher de sobremesa de manjericão seco
- ♦ 1 colher de sobremesa de sal
- ♦ 7 colheres de sopa de óleo
- ♦ 4 xícaras de água

Cozinhar o grão-de-bico em uma panela de pressão por uma hora e meia ou duas horas. Colocar os demais ingredientes em outra panela e levá-la ao fogo. Após 10 minutos, acrescentar o grão-de-bico já cozido e escorrido. Deixá-lo refogar por 20 minutos, mexendo-o de vez em quando. Servi-lo quente.

GRÃO-DE-BICO ENSOPADO

- ♦ 1 pacote de grão-de-bico
- ♦ 1/2 xícara de azeitonas picadas
- ♦ 1 xícara de tomate picadinho
- ♦ 1/2 xícara de pimentão picadinho
- ♦ 1/2 xícara de temperos verdes picados
- ♦ 4 folhas de louro
- ♦ 1 colher de sobremesa de sal
- ♦ 4 colheres de sopa de missô já diluído
- ♦ 3 colheres de sopa de óleo

Cozinhar o grão-de-bico na panela de pressão até ficar macio. Aquecer o óleo em outra panela e refogar nele os demais ingredientes. Juntar-lhes o grão-de-bico e a água. Amassar alguns grãos com uma concha para o caldo ficar mais cremoso e deixá-lo ferver até engrossar. Provar o tempero e servir o grão-de-bico quente.

Observação: Pode-se servir este prato junto com arroz, substituindo o feijão.

GRÃO-DE-BICO TEMPERADO

- 1/2 pacote de grão-de-bico
- 4 cenouras cozidas e picadas
- 1 pimentão vermelho cortado em pedaços grandes
- 1/2 xícara de coentro fresco picado
- 1/2 colher de sopa de orégano
- 1 colher de sobremesa de gengibre ralado
- 1/2 colher de sobremesa de sal
- 2 colheres de sopa de missô
- 4 colheres de sopa de óleo

Após cozinhar o grão-de-bico na panela de pressão (aproximadamente 1 hora e meia), deixá-lo escorrer em uma peneira.

Em uma panela de barro ou ferro, que possa ir direto à mesa, esquentar o óleo e refogar o gengibre, o coentro, o orégano, o sal e o missô. Misturar tudo bem e adicionar o grão-de-bico. Mexê-lo e deixá-lo refogar por 5 minutos aproximadamente. Acrescentar os pedaços de cenoura e de pimentão. Tampar a panela, deixando-a abafada por 5 minutos. Servir o grão-de-bico quente.

LEGUMES AO FORNO

- 3 batatas-doces grandes descascadas e cortadas em cubinhos
- 3 cenouras grandes cortadas em cubinhos
- 1/2 nabo grande cortado em cubinhos
- 1/2 colher de chá de sal
- 4 colheres de sopa de shoyo
- 2 colheres de sopa de açúcar mascavo
- 4 colheres de sopa de azeite de oliva
- óleo para untar

Cozinhar ligeiramente as batatas-doces, o nabo e as cenouras em uma panela com água e sal. Escorrer a água em uma peneira e colocar os legumes em uma vasilha (usar o caldo para sopas). Acrescentar o sal, o shoyo, o azeite de oliva e o açúcar mascavo e misturá-los bem.

Untar uma assadeira com óleo e arrumar nela os legumes. Assá-los em forno médio por 30 minutos aproximadamente. Virá-los de vez em quando para assarem dos dois lados. Servi-los quentes, arrumados em uma travessa.

LEGUMES CHINESES

- 1 abobrinha italiana em palitinhos
- 3 cenouras médias cortadas em palitinhos
- 100 g de vagens aferventadas e passadas em água fria

Legumes chineses
(continuação)

- 12 cogumelos
- 1/2 xícara de amendoim torrado e sem pele
- 2 colheres de sopa de shoyo
- 4 colheres de sopa de óleo
- 2 colheres de sopa de óleo de gergelim

Fritar as cenouras no óleo quente. Acrescentar as vagens, os palitos de abobrinha italiana, os cogumelos cortados ao meio e deixá-los fritar por mais 8 minutos. Colocar então o óleo de gergelim, o shoyo, e o amendoim. Tampar a panela até tudo estar cozido. Provar o tempero e corrigi-lo se necessário. Servir os legumes quentes.

REFOGADO
DE LEGUMES

- 1 xícara de abóbora comum descascada e picada
- 1 xícara de raminhos de brócolis
- 1 xícara de milho verde
- 1 xícara de ervilhas frescas
- 1/2 xícara de pimentão vermelho picado
- 1/2 xícara de azeitonas picadas
- 4 colheres de sopa de coentro picado
- 4 sementes de cardamomo
- 1 pitada de urucum em pó
- 1 pitada de açafrão em pó
- 1 colher de sobremesa rasa de sal
- 4 colheres de sopa de shoyo
- 5 colheres de sopa de óleo

Esquentar o óleo em uma panela grande e fritar todos os temperos por 10 minutos. Acrescentar os demais ingredientes e misturá-los bem com uma colher de pau. Manter a panela tampada até os legumes estarem macios.

Pode-se diluir 1 colher de sopa de maisena ou araruta em 1/2 xícara de leite de coco e engrossar os legumes, após estarem cozidos. Servi-los quentes.

LENTILHAS
REFOGADAS

- 1 saquinho de lentilhas
- 1 xícara de coentro picado
- 3 folhas de louro
- 1 colher de sobremesa de gengibre ralado
- 1 colher de sobremesa de zimbro em grãos
- 1 colher de sobremesa de zattar

Lentilhas refogadas
(continuação)

- 1 colher de chá de sal
- 5 colheres de sopa de shoyo
- 5 colheres de sopa de azeite de oliva
- 2 colheres de sopa de óleo

Cozinhar as lentilhas em uma panela de pressão com duas vezes o seu volume de água.

Esquentar o óleo e o azeite de oliva em uma panela, se possível grossa, e refogar nela os temperos por uns 7 minutos. Colocar as lentilhas cozidas com a água na panela dos temperos e deixá-la em fogo brando de 15 a 20 minutos. Retirar as folhas de louro antes de servir as lentilhas.

Observação: Pode-se servir este prato no lugar do feijão, junto com arroz.

LENTILHAS SOLTAS REFOGADAS

- 1 xícara de lentilhas
- 2 xícaras de cogumelos (*champignon, shiitake* ou *pleurotus*) inteiros ou fatiados
- 1/2 xícara de coentro fresco picado
- 1 colher de sobremesa de louro em pó
- 1 colher de sobremesa de sementes de coentro
- 1 1/2 colher de sobremesa de sal ou shoyo
- 2 colheres de sopa de missô
- 4 colheres de sopa de azeite de oliva
- 2 xícaras de água quente

Deixar as lentilhas de molho por uma noite inteira.

Levar ao fogo todos os ingredientes, exceto as lentilhas. Refogá-los por 6 minutos aproximadamente, e então colocar as lentilhas inchadas. Manter a panela tampada, em fogo brando, por 20 minutos ou mais. Provar o tempero antes de servir as lentilhas.

MAMÃO VERDE REFOGADO OU "FALSO CHUCHU"

- 1 mamão bem verde e grande
- 1 colher de sopa de alcaparras picadas
- 1/2 xícara de azeitonas verdes sem os caroços
- 1 xícara de coentro bem picado
- 1 xícara de salsinha bem picada
- 1 colher de chá de manjericão
- 2 colheres de sopa de mostarda
- 1 colher de chá de açafrão
- 1/2 xícara de molho de tomate
- 1/2 colher de sobremesa de sal
- 4 colheres de sopa de shoyo diluído
- 6 colheres de sopa de azeite de oliva

Dividir o mamão ao meio, retirar-lhe as sementes e descascá-lo. Cortá-lo em quadradinhos bem pequenos.

Levar ao fogo uma panela com o azeite de oliva e todos os temperos. Deixá-los refogar por uns 7 minutos para então colocar o mamão picadinho. Mexê-lo bem com uma colher de pau e acrescentar o shoyo. Tampar a panela. Mexer o mamão de vez em quando para não grudar no fundo. Colocar água sempre que começar a grudar. Retirar o mamão do fogo assim que estiver cozido.

MANDIOCA AO CURRY

- ◆ 1 prato de mandioca cozida, aproximadamente 5 xícaras
- ◆ 1 colher de café de curry
- ◆ salsinha picada a gosto
- ◆ 1/2 vidro de leite de coco
- ◆ 1 colher de sopa de amêndoas torradas
- ◆ 1 colher de sobremesa de sal
- ◆ 8 colheres de sopa de azeite de oliva

Esquentar o azeite em uma panela (de preferencia de barro) e refogar nele toda a mandioca. Tampar a panela e deixar a mandioca no fogo por uns 7 minutos. Acrescentar o curry e mexer a panela. Colocar o sal, as castanhas e o leite de coco, e misturar os ingredientes até se incorporarem.

Enfeitar a mandioca com salsa fresca e servi-la quente.

MANDIOQUINHA REFOGADA

- ◆ 4 xícaras de mandioquinha picada
- ◆ 1/2 xícara de azeitonas pretas picadas
- ◆ 1 tomate picadinho
- ◆ 3 colheres de sopa de salsa fresca picada
- ◆ 4 colheres de sopa de coentro fresco picado
- ◆ 1/2 colher de sobremesa de sal
- ◆ 3 colheres de sopa de shoyo
- ◆ 4 colheres de sopa de óleo

Levar ao fogo o óleo em uma panela e fritar nele os temperos verdes com as azeitonas e os tomates. Acrescentar a mandioquinha picada, mexê-la com colher de pau e tampar a panela até a mandioquinha estar cozida. Colocar shoyo sempre que a panela secar. Servir a mandioquinha quente.

MANDIOQUINHA TEMPERADA

- 3 xícaras de mandioquinha picada
- de 4 a 6 azeitonas pretas
- 1/3 de xícara de tomate maduro sem semente picado
- 4 colheres de sopa de coentro
- 2 colheres de sopa de manjericão fresco picado
- 1 colher de sopa de orégano fresco picado
- 2 colheres de sopa de sementes de mostarda
- 1 colher de café de pimenta-do-reino
- 1/2 colher de sobremesa de sal
- 2 colheres de sopa de shoyo
- 4 colheres de sopa de óleo de milho

Cozinhar a mandioquinha em água e sal e deixá-la escorrendo.

Em uma panela média, esquentar o óleo de milho e fritar o coentro, o manjericão, o orégano, as azeitonas sem os caroços e as sementes de mostarda. Após 5 minutos, colocar os pedaços de tomate, o sal, o shoyo e a pimenta-do-reino.

Acrescentar a mandioquinha picada e cozida e mexê-la ligeiramente.

Deixar a panela destampada, em fogo alto, por aproximadamente 6 minutos.

Provar o sal antes de transferir a mandioquinha para uma travessa e servi-la.

MILHO ASSADO

- 6 espigas de milho verde
- sal a gosto

Passar sal nas espigas e embrulhá-las, uma a uma, em papel alumínio.

Colocá-las no forno, em uma assadeira, por aproximadamente 50 minutos ou até estarem macias. Se as espigas forem novas, será mais rápido.

Pode-se também dispensar o papel alumínio, jogá-las na brasa ou colocá-las em espetos de churrasco e assá-las na churrasqueira.

Observação: Pode-se fazer o mesmo com banana-da-terra, banana-marmelo ou banana-nanica.

MILHO VERDE EM CREME

- 2 latas de 200 g de milho verde
- 10 azeitonas verdes picadas
- 1 colher de sopa de alcaparras
- 2 colheres de sopa de maisena
- 1/2 colher de sobremesa de sal
- 3 colheres de sopa de óleo
- 100 g de água (usar a latinha como medida)

Levar ao fogo uma panela com o óleo, as azeitonas, as alcaparras picadas e o sal. Deixá-los fritar.

Bater no liquidificador o milho (com a água), até os grãos sumirem. Juntar o milho liquidificado à panela e, assim que estiver fervendo bem, colocar a maisena diluída na água. Mexer o milho sem parar até tornar-se bem cremoso.

MORANGA COM BATATA FRITA

- 1/4 de moranga grande
- 4 batatas grandes
- 1/2 xícara de talo de erva-doce cortado bem fininho
- 1/2 xícara de talo de aipo cortado bem fininho
- 1/2 colher de sobremesa de sal
- 5 colheres de sopa de shoyo
- 5 colheres de sopa de óleo
- bastante óleo para fritar

Cortar a moranga em pedacinhos pequenos.

Levar ao fogo uma panela com 5 colheres de sopa de óleo e fritar nele os talos fininhos. Temperá-los com sal e acrescentar os pedaços de moranga. Misturar tudo bem e deixar a moranga refogando por 6 minutos. Colocar o shoyo e tampar a panela. Deixá-la em fogo baixo até a moranga estar macia.

Lavar as batatas e cortá-las em rodelinhas finas, sem descascá-las. Esquentar bem, em uma panela ou frigideira grande, bastante óleo e mergulhar nele as rodelas de batata. Virá-las com escumadeira para fritarem dos dois lados e retirá-las quando estiverem douradas. Escorrê-las em papel absorvente e polvilhá-las de sal. Passar o cozido de moranga para uma travessa, arrumar as batatas fritas ao redor dele e servi-lo.

NABO COM ERVILHAS

- 2 xícaras de nabo picado
- 1 lata de ervilhas
- 1 xícara de azeitonas em pedaços grandes
- 1 xícara de tomates firmes, sem sementes, picados
- 1 xícara de coentro fresco picado
- 1 colher de sopa de manjericão
- 2 colheres de sopa de sementes de mostarda
- 1 colher de sobremesa de sal
- 8 colheres de sopa de azeite de oliva

Misturar muito bem todos os ingredientes em uma panela e levá-la ao fogo alto, tampada.

Mexê-la de vez em quando até o nabo estar totalmente cozido. Provar o sal antes de tirar o refogado da panela, colocá-lo em travessa e servi-lo quentinho.

NABO ABAFADO COM SHOYO

- ♦ 1 nabo comprido
- ♦ 14 colheres de sopa de shoyo
- ♦ 14 colheres de sopa de água

Retirar as folhas do nabo, lavá-lo e cortá-lo em rodelas iguais, em diagonal.

Levá-las ao fogo em uma panela com o shoyo diluído na água, tampar a panela e, quando estiverem bem macias, retirá-las. Arrumá-las em uma travessa e servi-las quentes, só ou acompanhadas por um refogadinho das folhas que, depois de cozidas, perdem sua característica aspereza. São muito saborosas.

NABO DIFERENTE

- ♦ 1 1/2 xícara de nabo branco ralado bem fino
- ♦ 2 colheres de sopa de manjericão
- ♦ 4 colheres de sopa de leite de coco
- ♦ 1/2 colher de sobremesa de sal

Juntar todos os ingredientes em uma panela e levá-la ao fogo alto, destampada, até o nabo estar cozido. Retirá-lo com escumadeira, arrumá-lo em uma travessa e servi-lo quente.

NABO REFOGADO

- ♦ 1 nabo branco comprido
- ♦ 4 colheres de sopa de shoyo
- ♦ 1 colher de sopa de azeite de oliva

Cortar o nabo em fatias finas no sentido do seu crescimento e em diagonal.

Aquecer o azeite de oliva em uma panela, colocar nela as fatias de nabo e deixá-las dourar, mexendo-as com uma colher de pau para não grudarem. Quando começarem a tostar, acrescentar o shoyo e tampar a panela. O nabo estará pronto quando estiver macio.

PIRÃO

- ♦ 3 tomates bem maduros picados
- ♦ 1 xícara de temperos verdes picados (salsa coentro, etc.)

Pirão
(continuação)

- ♦ 2 folhas de louro
- ♦ 1 colher de chá de urucum
- ♦ 1/2 colher de sobremesa de curry
- ♦ 1 xícara de farinha de mandioca
- ♦ 1/2 colher de sobremesa de sal
- ♦ 6 colheres de sopa de azeite de oliva
- ♦ 2 xícaras de água fervente

Levar ao fogo o azeite, todos os temperos e os tomates e, quando estes começarem a se desmanchar, colocar a água fervente. Esperar levantar fervura e adicionar, bem aos poucos, a farinha de mandioca. Mexê-la sem parar para não empelotar. A quantidade de farinha de mandioca dará a consistência desejada, portanto é variável de acordo com cada gosto.

Não esquecer que, ao ser retirado do fogo, o pirão engrossará um pouco mais.

POLENTA

- ♦ 1 xícara de fubá
- ♦ 1 colher de sobremesa de sal
- ♦ 5 xícaras de água

Diluir o fubá e o sal na água, em uma panela grande, se possível de ferro. Levá-la ao fogo alto, mexendo-a sempre e, assim que a polenta engrossar, mexê-la de 5 em 5 minutos, com colher de pau.

Conservá-la no fogo até aparecer o fundo da panela e esperar que a polenta fique totalmente desgrudada. Deixá-la então 10 minutos em fogo alto sem mexer.

Virá-la em um pirex ou forma de pão, sem untar, e esperar que esfrie.

POLENTA AO FORNO

- ♦ 1 receita de polenta
- ♦ 1 maço de escarola
- ♦ 1 xícara de azeitonas picadas
- ♦ 1 xícara de molho de tomate
- ♦ batata palha
- ♦ 1/2 colher de sobremesa de sal
- ♦ 4 colheres de sopa de azeite de oliva

Levar ao fogo uma panela com o azeite de oliva, as azeitonas, as folhas de escarola picadinhas e o sal. Tampar a panela e, assim que as folhas estiverem cozidas, esperar que esfriem com a panela destampada.

Fazer a polenta com 1 medida de fubá para 5 de água e sal. Deixá-la em fogo alto, mexendo-a sempre, até aparecer o fundo da panela.

Colocar a metade em um pirex, espalhar o refogado sobre ela e cobri-lo com a outra metade. Por cima colocar o molho de tomate e a batata.

Levar o pirex ao forno alto por 20 minutos e servir a polenta quente.

PROTEÍNA DE SOJA COM MILHO E AZEITONAS

- 2 xícaras de proteína de soja em cubos grandes
- 2 xícaras de milho verde cru
- 1 xícara de azeitonas pretas picadas
- 2 colheres de sopa de alcaparras picadas
- 1/2 colher de sobremesa de sal
- shoyo
- 4 colheres de sopa de óleo
- 3 xícaras de água

Deixar a soja de molho por 20 minutos em uma tigela com água e sal. Escorrer a água, espremer a proteína de soja com as mãos e reservá-la.

Levar ao fogo uma panela com o óleo e fritar nele as azeitonas e as alcaparras. Após 5 minutos, acrescentar a soja e o milho. Deixar a panela em fogo alto, destampada, até o milho estar cozido. Umedecer a panela com shoyo toda vez que ficar ressecada Arrumar a proteína de soja em uma travessa e servi-la quente.

PROTEÍNA DE SOJA COM PALMITO

- 2 xícaras de proteína de soja miúda
- 2 xícaras de palmito picado
- 1/2 xícara de coentro fresco
- 1/2 colher de sobremesa de sal
- 3 colheres de sopa de shoyo
- 2 colheres de sopa de azeite de oliva
- 4 colheres de sopa de óleo
- 2 xícaras de água

Colocar a proteína de soja de molho por 20 minutos na água (2 xícaras), com 1/2 colher de sal. Escorrê-la em seguida.

Esquentar o óleo e o azeite de oliva em uma panela e fritar o coentro, o palmito e a soja bem espremida com as mãos. Após 15 minutos, acrescentar o shoyo. Sem tampar a panela e mexendo-a sempre, esperar a proteína de soja estar levemente dourada para então colocá-la em uma travessa e servi-la.

PROTEÍNA DE SOJA GRANDE

- 2 xícaras de proteína de soja em cubos grandes
- 2 xícaras de pimentão bem picado
- 1 xícara de temperos verdes picados
- 1 colher de chá de gengibre ralado
- 1 colher de café de noz-moscada em pó
- 1/2 xícara de shoyo
- 3 colheres de sopa de azeite de oliva
- 2 xícaras de água

Deixar a proteína de soja de molho na água e shoyo por 30 minutos. Escorrê-la bem e espremê-la levemente para retirar o excesso de água.

Refogar no azeite todos os temperos e acrescentar a soja. Deixar a panela em fogo alto, destampada, até a proteína de soja estar levemente dourada.

Provar o sal antes de passá-la para uma travessa e servi-la ainda quente. Colocar mais shoyo se necessário.

QUADRADOS DE BERINJELA AO FORNO

- 2 berinjelas médias
- 4 fatias grossas de pão de forma
- 1/2 xícara de azeitonas picadas
- 2 pimentões verdes cortados em cubinhos
- 1 tomate
- 1 xícara de coentro fresco picado
- 1 colher de chá de orégano
- 2 colheres de chá de sal
- 1 colher de sopa de shoyo
- 2 colheres de sopa de azeite de oliva
- 6 colheres de sopa de óleo

Em uma panela grande, aquecer o óleo em fogo alto e fritar o pão e as berinjelas, ambos cortados em cubinhos. Após 5 minutos, adicionar os pimentões, o sal e as azeitonas. Deixá-los cozinhar por mais 10 minutos. Virá-los em uma forma de barro ou pirex, cobri-los com o tomate picadinho, o coentro, o shoyo e o azeite de oliva. Levar a forma ao forno por 20 minutos, mantendo-a coberta com papel alumínio durante os primeiros 10 minutos.

QUIABO COM MANJERICÃO

- 2 dúzias de quiabo
- 2 colheres de sopa de manjericão
- 1 pitada de sal
- 1/2 xícara de azeite ou óleo

Limpar os quiabos, retirando-lhes os cabinhos, porém deixando-os inteiros.

Esquentar o azeite ou o óleo em uma panela larga e refogar os quiabos secos. Temperá-los com sal e manjericão e, com a panela destampada, esperar que fiquem macios. Arrumá-los em uma travessa e servi-los ainda quentes.

QUIABO COM MILHO VERDE

- 6 xícaras de quiabo lavado, escorrido e picadinho
- 1 lata de 200 g de milho verde
- 1 xícara de tomate picadinho
- 1 xícara de coentro fresco picado
- 1 colher de sopa de suco de limão
- 1 colher de café de açafrão
- 1 colher de chá de sal
- 6 colheres de sopa de óleo

Esquentar o óleo em uma panela e dar uma leve fritada no coentro, com o sal e o açafrão.

Colocar o quiabo na panela e deixá-lo fritando por uns 5 minutos. Acrescentar o tomate e misturá-lo bem. Com a panela tampada, esperar os quiabos estarem cozidos. Não deixá-los passar do ponto, devem ficar macios, mas não se desmanchando. Adicionar o suco de limão e o milho escorrido. Mexer a panela e deixá-la no fogo por mais 5 minutos. Arrumar os quiabos em travessa e servi-los quentes.

QUIABO COM TOMATES SECOS

- 2 xícaras de quiabos picados
- 2 xícaras de tomates secos
- 1 colher de chá de pimenta-da-jamaica
- 1 colher de café de páprica
- 2 colheres de sopa de shoyo
- 3 colheres de sopa de azeite de oliva

Refogar todos os ingredientes em fogo alto numa panela grande, destampada. Não parar de mexê-los e, assim que estiverem cozidos, passá-los para uma travessa. Servi-los quentes.

RAÍZES NO VAPOR

- 4 mandioquinhas
- 3 cenouras médias
- 1 cará médio descascado
- shoyo ou gersal a gosto

Colocar as raízes bem lavadas em uma panela de vapor ou cuscuzeira. Deixá-las em fogo alto, com bastante água no fundo da panela, até tornarem-se macias. Colocá-las em travessa e servi-las com shoyo ou gersal a gosto.

REPOLHO À FRANCESA

+ 1/2 repolho branco
+ 1 pacote de cogumelo fatiado, se possível, o francês congelado
+ 1 colher de sopa de segurelha
+ 2 colheres de sopa de maisena
+ 1 1/2 colher de sobremesa de sal
+ 4 colheres de sopa de azeite de oliva
+ 1/2 xícara de água

Esquentar o azeite de oliva e fritar nele os cogumelos congelados fatiados, o sal e a segurelha. Mexê-los bem por 5 minutos e acrescentar o repolho, que deverá estar fatiado em tiras finas e compridas.

Misturar tudo com colher de pau, tampar a panela e esperar que o repolho esteja macio. Então, diluir a maisena na água fria, juntá-la à panela e mexê-la sem parar até a mistura engrossar. Colocar o repolho em travessa e servi-lo quente.

REPOLHO COM COGUMELOS E AZEITONAS

+ 1/2 repolho médio picado
+ 2 xícaras de cogumelos (*champignon, shiitake* ou *pleurotus*) inteiros
+ 1 xícara de azeitonas picadas
+ 1 colher de sopa de coentro
+ 1 colher de sobremesa de sementes de endro
+ 1 colher de chá de sal
+ 2 colheres de sopa de shoyo
+ 4 colheres de sopa de óleo

Esquentar o óleo em uma panela grande e fritar nele o coentro, as azeitonas e os cogumelos. Após 10 minutos, acrescentar o repolho, o sal, o shoyo e as sementes de endro. Mexer a panela com colher de pau de vez em quando e deixá-la destampada até o repolho estar macio. Colocá-lo em uma travessa e servi-lo quente.

REPOLHO CREMOSO COM TOMATES SECOS

+ 1 repolho branco em tiras finas e compridas
+ 3 xícaras de tomates secos
+ pimenta-do-reino moída a gosto
+ 4 gotas de limão
+ 1 colher de sopa de maisena

Repolho cremoso com
tomates secos
(continuação)

- 1 colher de sobremesa de sal
- 1/2 colher de sobremesa de açúcar
- 10 colheres de sopa de azeite de oliva
- 1/2 xícara de leite de soja (diluir 2 colheres de sopa de extrato de soja em 1 xícara de água)

Esquentar o azeite em uma panela larga. Colocar nela o repolho em tirinhas e temperá-lo com sal e açúcar. Deixar a panela destampada, em fogo baixo, e adicionar-lhe as gotas de limão. Mexer o repolho até estar totalmente cozido. Ferver o leite de soja e acrescentar-lhe então a maisena diluída em água fria. Juntar esse creme ao repolho, mexendo-o até engrossar. Misturar os tomates, salpicar pimenta-do-reino moída e servir o repolho.

REPOLHO E MILHO

- 1/2 repolho médio cortado em quadrados
- 2 colheres de sopa de alcaparras
- 1 1/2 xícara de milho verde cozido; se preferir, usar o de lata
- 2 colheres de nozes frescas picadas
- 1/2 xícara de talo de aipo picadinho
- 1/2 xícara de coentro fresco picado
- 4 colheres de sopa de molho de mostarda
- 1/2 colher de sobremesa de sal
- 2 colheres de sopa de azeite de oliva

Levar ao fogo uma panela grande com água e sal e, assim que ferver, colocar nela os pedaços de repolho. Deixá-los cozinhando por 8 minutos.

Fritar no azeite de oliva ou óleo o coentro, o talo de aipo picadinho, as alcaparras, a mostarda e o sal. Após 5 minutos, acrescentar os repolhos aferventados e o milho. Tampar a panela e deixá-la em fogo brando por 15 minutos. Mexê-la de vez em quando. Provar o sal e corrigi-lo se necessário. Assim que tudo estiver bem cozido, colocar o repolho em uma travessa e servi-lo quente.

REPOLHO EM TIRAS

- 1 repolho pequeno ou 1/2 grande
- 2 pimentões cortados em tiras finas
- 1 colher de café de alecrim
- 2 colheres de sopa de maisena
- 1/2 colher de sobremesa de sal
- 1/2 xícara de shoyo
- 1 colher de sopa de açúcar
- 8 colheres de sopa de azeite de oliva

Cortar o repolho em tiras. Esquentar o azeite em uma panela grande e dar uma leve fritada nos pimentões. Acrescentar o repolho, o sal, o açúcar e o shoyo. Tampar a panela e deixar o repolho cozinhando por uns 15 minutos ou até estar macio.

Diluir a maisena em 1/2 xícara de água e juntá-la à panela. Mexer o repolho com uma colher de pau até engrossar. Colocá-lo em uma travessa, espalhar o alecrim por cima e servi-lo. Ao esquentar o repolho no forno, cobri-lo com papel alumínio.

REPOLHO ROXO COM MAÇÃ E CURRY

- 1/2 repolho roxo raladinho bem fino
- 2 maçãs descascadas raladinhas como o repolho
- 2 colheres de chá de curry
- 2 colheres de sopa de coentro picadinho
- 1/2 colher de sobremesa de sal
- 2 colheres de sopa de azeite de oliva
- 2 colheres de sopa de óleo

Refogar todos os ingredientes em uma panela, mexê-los bem e deixar a panela tampada até o repolho estar bem macio. Provar o sal. Colocar o repolho em travessa e servi-lo quente.

REPOLHO SIMPLES

- 1 repolho pequeno cortado em pedaços grandes
- 3 colheres de sopa de alcaparras
- 1/2 xícara de azeitonas fatiadas
- 1/2 xícara de salsa fresca bem picada
- 1 colher de sobremesa de sal
- azeite de oliva
- 2 xícaras de água

Cozinhar os pedaços de repolho nas 2 xícaras de água, com o sal. Assim que estiverem macios, escorrer a água, que poderá ser usada em sopas e pães, e arrumar os pedaços de repolho em uma travessa. Enfeitá-la com as alcaparras picadas, a salsinha e as azeitonas. Regar o repolho com azeite de oliva e servi-lo.

TOFU EM CUBINHOS COM COUVE-FLOR

- 3 xícaras de tofu em cubinhos iguais
- 1 couve-flor média em raminhos
- 1 pimentão vermelho em cubinhos do tamanho do tofu

Tofu em cubinhos com couve-flor (continuação)

- 1 pimentão amarelo do mesmo tamanho
- 1 colher de sobremesa de alecrim
- 1 colher de sobremesa de manjericão seco
- 1/2 colher de sobremesa de sal
- 5 colheres de sopa de shoyo
- 4 colheres de sopa de óleo

Levar ao fogo o óleo em uma panela grande e fritar nele o alecrim, o manjericão e os pimentões. Após 5 minutos, acrescentar todos os demais ingredientes e mexê-los delicadamente, até ficarem bem misturados. Tampar a panela e deixá-la em fogo brando por aproximadamente 25 minutos, ou até os raminhos da couve-flor estarem bem macios. Colocar tudo em travessa e servir quente.

TOMATES RECHEADOS

- 6 tomates grandes
- 1/2 xícara de tofu
- 1 xícara de cogumelos
- 1 colher de café de gengibre ralado
- 1 xícara de coentro fresco picado
- 1 xícara de salsa picada
- pimenta-do-reino em pó
- 1 xícara de trigo para quibe deixado de molho em água quente, por 30 minutos
- sal
- 1/3 de xícara de azeite de oliva

Cortar a tampa dos tomates, e retirar-lhes as sementes e parte das polpas, deixando-os ocos e com uma espessura de 1 cm. Temperar a parte interna dos tomates com sal e pimenta-do-reino e colocá-los voltados para baixo, para escorrerem por alguns minutinhos.

RECHEIO

Aquecer o azeite em uma panela e refogar nele a salsa, o gengibre, os cogumelos, o tofu e as polpas dos tomates. Não tampar a panela para não acumular água no refogado. Acrescentar o coentro picado e desligar o fogo. Misturar o refogado com o trigo, que deverá estar bem escorrido e espremido. Provar o sal.

Untar uma forma refratária com óleo e aquecer o forno. Rechear os tomates e arrumá-los na forma. Cobri-la com papel alumínio e assar os tomates até ficarem macios.

TUTU DE FEIJÃO MOLE

- 3 xícara de feijão cozido e temperado
- 3 colheres de sopa de alcaparras
- 1 xícara de tomate picadinho
- 1/2 xícara de coentro fresco picado

Tutu de feijão mole
(continuação)

- 1/2 xícara de salsa fresca picada
- 1/2 xícara de farinha de mandioca torrada
- 1/2 colher de sobremesa de sal
- 5 colheres de sopa de óleo
- 1 xícara de água

Bater no liquidificador 1 xícara de feijão com 1 xícara de água.

Aquecer o óleo em uma panela e refogar nele a salsa, o coentro, o tomate e as alcaparras. Temperá-los com o sal e acrescentar o feijão, tanto o batido quanto o inteiro. Misturar tudo bem com colher de pau. Deixar o feijão ferver por 5 minutos, e então adicionar a farinha de mandioca, bem aos poucos e sempre mexendo. Servir o tutu quente, em uma travessa, enfeitado com pedaços de tomate.

TUTU DE FEIJÃO NA FORMA

- 1 1/2 xícara de sobras de feijão
- 1/2 xícara de azeitonas verdes sem os caroços
- 2 tomates grandes em rodelas
- 1/2 xícara de coentro fresco picadinho
- 1/2 xícara de salsa fresca picadinha
- 1/2 xícara de farinha de mandioca torrada
- 1/2 colher de sobremesa de sal
- 2 colheres de sopa de óleo
- 1/2 xícara de água

Refogar no óleo o coentro, a salsa e as azeitonas e temperá-los com sal. Acrescentar o feijão e a água, mexer tudo bem e esperar que ferva. Colocar então a farinha de mandioca, aos poucos, para não empelotar, sem parar de mexer, até que o tutu engrosse. Forrar o fundo de uma forma de pudim com as rodelas de tomate e arrumar o tutu quente por cima. Deixá-lo alguns minutos e desenformá-lo em um prato. Servi-lo quente.

VAGEM ENSOPADA

- 3 xícaras de vagens picadas
- 1/2 xícara de azeitonas bem picadas
- 1 xícara de coentro bem picado
- 1/2 colher de sobremesa de sal
- 2 colheres de óleo ou azeite de oliva
- 2 colheres de sopa de azeite-de-dendê

Cozinhar levemente as vagens até começarem a amolecer.

Aquecer os óleos em uma panela e refogar neles o coentro, os tomates e as azeitonas. Temperá-los com sal e colocar as vagens semicozidas. Deixar a panela tampada até as vagens ficarem totalmente cozidas. Provar o sal e servir o ensopado quente.

VATAPÁ DE INHAME

- 10 inhames já cozidos em água e sal
- 2 xícaras de azeitonas pretas
- 4 tomates maduros e grandes cortados em quatro
- 2 pimentões vermelhos em tiras grossas
- 2 pimentões verdes em tiras grossas
- 2 xícaras de coentro fresco picado
- 4 folhas de louro
- 1/2 colher de sopa de páprica
- 1 colher de sobremesa de gengibre ralado
- 1/2 colher de sobremesa de sal
- 3 colheres de sopa de missô diluído em 1/2 xícara de água
- 2 colheres de sopa de azeite de oliva
- 5 colheres de sopa de azeite-de-dendê
- 1 vidrinho de leite de coco

Fritar em uma panela de barro, no azeite de oliva, o gengibre e o louro e em seguida colocar os inhames picados. Sobre eles arrumar, sem mexê-los, os pimentões, os tomates, o coentro, as azeitonas, a páprica picante, o dendê, o missô e o sal. Tampar a panela e deixá-la ferver por 5 minutos. Despejar, bem distribuído, o leite de coco sobre os ingredientes. Esperar 2 minutos e servir o vatapá na própria panela. Ao retirá-lo do fogo, sem mexer, salpicar coentro fresco picado.

XADREZ DE LEGUMES

- 1 nabo médio cortado em fatias finas em diagonal
- 1 cenoura grande
- 2 ou 3 talos de erva-doce cortados em cubinhos
- 1 xícara de cogumelos (*champignon, shiitake* ou *pleurotus*) em tiras grandes
- 2 pimentões verdes cortados em cubinhos
- 1 pimentão vermelho em cubinhos
- 1/2 xícara de amendoim torrado e sem pele
- 1/2 xícara de shoyo
- 2 colheres de sopa de missô diluído em água
- 2 colheres de sopa de azeite de oliva

Juntar todos os ingredientes em uma panela, levá-la ao fogo, tampá-la e deixá-los cozinhar por uns 35 minutos. Provar o sal e servir o xadrez quente.

ACOMPANHAMENTOS

Abobrinha frita	131
Banana-prata frita	131
Batata-doce com maçã	131
Batata-doce frita	132
Batata palito frita	132
Batata em quadrados frita	132
Batata palha	133
Batatas chips	133
Berinjela frita crocante	134
Bolinho assado de bagaço de milho	134
Bolinho de arroz	134
Bolinho de batata	135
Bolinho de espinafre	136
Bolinho de farinha de arroz integral	136
Bolinho de grão-de-bico	136
Bolinho de inhame	137
Bolinho de lentilhas	137
Bolinho de mandioca	137
Bolinho de milho verde frito	138
Bolinho frito de banana	138
Bolinho frito de cenoura	139
Bolinho frito de nabo e azeitonas	139
Bolinho frito de palmito	140
Bolinho integral de azeitona portuguesa	140
Bolinho verde de caruru	140
Couve-flor empanada	141
Croquete de batata	142

Croquete de borra de soja 142
Croquete de milho verde 142
Croquete de batata-doce 143
Croquetinho com sálvia 143
Farofa de bagaço de milho 144
Farofa de banana 144
Farofa de batata palha 145
Farofa de berinjela e germe de trigo 145
Farofa de cenoura 145
Farofa de cenoura e suas folhas 146
Farofa simples 146
Farofa com passas e cenoura 146
Farofa úmida de quiabo 147
Folhas de nabo empanadas 147
Legumes fritos 148
Mandioca palito 148
Pastel assado de milho 148
Pastel assado de palmito 149
Pastel assado integral de espinafre 150
Pastel assado integral de tofu 150
Pastel com recheio de cenoura e brócolis 151
Pastel de abóbora kambutiá e cogumelo 151
Pastel de folhas de nabo 152
Pastel de mamão verde 152
Pastelzinho assado de cogumelo 153
Polenta frita 153
Purê de abóbora 154
Purê de batata-doce com ameixas pretas 154
Purê de batata-doce 154
Purê de batata-inglesa 155
Purê de ervilhas secas 155
Quiabos fritos 156

ABOBRINHA FRITA

- 2 abobrinhas verdes
- 1 xícara de farinha de trigo
- 1 colher de café de noz-moscada em pó
- 1/2 colher de sobremesa de sal
- bastante óleo para fritar
- 1 xícara de água gelada

Após lavar as abobrinhas, cortá-las em rodelas finas.

Misturar em uma tigela a farinha de trigo com a água, o sal e a noz-moscada. Passar as rodelas de abobrinha nesse mingau e em seguida mergulhá-las no óleo quente. Retirá-las com escumadeira e colocá-las em papel absorvente. Servi-las quentes.

BANANA-PRATA FRITA

- 7 ou mais bananas-pratas
- 1 prato de farinha de rosca
- bastante óleo para fritar

Cortar as bananas ao meio ou em três, se forem grandes.

Passar cada pedaço na farinha de rosca, e em seguida mergulhá-los no óleo quente.

Virar as bananas com uma escumadeira para dourarem dos dois lados, nunca com garfo, pois se furarem ficarão encharcadas.

Acompanham a refeição ou são servidas como sobremesa, polvilhadas com canela.

Podem ser usadas bananas-nanicas, bananas-da-terra ou bananas-marmelo.

BATATA-DOCE COM MAÇÃ

- 3 batatas-doces
- 2 maçãs vermelhas
- 2 colheres de chá de canela em pó
- 1 colher de chá de cravo em pó
- 4 colheres de sobremesa de açúcar mascavo
- 3 colheres de sopa de azeite de oliva

Cozinhar as batatas em água, retirar-lhes a pele e cortá-las em rodelas bem grossas.

Arrumá-las em um pirex, intercalando-as com fatias de maçãs cortadas em 8 partes iguais, ao comprido, sem os caroços e descascadas.

Salpicar canela e cravo misturados, o açúcar mascavo e o azeite de oliva.

Assar em forno quente por 25 minutos ou mais.

BATATA-DOCE FRITA

- 2 ou mais batatas-doces grandes
- água e sal
- óleo para fritar

Após lavar as batatas, cozinhá-las em água e sal em uma panela grande. Esperar que fiquem mornas e retirar-lhes a casca com as mãos.

Encher uma frigideira grande com óleo e levá-la ao fogo alto.

Cortar as batatas em rodelas ou quadradinhos e mergulhá-las no óleo.

Retirá-las com escumadeira e deixá-las em papel absorvente.

Polvilhá-las de sal a gosto e servi-las ainda quentes em uma travessa.

BATATA PALITO FRITA

- batatas
- vinagre
- sal a gosto
- bastante óleo para fritar

Descascar as batatas, cortá-las em rodelas finas e em seguida em palitos.

Colocá-los em uma tigela cheia de água com vinagre (1 colher de sopa de vinagre para cada copo de água).

Esquentar bastante óleo em frigideira ou panela grande, escorrer porções de batatas, e mergulhá-las no óleo.

Assim que estiverem douradas, escorrê-las em papel absorvente e polvilhá-las de sal.

Servi-las quentes e torradinhas.

BATATA EM QUADRADOS FRITA

- batatas
- sal
- óleo para fritar
- água

Descascar as batatas e cortá-las em quadradinhos iguais.

Cozinhá-las em água e sal até estarem um pouco macias, mas sem completar o cozimento.

Escorrer a água e lavar as batatas em água fria.

Esquentar bastante óleo em uma frigideira e, assim que estiver bem quente, mergulhar nele porções de batatas. Não mexê-las.

Quando dourarem, retirá-las com escumadeira e deixá-las escorrer em papel absorvente. Fritar novas porções, até terminar.

Polvilhá-las de sal a gosto e servi-las ainda quentes.

BATATA PALHA

- batata
- sal
- óleo

Ralar as batatas bem finas e compridas (em tirinhas) e colocá-las em uma tigela com água.

Secar porções delas em um pano de prato limpo e seco, e em seguida mergulhá-las em óleo bem quente.

Espalhar as batatas na frigideira e não mexê-las enquanto não estiverem douradas. Virá-las com uma escumadeira para dourarem do outro lado. Não tentar desgrudá-las.

Assim que estiverem douradas dos dois lados, retirá-las e colocá-las em uma travessa com papel absorvente. Proceder da mesma forma com as batatas restantes e polvilhá-las de sal a gosto. Servi-las.

Observação: Conservam-se muito bem em sacos plásticos secos e bem fechados (depois de frias).

BATATAS CHIPS

- batatas
- sal
- óleo
- álcool

Fatiar as batatas em um fatiador elétrico ou manualmente e deixar as fatias de molho em uma tigela com álcool.

Secar porção delas em um pano de prato limpo e seco e mergulhá-las no óleo bem quente. Não mexê-las ao fritarem; quando estiverem douradas, retirá-las com escumadeira e deixá-las em papel absorvente.

Polvilhá-las de sal a gosto, e servi-las quentes e crocantes.

BERINJELA FRITA CROCANTE

- 2 berinjelas grandes
- 1 xícara de farinha de trigo branca
- 1 colher de sopa de fermento em pó
- 1 colher de sobremesa de sal
- óleo para fritar
- 1 xícara de água gelada

Fazer um creme batendo a farinha de trigo com a água, o sal e o fermento em pó. Colocá-lo em uma tigela larga.

Cortar as berinjelas em fatias finas, sem descascá-las, e colocá-las na tigela do creme.

Mergulhá-las no óleo quente e, assim que estiverem douradas, escorrê-las em papel absorvente.

Servi-las quentes.

BOLINHO ASSADO DE BAGAÇO DE MILHO

- 1 xícara do resíduo de milho verde obtido após extrair-lhe o suco para sopas, curaus, mingaus, cremes, etc.
- azeitonas pretas sem caroços
- 1 colher de sopa de orégano
- 1/2 xícara de aveia em flocos finos
- 1/2 xícara de farinha de trigo
- 1 colher de sopa de fermento químico para bolos
- 1 colher de sobremesa de sal
- 4 colheres de sopa de óleo

Colocar todos os ingredientes em uma tigela, exceto as azeitonas.

Com as mãos enfarinhadas, formar bolinhos do mesmo tamanho, recheando cada um com uma azeitona inteira ou em pedaços.

Arrumá-los em assadeira untada com óleo e assá-los em forno médio, por 45 minutos, ou até o fundo deles estar dourado. Servi-los quentinhos.

BOLINHO DE ARROZ

- 2 xícaras de arroz cozido
- 8 azeitonas picadas
- 1/2 xícara de salsa fresca bem picada
- 1/2 colher de sopa de orégano
- 3 colheres de sopa de gergelim

**Bolinho de arroz
(continuação)**

- 3 colheres de sopa de uva-passa
- 2 colheres de sopa de farinha de trigo
- 3 colheres de sopa de shoyo
- óleo para fritar
- 1/2 xícara de água

· Bater no liquidificador 1/2 xícara de arroz, 3 colheres de shoyo, 2 colheres de farinha de trigo e 1/2 xícara de água.

Despejar esse creme sobre os demais ingredientes, em uma tigela, amassá-los bem com as mãos e fazer os bolinhos.

Colocar um pouco mais de farinha de trigo só para dar liga.

Mergulhar cada bolinho em óleo quente, sem furá-lo.

Retirá-los com escumadeira assim que estiverem dourados e escorrê-los em papel absorvente.

Servi-los quentes.

BOLINHO DE BATATA

- 2 xícaras de batata cozida passada no espremedor (usar sobras de purê, se houver)
- 15 azeitonas picadas
- 1/2 pimentão ralado
- raminhos de coentro
- 1 xícara de farinha de trigo
- 1 colher de sopa de fermento químico para bolos
- 1/2 colher de sobremesa de sal
- óleo para fritar
- água do cozimento das batatas

Misturar a batata espremida com a farinha de trigo, o sal e o fermento em pó. Amassá-los com as mãos e pingar na massa um pouco de água para dar liga.

Separadamente, misturar as azeitonas picadas com os raminhos de coentro e o pimentão ralado, formando o recheio.

Fazer com as mãos bolinhas com a massa de batata, deixando uma concavidade no centro para colocar 1 colher de recheio.

Rechear e fechar os bolinhos, deixando todos do mesmo tamanho.

Mergulhá-los em óleo já bem quente.

Virá-los com escumadeira, para que não furem e, assim que estiverem dourados, escorrê-los em papel absorvente e servi-los.

BOLINHO DE ESPINAFRE

- 2 xícaras de espinafre
- 1 tomate grande picadinho
- 1 pires de azeitonas picadinhas
- 2 colheres de tahine
- 1 1/2 xícara de farinha de aveia
- 1 1/2 xícara de germe de trigo
- sal
- água para dar liga
- opcionais: salsinha, coentro, gengibre ralado, etc.

Misturar todos os ingredientes e formar os bolinhos.

Colocá-los em assadeira untada e assá-los em forno moderado.

BOLINHO DE FARINHA DE ARROZ INTEGRAL

- 1 1/2 xícara de farinha de arroz integral
- 1 colher de chá de sal
- óleo para fritar
- 1 xícara de água

Misturar a farinha com o sal e acrescentar a água. Amassá-los com as mãos até tornarem-se uma massa mole, porém não rala.

Aquecer bastante óleo e mergulhar nele a massa, às colheradas.

Virar os bolinhos para que os dois lados fiquem dourados.

Servi-los quentes.

BOLINHO DE GRÃO-DE-BICO

- 1/2 xícara de grão-de-bico
- 1 xícara de salsa fresca
- 1 colher de sopa de gengibre ralado
- 4 colheres de sopa de farinha de trigo
- 1 colher de chá de sal
- óleo para fritar
- 3 xícaras de água

Cozinhar o grão-de-bico em panela de pressão com as 3 xícaras de água até ficar bem macio, cerca de 1 hora em fogo alto.

Colocá-lo em uma tigela e juntar-lhe a salsa, o sal, o gengibre e, por último, a farinha de trigo. Misturar a massa muito bem, e colocá-la às colheradas no óleo quente.

Virar os bolinhos com escumadeira para dourarem dos dois lados e escorrê-los em papel absorvente. Servi-los quentes.

BOLINHO DE INHAME

- 1 xícara de inhame cozido e amassado
- 2 xícaras de farinha de trigo
- 1 colher de sobremesa de fermento químico em pó
- 1/2 colher de sobremesa de sal
- 2 colheres de sopa de óleo

Misturar todos os ingredientes muito bem, até tornarem-se uma massa macia. Colocar mais farinha de trigo se a massa estiver muito pegajosa.

Formar bolinhos e assá-los em uma assadeira untada ou mergulhá-los em óleo bem quente e deixá-los dourar.

BOLINHO DE LENTILHAS

- 1 xícara de lentilhas cozidas e temperadas (aproveitar sobras)
- 1 xícara de aveia em flocos finos
- 4 colheres de sopa de tahine diluído em água

Colocar todos os ingredientes em uma tigela e formar os bolinhos com a mãos. Arrumá-los em uma assadeira untada com óleo e assá-los por 45 minutos. Servi-los quentes.

BOLINHO DE MANDIOCA

- 2 xícaras de mandioca cozida
- azeitonas recheadas
- 1 xícara ou mais de farinha de trigo
- 1 colher de sobremesa de fermento químico
- sal
- óleo para fritar
- 1 xícara de água quente

Espremer ou amassar bem a mandioca e misturá-la com água quente, farinha e sal a gosto.

Formar bolinhos (do tamanho de bolas de ping-pong) com as mãos enfarinhadas. Acrescentar mais farinha se a massa estiver muito mole.

Colocar uma azeitona recheada dentro de cada bolinho e mergulhá-los em óleo já bem quente. Assim que os dois lados estiverem dourados, retirá-los com uma escumadeira e escorrê-los em papel absorvente.

Servi-los quentes.

BOLINHO DE MILHO VERDE FRITO

- 4 xícaras de milho verde
- 1/2 xícara de azeitonas picadas
- 1 xícara de salsinha picada
- 1 colher de orégano
- 1 xícara de farinha de trigo
- 1 colher de fermento em pó
- 1 colher de sal
- óleo para fritar
- água

Misturar os ingredientes na ordem acima descrita, deixando para o fim a água, que deverá ser posta aos poucos, para a massa não ficar rala. Colocar a massa, às colheradas, em óleo bem quente. Fritar os bolinhos até que fiquem dourados e escorrê-los em seguida em papel absorvente.

BOLINHO FRITO DE BANANA

- 1/2 dúzia de banana-prata
- 1 colher de sopa de gergelim
- 3 xícaras de farinha de trigo
- 1 colher de sopa de fermento em pó
- 1 colher de sopa rasa de sal
- óleo para fritar
- 3 xícaras de água

Misturar bem a farinha de trigo com o sal, o gergelim e o fermento. Adicionar água e mexer a massa até ficar cremosa.

Cortar as bananas em rodelas (do tamanho desejado para o bolinho) e mergulhar cada rodela na massa. Não deixar a massa ficar grossa.

Com uma colher de sopa, pegar os pedaços de banana envolvidos na massa e colocá-los no óleo quente. Manter o fogo alto.

Assim que um lado estiver dourado, virar os bolinhos com escumadeira, para não furar a massa, dourá-los do outro lado e em seguida escorrê-los em papel absorvente. Servi-los com pratos quentes ou como sobremesa, polvilhados de canela em pó a gosto.

BOLINHO FRITO DE CENOURA

- 2 xícaras de cenoura crua ralada
- 1/2 xícara de farinha de trigo
- 1 colher de sopa de fermento químico em pó
- 1/2 colher de sobremesa de sal
- 2 colheres de sopa de alcaparras picadas
- óleo para fritar
- 1/2 xícara de água

Misturar a farinha de trigo com a água e o sal.

Adicionar as alcaparras picadas, a cenoura ralada, e por último o fermento em pó.

Colocar a massa, às colheradas, no óleo já bem quente.

Virar os bolinhos com escumadeira e escorrê-los em papel absorvente.

Servi-los quentinhos.

BOLINHO FRITO DE NABO E AZEITONAS

- 1 xícara de nabo ralado
- azeitonas
- 4 colheres de sopa de cogumelos picados
- 1/3 de xícara de tomate sem sementes picado
- 1/2 xícara de coentro picado
- 1 xícara de farinha de trigo
- 1 colher de sopa de fermento em pó de bolos
- 1 colher de chá de sal
- bastante óleo para fritar
- 1 xícara de água

Misturar a farinha de trigo com a água e o sal em uma tigela até tornarem-se um mingau.

Acrescentar o nabo ralado, os cogumelos, o coentro, o tomate picado e, por último, o fermento em pó.

Mergulhar na massa algumas azeitonas em pedaços bem grandes ou inteiras, sem caroços.

Com uma colher de sopa pescá-las envolvidas em massa e introduzi-las no óleo quente. Repetir isto até terminar a massa.

Com uma escumadeira, retirar os bolinhos quando estiverem dourados e escorrê-los em papel absorvente. Nunca furá-los, pois encharcarão.

Servi-los quentinhos e crocantes.

BOLINHO FRITO DE PALMITO

- ◆ 1 vidro de palmito
- ◆ 2 xícaras de farinha de trigo branca
- ◆ 1 colher de sopa rasa de fermento biológico para pães
- ◆ 2 colheres de sobremesa rasas de sal
- ◆ 3 colheres de sopa de óleo
- ◆ bastante óleo para fritar
- ◆ 1 xícara de água morna

Misturar todos ingredientes, exceto o palmito e o óleo de fritar.

Amassá-los bem com as mãos em superfície polvilhada de farinha de trigo assim que a massa estiver bem macia, deixá-la crescer por 1 hora e meia.

Cortar os palmitos em pedaços iguais e envolver cada um deles em massa.

Esquentar o óleo em uma frigideira grande ou em uma panela e mergulhar os bolinhos nele.

Retirá-los com escumadeira quando estiverem dourados e escorrê-los em papel absorvente. Servi-los quentinhos.

Observação: Pode-se rechear os bolinhos com azeitona sem caroço ou mesmo com frutas a gosto.

BOLINHO INTEGRAL DE AZEITONA PORTUGUESA

- ◆ 1 xícara de azeitonas pretas sem os caroços
- ◆ 1 colher de sopa de gergelim
- ◆ 2 xícaras de farinha de trigo integral
- ◆ 1/2 colher de sobremesa de sal
- ◆ óleo para fritar
- ◆ 2 xícaras de água

Misturar em uma tigela a farinha de trigo, a água, o sal e o gergelim, até tornarem-se uma massa macia.

Fazer bolinhas com uma colher (de sopa) de massa e introduzir uma azeitona sem caroço em cada uma.

Fritar os bolinhos em óleo quente e escorrê-los em papel absorvente.

BOLINHO VERDE DE CARURU

- ◆ 6 xícaras de caruru picadinho
- ◆ 1/2 xícara de salsa fresca picada
- ◆ 2 colheres de sopa de gergelim
- ◆ 1 xícara de farinha de trigo
- ◆ 2 colheres de sobremesa de fermento em pó
- ◆ 1/2 colher de sobremesa de sal

Bolinho verde de caruru
(continuação)

- ♦ bastante óleo para fritar
- ♦ 1 xícara de água

Fazer um mingau com a farinha de trigo, a água e o sal.

Adicionar a salsa picada e o gergelim e misturá-los bem. Acrescentar o fermento e, por último, o caruru picadinho.

Com uma colher de sopa, mergulhar porções de massa em óleo bem quente.

Virar os bolinhos sempre com escumadeira, para não furá-los, e escorrê-los em papel absorvente, depois de dourados.

Servi-los ainda quentes e crocantes.

COUVE-FLOR EMPANADA

- ♦ 1/2 couve-flor cortada em raminhos iguais fervidos em água e sal
- ♦ 1/2 colher de sopa de manjerona
- ♦ 1/2 colher de sopa de orégano
- ♦ 1/2 colher de sobremesa de páprica doce
- ♦ 2 colheres de sopa de gergelim
- ♦ 1 xícara de farinha de trigo
- ♦ 1/2 colher de sopa de fermento químico em pó
- ♦ 1 colher de chá de sal
- ♦ óleo para fritar
- ♦ água gelada

Cozinhar ligeiramente os raminhos de couve-flor e, após escorrê-los, temperá-los com manjerona, páprica, orégano e sal.

Separadamente preparar em uma tigela uma mistura de farinha de trigo, água gelada, gergelim e sal.

Colocar por último o fermento em pó. A massa deve ficar semelhante à de bolos.

Aquecer bastante óleo em uma frigideira grande ou em uma panela. Quando estiver bem quente, passar os raminhos de couve-flor pela massa e em seguida mergulhá-los no óleo.

Virá-los com uma escumadeira para não correr o risco de furá-los. Assim que estiverem dourados, retirá-los e escorrê-los em papel absorvente.

Manter a tigela da massa sempre com 2 ou 3 cubos de gelo dentro dela.

Servir os raminhos quentes e crocantes.

CROQUETE DE BATATA

- 2 xícaras de batata crua ralada
- 1/2 xícara de azeitonas picadas
- 1/2 xícara de salsa fresca picada
- 8 1/2 colheres de sopa de farinha de trigo
- 1 colher de sobremesa de fermento químico para bolos
- 1 colher de sobremesa rasa de sal
- óleo para fritar
- 1/2 xícara de água gelada

Misturar a água com a farinha de trigo e o sal até tornarem-se um creme.

Adicionar a salsinha, as azeitonas, a batata ralada e, por último, o fermento em pó.

Esquentar o óleo em uma panela ou em uma frigideira e colocar nele a massa, às colheradas.

Virar os croquetes com escumadeira para dourarem dos dois lados e escorrê-los em papel absorvente. Servi-los ainda quentes.

CROQUETE DE BORRA DE SOJA

- 2 xícaras de borra de soja, que se obtém ao fazer o leite de soja
- 1 xícara de salsinha picadinha
- 3 xícaras de farinha de trigo integral
- 1 colher de sobremesa rasa de sal
- bastante óleo para fritar

Colocar o óleo para esquentar e, enquanto isso, misturar todos os ingredientes da massa em uma tigela.

Colocar a massa às colheradas (usar uma colher de sopa) no óleo quente.

Com uma escumadeira, virar os croquetes para que os dois lados fiquem dourados.

Escorrê-los em papel absorvente e servi-los ainda quentes.

Podem ser aquecidos no forno se estiverem frios na hora de servir.

CROQUETE DE MILHO VERDE

- 3 espigas de milho cruas
- 1/2 xícara ou mais de farinha de trigo
- sal a gosto
- óleo para fritar

Ralar o milho em uma tigela e acrescentar o sal e a farinha de trigo. Colocar somente a quantidade de farinha necessária para a massa tornar-se um mingau.

Pingar porções de massa, com a ajuda de uma colher de sopa, em óleo quente.

Fritar os croquetes sem mexê-los, virando-os apenas uma vez para verificar se estão dourados dos dois lados.

Escorrê-los em papel absorvente e servi-los quentes.

CROQUETE DE BATATA-DOCE

- 1/2 xícara de batata-doce cozida e amassada
- 1/2 xícara de azeitonas chilenas picadas
- 1/2 colher de sopa de alecrim
- 1 xícara de farinha de trigo
- farinha de pão (rosca)
- 1 colher de sobremesa de fermento químico em pó
- 1/2 colher de sobremesa de sal
- shoyo
- 3 colheres de sopa de azeite de oliva

Colocar a batata-doce amassada em uma tigela e juntar-lhe a farinha, o azeite de oliva, o alecrim, o sal, as azeitonas picadas e o fermento.

Amassá-los com as mãos até tornarem-se uma massa macia.

Colocar o shoyo em um prato de sopa, e a farinha de pão em outro.

Formar bolinhos com a massa e passar cada um pelo shoyo e em seguida pela farinha.

Arrumá-los em assadeira untada com óleo e farinha de trigo.

Assá-los por 30 minutos em forno médio.

CROQUETINHO COM SÁLVIA

- 1 dúzia de folhas de sálvia bem picadinhas
- 2 xícaras de farinha de trigo
- 1 colher de sobremesa de fermento químico em pó
- 1 colher de chá de bicarbonato de sódio
- 1/2 colher de chá de sal
- 1/4 de xícara de gordura vegetal hidrogenada
- 3/4 de xícara de leite de soja (diluir 2 colheres de sopa de extrato de soja em 1 xícara de água) ou água

Peneirar em uma tigela a farinha de trigo com o fermento em pó, o bicarbonato de sódio e o sal. Acrescentar a gordura vegetal e misturar tudo bem, até ficar semelhante a uma farofa.

Colocar a sálvia picadinha e então adicionar o leite de soja ou a água.

Misturá-los bem com colher de pau, e em seguida colocar a massa em uma mesa enfarinhada. Amassá-la rapidamente e abri-la com rolo, não a deixando ficar muito fina (com a grossura aproximada de dois dedos).

Com a ajuda de um copo, caso não haja um cortador próprio, fazer os croquetinhos e arrumá-los em uma assadeira untada com óleo e farinha de trigo.

Assá-los em forno já bem quente.

Deixá-los em temperatura média até que fiquem dourados, o que levará no máximo 30 minutos.

Retirá-los da assadeira e servi-los em lanches ou sopas.

FAROFA DE BAGAÇO DE MILHO

- 1 xícara de bagaço de milho
- 9 colheres de sopa de farinha de mandioca torrada
- 1 colher de sobremesa de sal
- 2 colheres de sopa de óleo

Refogar o bagaço de milho no óleo, de 4 a 8 minutos, em fogo alto.

Acrescentar os outros ingredientes e mexer tudo bem por mais 5 minutos. Colocar a farofa em uma travessa e servi-la quentinha.

FAROFA DE BANANA

- 8 bananas grandes cortadas em cubinhos
- 1 1/2 xícara de farinha de mandioca
- sal a gosto
- 1/2 xícara de óleo

Refogar as bananas no óleo quente e, assim que estiverem douradas, reservar a metade delas.

Acrescentar às que continuaram na panela a farinha de mandioca e o sal e mexer bem a farofa para distribuir o sal; deixar a farofa no fogo, mexendo-a sempre, até ficar torradinha, sem queimar.

Colocá-la em uma travessa, e sobre ela as bananas reservadas.

Servi-la quente.

FAROFA DE BATATA PALHA

- 2 xícaras de batata palha (usar 1 pacote caso não queira fritá-la)
- 1 xícara de farinha de mandioca torrada
- 6 colheres de sopa de óleo

Aquecer o óleo em uma panela e colocar nele o sal e a farinha de mandioca. Não parar de mexê-los.

Assim que a farinha estiver dourada, acrescentar as batatas e misturá-las bem com colher de pau.

A farofa fica supercrocante e acompanha bem qualquer refeição.

FAROFA DE BERINJELA E GERME DE TRIGO

- 2 xícaras de berinjela picada com a casca
- 1 colher de sopa de gengibre ralado
- 1 colher de café de curry
- 2 xícaras de germe de trigo
- 1/2 colher de sobremesa de sal
- 1/3 de xícara de óleo

Refogar as berinjelas no óleo e acrescentar o gengibre e o curry. Misturá-los muito bem e, quando a berinjela estiver bem macia, adicionar aos poucos o germe de trigo e o sal.

Retirar a farofa do fogo quando estiver torradinha, porém não queimada!

FAROFA DE CENOURA

- 2 xícaras de cenoura ralada
- 1/2 xícara de folhas de cenoura picadinhas
- 1 xícara de farinha de mandioca (tipo biju) torrada
- 4 colheres de sopa de salsa fresca picada
- 1/2 colher de sopa de açafrão em pó
- 1/2 colher de sobremesa de sal
- 1/3 de xícara de óleo

Esquentar o óleo e colocar nele as cenouras, as folhas, a salsa, o sal, e o açafrão e mexê-los bem com uma colher de pau.

Após 6 minutos, adicionar a farinha de mandioca e, sem parar de mexer, esperar que a farofa fique dourada e crocante.

Colocá-la em travessa e servi-la.

FAROFA DE CENOURA E SUAS FOLHAS

- 1 xícara de cenoura em cubinhos
- 1 xícara de folhas de cenoura bem miudinhas
- 2 colheres de sopa de azeitonas picadas
- 1/2 xícara de tomate picado
- 1 colher de sopa de alcaparras picadas
- 1 colher de café de açafrão em pó
- 1 xícara de farinha de mandioca torrada
- 1/2 colher de sobremesa de sal
- 6 colheres de sopa de óleo

Levar ao fogo a cenoura, o tomate, as azeitonas, as alcaparras, o açafrão, as folhas de cenoura, o óleo e o sal em uma panela e deixá-los refogar, mexendo-os sempre, até as cenouras estarem macias.

Se for necessário, acrescentar um pouco de água ou shoyo.

Adicionar a farinha de mandioca torrada e mexer tudo bem, até a farofa estar toda por igual e quentinha.

Colocá-la em travessa e servi-la.

FAROFA SIMPLES

- 2 xícaras de farinha de mandioca crua
- 1 xícara de salsa fresca picada
- 1/2 colher de sobremesa de sal
- 1/2 xícara de óleo ou azeite de oliva, para variar

Esquentar o óleo em uma panela, adicionar a salsa e o sal e dar-lhes uma leve fritada.

Acrescentar a farinha de mandioca e deixá-la em fogo alto, sem parar de mexer, até que fique dourada.

Colocar a farofa em uma travessa e servi-la quente ou fria.

FAROFA COM PASSAS E CENOURA

- 1 1/2 xícara de cenoura ralada
- 1/2 xícara de passinhas sem sementes
- 2 xícaras de farinha de mandioca em flocos
- 1 colher de chá de sal
- 1/2 xícara de óleo

Esquentar o óleo e dar uma leve fritada na cenoura ralada.

Acrescentar o sal, as passinhas, e em seguida a farinha de mandioca.

Mexer tudo bem com colher de pau, até a farofa estar bem torradinha. Não parar de mexer para não queimar as passinhas.

Servi-la ainda quente.

FAROFA ÚMIDA DE QUIABO

- 2 xícaras de quiabo cru picadinho
- 1/3 de xícara de coentro picado
- 1 1/2 xícara de farinha de mandioca torrada
- 1 colher de sobremesa de sal
- 1/3 de xícara de azeite de oliva ou óleo
- 1/3 de xícara de água

Levar ao fogo uma panela com o azeite e, quando este estiver quente, refogar o coentro, o sal e os quiabos. Tampar a panela e deixá-la no fogo por 7 minutos ou até o quiabo estar bem cozido.

Colocar a farinha de mandioca e mexê-la bem. Pingar a água aos poucos e mexer a farofa até ficar toda por igual.

FOLHAS DE NABO EMPANADAS

- 1 maço de folhas de nabo
- 1 1/2 xícara de farinha de trigo comum
- 1 1/2 xícara de água gelada
- 1 colher de chá de sal
- 1 colher de chá de bicarbonato
- óleo para fritar

Colocar a farinha de trigo com o sal, o bicarbonato e a água em uma tigela e misturá-los bem até ficarem com consistência de mingau.

Fazer buquês com as folhas de nabo, amarrando suas pontas com barbante, e passá-los pela mistura de farinha da tigela.

Esquentar o óleo em uma frigideira grande e, assim que estiver bem quente, mergulhar nele os buquês.

Virá-los com escumadeira para dourarem dos dois lados e retirá-los também com escumadeira, escorrendo-os em seguida em papel absorvente. Servi-los ainda quentinhos e crocantes.

LEGUMES FRITOS

- 3 cenouras médias
- 1 chuchu grande
- 1/3 de nabo comprido grande
- 2 batatas-inglesas grandes
- óleo para fritar
- sal a gosto

Cortar todos os legumes em tamanhos iguais (em palitos) e cozinhá-los em água e sal até ficarem macios, porém sem se desmancharem.

Levar ao fogo uma frigideira grande com bastante óleo e, assim que este estiver bem quente, mergulhar nele cada tipo de legume por vez.

Retirá-los com uma escumadeira quando estiverem fritos e escorrê-los em papel absorvente.

Polvilhá-los de sal a gosto e servi-los ainda quentes.

MANDIOCA PALITO

- 3 a 4 raízes de mandioca
- 1 colher de sobremesa de sal
- óleo para fritar
- água

Descascar as mandiocas, cortá-las ao meio, e em seguida fatiá-las em palitos do tamanho de um dedo mínimo.

Colocar os palitinhos em uma panela com água e sal e levá-la ao fogo.

Deixar a mandioca cozinhar por 8 minutos após o início da fervura e então escorrer a água.

Colocar em uma frigideira bastante óleo e, quando estiver bem quente, fritar nele a mandioca.

Mexê-la com escumadeira para que os dois lados fiquem fritos e escorrê-la em papel absorvente.

Servi-la ainda torradinha e com sal a gosto.

PASTEL ASSADO DE MILHO

MASSA
- 2 1/2 xícaras de farinha de trigo
- 1 colher de café de bicarbonato de sódio
- 1 colher de sobremesa de sal
- 1 1/2 xícara de leite de soja

Pastel assado de milho
(continuação)

RECHEIO

- 3 xícaras de milho verde
- 4 colheres de sopa de alcaparras
- 1/2 xícara de salsinha picada
- 1/2 xícara de coentro fresco picado
- 1 colher de maisena diluída em 1/2 xícara de água
- 1 colher de chá de açúcar
- 7 colheres de sopa de azeite de oliva

MASSA

Misturar a farinha com o sal e acrescentar o leite de soja até ficar uma massa bem macia. Abri-la com um rolo de macarrão e deixá-la bem fininha. Com um copo de boca larga cortar círculos e recheá-los. Fechá-los com um garfo e assá-los em forno médio por aproximadamente 35 minutos.

RECHEIO

Colocar o azeite em uma panela e refogar nele a salsinha, o coentro, as alcaparras e o milho. Acrescentar a maisena e o açúcar e mexê-los bem. Deixá-los cozinhar por uns 3 minutos.

PASTEL ASSADO DE PALMITO

MASSA

- 2 xícaras de farinha de trigo
- 1 colher de fermento em pó
- 1 colher de sobremesa de sal
- 3 colheres de sopa de óleo
- 1/2 vidro de leite de coco
- 1/4 de xícara de água

RECHEIO

- 1 vidro de palmito
- 1 xícara de tomate picado
- 1 xícara de coentro picado
- 6 colheres de sopa de azeite de oliva

MASSA

Fazer uma farofa com a farinha de trigo, o óleo, o sal e o fermento. Acrescentar, aos poucos, o leite de coco diluído na água, até a massa ficar homogênea. Amassá-la com as mãos em uma mesa enfarinhada. Abri-la com um rolo de macarrão e cortá-la com a boca de um copo. Não desperdiçar as rebarbas. Rechear a massa cortada e fechá-la com o auxílio de um garfo. Colocar os pastéis em uma forma untada e assá-los em forno médio até ficarem dourados.

149

RECHEIO

Refogar em uma panela o coentro em 6 colheres de azeite de oliva, juntamente com o tomate, sal a gosto e o palmito bem picado. Misturá-los bem com uma colher de pau, tampar a panela e deixá-la por uns 5 minutos em fogo baixo.

PASTEL ASSADO INTEGRAL DE ESPINAFRE

MASSA

- 2 1/2 xícaras de farinha de trigo integral
- 1 colher de sobremesa de sal
- 1 1/2 xícara de água

RECHEIO

- 2 maços de espinafre escaldados e picados
- 1 colher de sobremesa de hortelã (opcional)
- 5 colheres de sopa de farinha de trigo integral
- 4 colheres de sopa de shoyo

Misturar todos os ingredientes da massa em uma tigela até tornarem-se uma massa de consistência macia.

Preparar o recheio colocando o espinafre e o shoyo em uma panela. Levá-la ao fogo e, assim que o espinafre estiver quente, engrossá-lo com a farinha de trigo integral.

Abrir a massa com um rolo de macarrão, deixando-a bem fina. Cortá-la com um copo de boca bem larga, e colocar uma colher de recheio de espinafre dentro de cada massa aberta. Fechá-la com o auxílio de um garfo, dando-lhe um formato de pastel, e assar os pastéis em forno médio por 25 minutos.

PASTEL ASSADO INTEGRAL DE TOFU

MASSA

- 2 1/2 xícaras de farinha de trigo integral
- 1 colher de sobremesa de sal
- 1 1/2 xícara de água

RECHEIO

- 3 xícaras de tofu
- 10 ou mais azeitonas verdes, se necessário
- 1 xícara de salsinha picada
- 7 colheres de sopa de azeite de oliva

MASSA

Misturar a farinha com o sal e acrescentar água até ficar uma massa bem macia. Abri-la com um rolo de macarrão e deixá-la bem fininha. Com um copo de boca

150

larga, cortar círculos e recheá-los com tofu. Fechá-los com um garfo e assá-los em forno médio por aproximadamente 35 minutos.

RECHEIO

Colocar o azeite em uma panela e refogar nele as salsinhas e as azeitonas. Acrescentar o tofu e mexer tudo bem. Deixá-los cozinhar por uns 3 minutos.

PASTEL COM RECHEIO DE CENOURA E BRÓCOLIS

- 1 xícara de cenoura picada
- 3 xícaras de brócolis picados
- 2 tomates mais para verdes picados
- 1 xícara de coentro fresco picado
- 1 xícara de salsa fresca picada
- 1 pacote de massa pronta para pastel
- 1/2 colher de sobremesa de sal
- 2 colheres de sopa de azeite de oliva
- bastante óleo para fritar

Aquecer o azeite de oliva em uma panela e refogar nele a salsa, o coentro, o sal, a cenoura, os brócolis e os tomates picados. Tampar a panela e cozinhar tudo até estar bem macio. Esperar que o refogado esfrie para rechear os pastéis. Fechar cada pastel com o auxílio de um garfo, tomando muito cuidado para não furar a massa. Esquentar bastante óleo em uma frigideira grande ou em uma panela e mergulhar os pastéis nele. Virá-los com escumadeira para que os dois lados fiquem dourados e escorrê-los em papel absorvente. Servi-los quentes e crocantes.

PASTEL DE ABÓBORA KAMBUTIÁ E COGUMELO

- 1 xícara de abóbora cozida e amassada
- 1 xícara de cogumelo
- 1/2 xícara de azeitonas picadas
- 3/4 de xícara de salsa fresca picada
- 3/4 de xícara de coentro picado
- 1 colher de café de pimenta-do-reino moída
- 1 pacote de massa para pastel
- 1 colher de café de sal
- 3 colheres de sopa de azeite de oliva
- bastante óleo para fritar

Fritar os cogumelos no azeite e adicionar-lhes o sal, a pimenta, a salsinha e o coentro. Mexer tudo por 5 minutos e acrescentar a abóbora, deixando a mistura no fogo por mais 3 minutos, mexendo-a sempre. Esperar o recheio ficar morno antes de colocar 1 colher de sopa cheia dele dentro de cada rodela de massa. Formar os pastéis apertando com um garfo as beiradas das rodelas, com o máximo cuidado para não perfurar a massa. Mergulhar os pastéis no óleo bem quente Virá-los com escumadeira para dourarem dos dois lados e escorrê-los em papel absorvente.

Servi-los ainda quentes e torradinhos.

PASTEL DE FOLHAS DE NABO

- ♦ 4 xícaras de folha de nabo picada
- ♦ 1 xícara de pimentão vermelho em tiras finas
- ♦ 2 colheres de pimenta-do-reino
- ♦ 1 colher de sopa de gergelim
- ♦ 2 colheres de sopa de farinha de trigo
- ♦ 1 pacote de massa para pastel
- ♦ 1 colher de chá de sal
- ♦ 3 colheres de sopa de azeite de oliva
- ♦ bastante óleo para fritar

Refogar as folhas de nabo no azeite e, assim que estiverem cozidas, adicionar-lhes o sal, as tirinhas de pimentão, a pimenta e o gergelim e misturar tudo bem. Acrescentar aos poucos a farinha de trigo e, com uma colher de pau, mexer o recheio sem parar. Desligar o fogo quando a farinha tiver absorvido toda a água.

Esperar o recheio ficar morno para colocá-lo nas rodelas de massa, fechando-as com cuidado, com o auxílio de um garfo, sem fazer-lhes nenhum furinho. Esquentar o óleo e mergulhar nele os pastéis. Virá-los sempre com escumadeira e, quando estiverem dourados, retirá-los e escorrê-los em papel absorvente. Servi-los quentinhos.

PASTEL DE MAMÃO VERDE

- ♦ 2 xícaras de mamão verde descascado e sem sementes picado
- ♦ 2 1/2 xícaras de tomate não muito maduro bem picadinho
- ♦ 1 xícara de azeitonas chilenas picadas
- ♦ 1 colher de sopa de passinhas sem sementes
- ♦ 1/2 xícara de salsa fresca
- ♦ 1 colher de sobremesa de sementes de mostarda
- ♦ 1 pacote de massa pronta para pastel
- ♦ 1/2 colher de sobremesa de sal
- ♦ 3 colheres de sopa de azeite de oliva
- ♦ óleo para fritar
- ♦ 2 colheres de sopa de água

Esquentar o azeite de oliva em uma panela e refogar nele a salsa, as sementes de mostarda, o sal, as azeitonas, as passinhas e o mamão picado. Colocar a água e metade dos tomates picados. Tampar a panela e, assim que os mamões estiverem bem macios, acrescentar o tomate restante. Adicionar mais água se a panela secar. Pôr uma colher de sopa de recheio em cada massa aberta e fechá-la com um garfo, tomando muito cuidado para não furá-la. Mergulhar os pastéis em óleo bem quente e, assim que dourarem dos dois lados, retirá-los com escumadeira e escorrê-los em papel absorvente. Servi-los bem quentinhos.

PASTELZINHO ASSADO DE COGUMELO

MASSA
- 2 xícaras de farinha de trigo
- 1 colher de fermento em pó
- 1/2 vidro de leite de coco
- 1 colher de sobremesa de sal
- 3 colheres de sopa de óleo
- 1/4 de xícara de água

RECHEIO
- 3 xícaras de cogumelo
- 1 xícara de tomate picado
- 1 colher de café de pimenta-do-reino
- sal
- óleo

MASSA

Fazer uma farofa com a farinha de trigo, o óleo, o sal e o fermento. Acrescentar aos poucos o leite de coco diluído na água, até tornar-se uma pasta homogênea. Amassá-la com as mãos em uma mesa enfarinhada. Abrir a massa com um rolo de macarrão e cortá-la com um copo de boca larga. Não desperdiçar as rebarbas. Rechear os pastéis e fechá-los com o auxílio de um garfo. Colocá-los em uma forma untada e assá-los em forno médio até ficarem dourados.

RECHEIO

Esquentar em uma panela 6 colheres de sopa de óleo e colocar nele o sal, a pimenta, os tomates e os cogumelos; misturá-los bem e deixá-los refogar por uns 7 minutos.

POLENTA FRITA

- polenta (a quantidade necessária)
- 1 1/2 xícara de fubá
- sal a gosto
- óleo para fritar

Tirar a polenta do fogo e colocá-la em um pirex ou forma retangular. Esperar que esfrie totalmente para cortá-la em tiras grossas, como palitos.

Misturar o fubá com o sal em um prato e passar os palitos nele. Em seguida, mergulhá-los em óleo já quente e deixá-los dourar dos dois lados. Colocá-los em papel absorvente para escorrer o óleo e servi-los ainda quentes.

PURÊ DE ABÓBORA

- 1/2 abóbora japonesa de tamanho médio
- 1 xícara de salsa (opcional)
- 1 colher de café de açafrão em pó
- 1 colher de sopa de farinha de trigo
- 1/2 colher de sobremesa de sal
- 1 colher de sobremesa de missô
- 3 colheres de sopa de óleo
- 1/2 xícara de leite de soja (diluir 2 colheres de sopa de extrato de soja em 1 xícara de água)

Cozinhar as abóboras em pedaços com casca e, quando estiverem cozidas, retirar-lhes a casca e amassá-las com um garfo.

Esquentar o óleo em uma panela e refogar nele a salsa com o açafrão e o sal.

Juntar ao refogado a abóbora amassada e o missô e misturar tudo com colher de pau. Assim que estiver fervendo, acrescentar a farinha de trigo diluída no leite de soja. Mexer bem o purê, deixá-lo no fogo por mais 5 minutos, colocá-lo em uma travessa e servi-lo.

PURÊ DE BATATA-DOCE COM AMEIXAS PRETAS

- 4 xícaras de batata-doce cozida e amassada
- 1/2 xícara de ameixas secas picadas
- 1 pitada de noz-moscada
- 1 colher de chá de sal
- 2 colheres de sopa de azeite de oliva

Amassar as batatas-doces recém-cozidas ou passá-las por um espremedor.

Levar a massa ao fogo em uma panela com o azeite de oliva, o sal e a noz-moscada e não parar de mexê-los até ferver. Acrescentar as ameixas picadas e arrumar o purê em uma travessa. Servi-lo quente.

PURÊ DE BATATA-DOCE

- 3 xícaras de batata-doce amassada
- 1 colher de sopa de azeitonas picadas

Purê de batata-doce (continuação)

- 1 colher de sopa de salsa fresca picada
- 1 colher de sopa de coentro fresco picado
- 1 colher de sopa de missô ou sal a gosto
- 2 colheres de sopa de óleo
- 1/2 xícara de leite de soja quente (diluir 2 colheres de sopa de extrato de soja em 1 xícara de água)

Após cozinhar algumas batatas-doces, amassá-las e deixar a massa reservada.

Esquentar o óleo em uma panela e fritar nele os temperos verdes e as azeitonas, por 5 minutos. Acrescentar então a batata amassada e o missô. Mexer tudo bem e deixar a panela, destampada, mais 5 minutos no fogo. Adicionar o leite de soja e mexer o purê. Batê-lo com batedor manual ou elétrico até ficar cremoso. Colocá-lo em travessa refratária, esquentá-lo no forno e servi-lo.

PURÊ DE BATATA-INGLESA

- 12 batatas-inglesas grandes (nunca usar batatas verdes)
- 1 colher de sobremesa rasa de sal
- 10 colheres de sopa de azeite de oliva
- 1 xícara de água quente (usar a em que as batatas foram cozidas)

Colocar as batatas descascadas em uma panela com água suficiente para cobri-las e 1 colher de sopa de sal. Deixá-las em fogo alto, com a panela semitampada, até estarem bem cozidas, desmanchando-se. Reservar então 1 xícara da água quente, e escorrer a que sobrar, que pode ser usada em sopas.

Passar as batatas por um espremedor ou amassá-las com um garfo e colocar o purê em uma tigela. No centro dele colocar o azeite de oliva, o sal, e a água quente. Bater o purê com batedor manual ou elétrico, até ficar bem cremoso. Servi-lo em uma travessa enfeitada com raminhos de salsa e azeitonas.

Observação: As batatas devem ser espremidas assim que saírem do fogo, e a água utilizada deverá estar quente.

PURÊ DE ERVILHAS SECAS

- 1/2 pacote de ervilhas secas
- 10 azeitonas verdes
- 1 colher de chá de pimenta-do-reino verde amassada
- 2 colheres de sopa de farinha de trigo
- 1 colher de sobremesa rasa de sal
- 3 colheres de sopa de azeite de oliva

Lavar as ervilhas e cozinhá-las junto com as azeitonas e com água até cobri-las. Deixá-las em fogo baixo e com a panela semitampada; colocar água na panela sempre que secar. Assim que as ervilhas estiverem bem macias, desmanchando-se, retirar tudo do fogo e passar por uma peneira, inclusive as azeitonas.

Levar o azeite ao fogo, em outra panela, e torrar nele a farinha de trigo com o sal. Antes que ela escureça, colocar a papa de ervilhas e azeitonas e a pimenta, e mexer o purê sem parar, até engrossar. Provar o sal e colocar o purê em uma traves-sa. Fazer uma cavidade no centro do purê e enfeitá-lo com um pequeno buquê de salsa fresca e no meio delas uma flor (comestível) de capuchinha.

QUIABOS FRITOS

- quiabos
- farinha de rosca
- shoyo
- óleo para fritar

Retirar os cabinhos dos quiabos e cortá-los ao meio, no sentido do compri-mento.

Colocar o shoyo em um prato e a farinha de rosca em outro. Esquentar o óleo em uma panela grande ou frigideira. Molhar os quiabos no shoyo, passá-los na fari-nha de rosca e mergulhá-los no óleo bem quente. Virá-los com escumadeira para dourarem dos dois lados e escorrer o óleo em papel absorvente. Servi-los quentes e crocantes.

PANQUECAS E SUFLÊS

Massa para panqueca	159
Panquecão	159
Panquecão de milho	160
Recheio de cenoura para panquecas	160
Recheio de cenoura e cogumelo para panquecas	161
Recheio de palmito com molho de tomate para panquecas	161
Recheio de tofu para panquecas	162
Recheio de vagens e azeitonas verdes para panquecas	163
Suflê de chuchu	163
Suflê de milho	164
Suflê de milho e aspargos	164
Suflê de ora-pro-nóbis e milho	165
Suflê de palmito	165

MASSA PARA PANQUECAS

COM FARINHA DE TRIGO INTEGRAL
- 2 1/2 xícaras de farinha de trigo integral
- 2 colheres de sobremesa de fermento em pó
- 1 colher de chá de sal
- 4 colheres de sopa de óleo
- 3 xícaras de água

COM FARINHA DE TRIGO BRANCA
- 2 xícaras de farinha de trigo branca
- 1 colher de sopa de fermento químico em pó
- 1 colher de sobremesa rasa de sal
- 1/4 de xícara de óleo
- 2 xícaras de água

Bater no liquidificador todos os ingredientes, sem deixar que a massa fique rala.

Esquentar uma frigideira pequena, untada, e colocar nela um pouco de massa por vez.

Para que fique fininha, colocar muita massa na frigideira de teflon e devolver a massa excedente a uma vasilha. Ficará só uma camada fina. Espalhá-la na frigideira e, com uma espátula, virá-la quando estiver dourada. Proceder assim sucessivamente.

Não é preciso untar a frigideira todas as vezes que for colocar massa, basta a primeira vez, pois a massa contém óleo.

Empilhar as panquecas para que fiquem macias com o calor e a umidade.

Observação: Pode-se acrescentar a essas massas uma colher de sobremesa de orégano seco ou uma colher de chá de alecrim seco.

PANQUECÃO

- 2 cenouras grandes raladas
- 1/2 xícara de azeitonas sem os caroços
- 4 tomates em cubinhos
- 1 xícara de coentro picado
- 3 xícaras de farinha de trigo
- 1 colher de sopa de fermento em pó

Panquecão
(continuação)

- 1/2 xícara de óleo
- 1/2 colher de sobremesa de sal
- 3 xícaras de água

Misturar em uma tigela grande todos os ingredientes, deixando para o fim o fermento em pó.

Esquentar em fogo alto uma frigideira pequena com um pouco de óleo.

Colocar uma concha e meia de massa e em seguida abaixar o fogo.

Assim que o lado de baixo estiver dourado (dar uma olhada), virar a panqueca e deixar que cozinhe do outro, ainda em fogo baixo.

Antes de colocar nova massa, untar uma frigideira com uma colher de sopa de óleo e aumentar o fogo. Em seguida abaixá-lo para que cozinhe bem.

Pode-se substituir a cenoura por outros legumes, por exemplo, beterraba ralada, nabo, espinafre escaldado, brócolis cozidos, etc.

PANQUECÃO DE MILHO

- 1 lata de milho com a água
- 1 xícara de farinha de trigo
- 1 colher de sopa de fermento em pó
- 1/2 colher de sobremesa de sal
- 2 colheres de sopa de óleo
- óleo para untar a frigideira
- 1/2 xícara de água

Bater no liquidificador o milho com a água que o acompanha e acrescentar a farinha de trigo, o sal, as duas colheres de óleo e a água. Quando estiver uma massa homogênea, adicionar-lhe o fermento em pó.

Untar uma frigideira pequena e levá-la ao fogo alto. Esperar que fique bem quente, para colocar nela duas conchas de massa. Abaixar o fogo e, assim que a panqueca estiver dourada de um lado, virá-la e deixá-la dourar do outro, ainda em fogo baixo. Caso a panqueca se desmanche ao virar, remodelá-la com uma espátula, deixando-a redondinha de novo. Para as próximas, colocar um pouco de óleo na frigideira e manter o fogo baixo. Se ao virá-las elas grudarem, pôr um pouquinho mais de óleo.

RECHEIO DE CENOURA PARA PANQUECAS

- 2 1/2 xícaras de cenoura desfiada com descascador manual
- 1/2 xícara de salsa picada
- 1/2 xícara de coentro picado

Recheio de cenoura
para panquecas
(continuação)

- 1 colher de sopa de folha de hortelã picada
- molho de tomate a gosto
- 1/2 colher de sobremesa de sal
- 2 colheres de sopa de óleo

Colocar os ingredientes em um panela e levá-la ao fogo, destampada, até a cenoura estar macia. Rechear as panquecas e enrolá-las.

Arrumá-las em um pirex e cobri-las com molho a gosto; deixá-las 20 minutos em forno quente.

Servi-las em seguida.

RECHEIO DE CENOURA E COGUMELO PARA PANQUECAS

- 3 xícaras de cenoura ralada
- 2 xícaras de cogumelos
- 1 xícara de tomate picadinho
- 1/2 xícara de coentro picado
- 2 colheres de sopa de molho de mostarda
- 1 colher de chá de sal
- 5 colheres de sopa de azeite de oliva

Fritar os cogumelos no azeite de oliva e depois acrescentar a mostarda, o sal, o coentro e, por último, a cenoura ralada.

Mexer tudo bem e tampar a panela até as cenouras estarem cozidas, cerca de 15 minutos.

Quando estiverem macias, engrossar o recheio com a maisena diluída na água fria. Mexê-lo bem.

Rechear as panquecas, dobrá-las ao meio e depois novamente ao meio, para formar um triângulo. Fazer isto sucessivamente com todas as panquecas.

Arrumá-las em uma forma refratária e esquentá-las no forno por 15 minutos antes de servi-las.

Pode-se colocar molho a gosto por cima delas antes de levá-las ao forno.

RECHEIO DE PALMITO COM MOLHO DE TOMATE PARA PANQUECAS

- 1 vidro de palmito, ou 2 se forem poucos
- 1 xícara de tomates picadinhos
- 1/2 xícara de pimentões amarelos picadinhos
- 1 colher de sobremesa de manjericão
- 2 colheres de sopa de maisena
- 1/2 colher de sobremesa de sal
- 8 colheres de sopa de azeite de oliva
- 1 xícara da água do palmito

Recheio de palmito com molho de tomate para panquecas
(continuação)

MOLHO DE TOMATE

- 12 tomates bem maduros picados
- 1 xícara de coentro
- 1 colher de café de pimenta-do-reino
- 1 colher de sobremesa de sal
- 1 colher de sopa de açúcar
- 5 colheres de sopa de azeite de oliva

Refogar no azeite o manjericão, os tomates, os palmitos e os pimentões.

Colocar o sal e deixar o refogado por 10 minutos no fogo.

Diluir a maisena na água do palmito, juntá-la ao refogado e mexer tudo bem.

Desligar o fogo e, assim que o recheio engrossar, esperar que esfrie um pouco para rechear as panquecas.

MOLHO

Refogar no azeite o coentro por uns 5 minutos. Acrescentar os tomates, o açúcar e o sal.

Se quiser, colocar também pimenta-do-reino.

Com a panela semitampada, deixar o refogado ferver por uns 30 minutos aproximadamente.

Bater o molho no liquidificador e passá-lo por uma peneira.

Fervê-lo por mais 10 minutos.

Rechear as panquecas, colocá-las em um pirex untado e cobri-las com o molho.

Proteger tudo com papel alumínio e esquentá-las no forno antes de servi-las.

RECHEIO DE TOFU PARA PANQUECAS

- 1 prato grande de tofu
- 1 prato médio com azeitonas picadas
- 300 g de cogumelos frescos
- 6 tomates
- 1 pimentão vermelho
- 1 prato de coentro picado
- 1 colher de café de curry
- sal a gosto

Cortar o tofu em quadradinhos e deixá-lo separado.

Picar as azeitonas, o pimentão, os tomates e os cogumelos, e refogá-los em óleo quente.

Adicionar sal a gosto e o coentro e, por último, o tofu e o curry.

Deixá-los cozinhar por aproximadamente 10 minutos.

Rechear as panquecas e dobrá-las ao meio. Servi-las ainda quentes.

RECHEIO DE VAGENS E AZEITONAS VERDES PARA PANQUECAS

- 3 xícaras de vagens picadas
- 4 tomates picados
- 1 xícara de azeitonas verdes sem os caroços
- 1/2 xícara de molho de tomate
- 1 1/2 colher de sopa de mel
- sal a gosto
- azeite de oliva para refogar

Molho Branco
- 1/3 de xícara de farinha de trigo
- 1/2 colher de sobremesa de sal
- 5 colheres de sopa de óleo
- água quente

Refogar todos os ingredientes do recheio em uma panela com o azeite e tampá-la. Assim que estiverem cozidos, apagar o fogo e deixar o recheio reservado.

Molho
Torrar a farinha de trigo até começar a ficar "loura".

Colocar o óleo e torrar a farinha mais um pouco.

Adicionar o sal e aos poucos a água fervente, mexendo tudo muito bem com uma colher de pau, até tornar-se um creme.

Bater o molho no liquidificador se empelotar. Rechear as panquecas e arrumá-las em um pirex untado com azeite.

Regá-las com o molho branco, cobri-las com papel alumínio e levá-las ao forno por uns 20 minutos para que fiquem quentes.

SUFLÊ DE CHUCHU

- 6 chuchus
- 6 azeitonas pretas sem os caroços
- 1 xícara de temperos verdes picados
- 1 colher de sobremesa de orégano
- 4 fatias grossas de pão de forma
- 2 colheres de sopa de farinha de rosca
- 2 colheres de sopa de maisena diluída em 1/2 xícara de água
- 1 colher de sobremesa de fermento químico em pó
- 4 colheres de sopa de shoyo
- 2 colheres de sopa de azeite de oliva

Cozinhar os chuchus descascados e amassá-los com garfo, adicionando os demais ingredientes.

Incorporar as fatias de pão nessa massa, desmanchando-as com garfo.

Untar um pirex pequeno com óleo, polvilhá-lo de farinha de rosca e nele colocar a massa.

Se estiver muito seca, umedecê-la com mais água, salpicar farinha de rosca por cima e assá-la em forno médio até que doure ligeiramente.

Servir o suflê tão logo saia do forno.

SUFLÊ DE MILHO

- 2 latas de milho verde (com a água)
- 2 tomates picadinhos
- 2 pimentões médios picados
- azeitonas
- 1 xícara de salsinha picada
- 2 colheres de sopa de farinha de trigo
- 3 colheres de sopa de maisena
- 2 xícaras de germe de trigo
- 1 colher de sopa de fermento em pó
- 1/2 colher de sobremesa de sal
- 1/2 xícara de óleo

Misturar todos os ingredientes em uma tigela, exceto o milho e o óleo.

Bater no liquidificador o milho com a água da lata e o óleo.

Juntá-lo à mistura da tigela.

Colocar o suflê em um pirex untado e levá-lo ao forno preaquecido por mais ou menos 40 minutos.

SUFLÊ DE MILHO E ASPARGOS

- 4 xícaras de milho verde cozido
- 1 vidro pequeno de aspargos
- 1 tomate picado
- 1 prato de coentro picado
- 1 colher de sobremesa de orégano
- 3 xícaras de farinha de trigo
- 3 xícaras de maisena
- 2 colheres de sobremesa de fermento em pó
- 1/3 de xícara de óleo
- sal a gosto
- 2 xícaras de água

Bater no liquidificador só 2 xícaras de milho com a água e o óleo.

Misturar numa tigela o milho batido, o milho inteiro, a maisena, a farinha de trigo, o sal e o fermento.

Colocar num pirex untado uma camada de aspargos inteiros, outra de massa de milho e outra de tomates, coentro e azeite (pouquinho).

Assar o suflê em forno médio por mais ou menos 1 hora ou até que se perceba estar cozido.

SUFLÊ DE ORA-PRO-NÓBIS E MILHO

- 7 ou mais xícaras de folhas de ora-pro-nóbis
- 1 lata de 200 g de milho verde
- 2 colheres de sopa de coentro
- 6 gotas de limão
- 2 colheres de sopa de farinha de trigo
- 1 colher de sobremesa de fermento químico em pó
- 1 colher de café de sal
- 2 colheres de sopa de azeite de oliva
- 3 colheres de sopa de óleo

Colocar em uma panela o azeite, as folhas de ora-pro-nóbis, o coentro e 3 gotas de limão e levá-la ao fogo, mexendo-a sempre até as folhas amaciarem.

Passá-las para um pirex untado.

Separar duas colheres de sopa do milho da lata, e o restante bater no liquidificador com a farinha de trigo, o óleo, o sal, 3 gotas de limão e o fermento em pó.

Colocar os grãos de milho por cima das folhas e regar tudo com o creme.

Assar o suflê por 45 minutos em forno médio ou até estar levemente dourado por cima.

SUFLÊ DE PALMITO

- 1 vidro de palmito
- azeitonas verdes a gosto
- 4 tomates médios cortados em rodelas
- 1 xícara de coentro picado
- pimenta-do-reino a gosto
- 1 1/2 xícara de maisena
- 2 colheres de sopa de germe de trigo
- 2 colheres de sopa de fermento em pó
- 1 colher de sobremesa de sal
- 1/2 xícara de óleo

Bater no liquidificador uma xícara da água do palmito com a maisena, o óleo, o sal, o coentro, o germe de trigo e o fermento em pó.

Untar um pirex médio e colocar nele a massa. Arrumar as rodelas de palmito por cima e sobre elas as de tomate.

Colocar as azeitonas, polvilhar pimenta, se quiser, e levar o suflê para assar em forno médio por uma hora.

Assados e Tortas

Assado com pão	169
Assado com sobras	169
Assado com sobras de sopa de ervilha	170
Assado de batata	170
Assado de batata-doce com cenoura e abobrinha	171
Assado de grão-de-bico e pão	171
Assado de legumes	172
Assado de milho	172
Bolo de legumes	173
Bolo salgado aproveitando sobras	174
Bolo salgado rápido	174
Pequena torta folhada de palmito	175
Torta de tofu com brócolis	175
Torta de tofu com couve-flor	176
Torta de abóbora e ervilha-torta	176
Torta de berinjela e batata	177
Torta de brócolis com massa podre	178
Torta de couve-flor e estragão	179
Torta de escarola	179
Torta de folhas com banana	180
Torta de grão-de-bico e escarola	181
Torta de mandioca e milho verde	181
Torta de tofu com chuchu	182
Torta de tofu com grão-de-bico	182
Torta de tofu e abóbora	183
Torta folhada de brócolis	184

ASSADO COM PÃO

- fatias de pão
- fatias de tofu cozidas em água e sal
- 1/2 xícara de azeitonas picadas
- 4 tomates em rodelas
- 1/2 xícara de coentro fresco picado
- 2 xícaras de molho de tomate temperado
- 5 colheres de sopa de tahine diluído em água
- sal a gosto
- 3 colheres de sopa de azeite de oliva

Untar um pirex grande e forrá-lo com fatias de pão; espalhar por cima delas 1 xícara do molho de tomate, o coentro, as azeitonas e as rodelas de tomate.

Cobrir tudo com mais fatias de pão e espalhar sobre elas o restante de molho de tomate, o tofu, o tahine, o azeite de oliva e sal a gosto.

Levar o pirex ao forno médio por 35 minutos. Servir o assado quente.

ASSADO COM SOBRAS

- sobras de legumes e verduras variadas já cozidas
- sobras de sopa
- grão-de-bico refogado
- couve mineira
- pão amanhecido
- temperos a gosto
- 1 colher de sobremesa de fermento químico em pó
- sal a gosto

Bater as sobras no liquidificador, usando a sopa como líquido. Em uma tigela colocar o grão-de-bico, a couve e a mistura liquidificada e engrossá-la com pão picado. Adicionar o fermento e os temperos. Esperar uns 5 minutos para o pão absorver o líquido. Passar a mistura para um pirex untado com óleo e assá-la por 1 hora em forno médio. Servir o assado quente ou frio, em refeições ou com saladas.

ASSADO COM SOBRAS DE SOPA DE ERVILHA

- 3 xícaras de sopa de ervilha (aproximadamente)
- 2 tomates em rodelas
- 1 colher de sobremesa de cominho
- orégano
- 1 xícara de farinha de trigo
- 1 xícara de farinha de pão
- 1 colher de sopa de fermento químico em pó
- 5 colheres de sopa de shoyo
- 5 colheres de sopa de missô diluído em água
- 9 colheres de sopa de tahine bem diluído em água
- 4 colheres de sopa de azeite de oliva

Colocar a sopa de ervilha em uma tigela com o azeite de oliva, o cominho e o shoyo. Engrossá-la com as farinhas e adicionar o fermento.

Mexer tudo bem e colocar a mistura em um pirex untado com óleo e polvilhado de farinha de rosca.

Espalhar o missô por cima, e em seguida as rodelas de tomate. Salpicar orégano seco e assá-la em forno médio por 1 hora.

Assim que o assado estiver pronto, regá-lo com tahine e servi-lo quente, com azeite de oliva, sal e orégano.

ASSADO DE BATATA

- 6 batatas médias
- 1 xícara de proteína de soja miúda deixada de molho em 2 xícaras de água
- 1/2 xícara de azeitonas picadas
- 1 1/2 xícara de coentro picado
- 1/2 xícara de salsa fresca picada
- 3 colheres de sopa de purê de tomate
- 1 1/2 colher de sobremesa de sal
- 6 colheres de sopa de azeite de oliva
- 8 colheres de sopa de óleo
- 1 1/2 xícara da água quente em que a batata foi cozida

Cozinhar as batatas descascadas e, assim que estiverem se desmanchando, passá-las em um espremedor e colocar o purê em uma tigela.

Juntar a água quente, o azeite de oliva e o sal. Bater o purê com mix elétrico até se tornar cremoso. Arrumá-lo em um pirex untado com óleo.

Escorrer bem a soja que estava de molho.

Aquecer o óleo em uma panela e refogar nele a salsa, o coentro, as azeitonas e o sal.

Assim que estiverem fritos, acrescentar a soja escorrida e mexer tudo bem. Adicionar o purê de tomate, tampar a panela e deixá-la em fogo alto por 15 minutos.

Espalhar a soja refogada por cima do purê e levá-lo ao forno por 20 minutos. Servir o assado quente, regado com azeite de oliva, se necessário.

ASSADO DE BATATA-DOCE COM CENOURA E ABOBRINHA

- 3 xícaras de purê de batata-doce
- 1 xícara de cenoura ralada
- 2 xícaras de abobrinha picada bem miúdo
- 1/2 xícara de azeitonas picadas
- 1 xícara de tomate picadinho
- 1/2 xícara de coentro picadinho
- 4 colheres de aveia em flocos finos
- 1/2 colher de sobremesa de sal
- shoyo a gosto
- 4 colheres de sopa de azeite de oliva
- 3 colheres de sopa de tahine diluído em água

Cozinhar a batata-doce e, assim que começar a se desmanchar, espremê-la e colocá-la em uma tigela. Misturar-lhe a aveia e transferir esse purê para um pirex untado com óleo.

Levar o azeite de oliva ao fogo em uma panela e fritar nele rapidamente o coentro.

Acrescentar todos os demais ingredientes, mexê-los bem e, sem tampar a panela, esperar que cozinhem.

Espalhar o refogado sobre o purê de batata-doce e levá-lo ao forno médio por 20 minutos.

Servir o assado quente.

ASSADO DE GRÃO-DE-BICO E PÃO

- 1 xícara de grão-de-bico
- 1/2 pão de forma grande
- 1/2 xícara de salsa fresca
- 1/2 colher de sopa de cominho
- 1/2 colher de sobremesa de sal
- 4 colheres de sopa de shoyo
- 5 colheres de sopa de azeite de oliva
- 3 xícaras de água

Deixar o grão-de-bico de molho por 1 noite inteira. Cozinhá-lo em panela de pressão, com as 3 xícaras de água, por 30 minutos após iniciada a pressão.

Amassar os grãos com garfo e colocar o purê em uma tigela, junto com a água da panela.

Esfarelar bem o pão e adicioná-lo à tigela, assim como os demais ingredientes.

Colocar a mistura em um pirex alto, untado com óleo, e assá-la por 40 minutos em forno médio.

Assim que o assado sair do forno, regá-lo com azeite de oliva e mais cominho. Servi-lo quente, em refeições, ou frio, para acompanhar saladas e sopas.

ASSADO DE LEGUMES

- 1 xícara de cenoura cozida e bem picada
- 1 xícara de chuchu cozido e picado
- 1 banana-nanica picadinha
- 1 xícara de beterraba cozida e picadinha
- 1/2 xícara de uvas-passas sem sementes
- 1/2 colher de sopa de pimenta-da-jamaica
- 1 xícara de farinha de trigo integral
- 2 colheres de sopa de germe de trigo
- 1 colher de sobremesa de fermento químico em pó
- 1 colher de sobremesa de sal
- 3 colheres de sopa de óleo
- 1 xícara de água

Misturar bem os ingredientes, verificando a consistência da mistura e deixando para pôr o fermento em pó só no final.

Transferi-la para uma forma untada com óleo e polvilhada de farinha de trigo ou farinha de rosca.

Assá-la, desenformá-la e colocar ao redor do assado folhas de alface cortadas em tirinhas finas.

ASSADO DE MILHO

- 1 lata de 200 g de milho verde
- 1 tomate
- 4 colheres de sopa de maisena
- 1 colher de sobremesa de fermento químico em pó
- 1/2 colher de sobremesa de sal
- 4 colheres de sopa de óleo

Bater o milho no liquidificador com a água da lata, o tomate inteiro e o sal.

Colocá-lo em uma tigela e acrescentar os demais ingredientes.

Mexer tudo bem com pão-duro ou colher de pau e transferir a mistura para um pirex pequeno, untado com óleo.

Assá-la por 45 minutos ou mais em fogo médio/alto.

Servir o assado quente, em refeições, com molhos a gosto.

Podem ser acrescentadas nozes e castanhas a gosto.

BOLO DE LEGUMES

- 2 cenouras em cubinhos
- 2 batatas pequenas em cubinhos
- 1 chuchu pequeno em cubinhos
- 1 xícara de azeitonas picadas
- 1 xícara de temperos verdes picados
- 1 colher de sopa de orégano
- 1 xícara de farinha de trigo integral
- 2 xícaras de farinha de trigo branca
- 2 colheres de sopa de fermento químico para bolos
- sal a gosto
- 2 colheres de sopa de missô
- 1/2 xícara de shoyo
- 3 colheres de sopa de azeite de oliva
- água do cozimento dos legumes

Cozinhar os legumes em água fervente e shoyo. Retirá-los com uma escumadeira ainda não muito cozidos, reservando a água.

Misturar as farinhas de trigo com o azeite de oliva e o fermento em pó.

Colocar, aos poucos, 1 1/2 xícara da água dos legumes, até que se tenha uma massa consistente, nem rala, nem grossa.

Nessa massa, misturar delicadamente os temperos verdes, o missô, as azeitonas e os legumes.

Untar uma forma com óleo e polvilhá-la de farinha de rosca, despejar nela o bolo de legumes, salpicá-lo com orégano e levá-lo ao forno médio até crescer e dourar.

Desenformá-lo e guarnecê-lo com folhas de alface.

Podem-se espalhar castanhas-do-pará trituradas por cima da massa antes de levá-la ao forno.

BOLO SALGADO APROVEITANDO SOBRAS

- 2 xícaras de sobras de legumes já cozidos e picados
- 1 xícara de ameixas secas picadas e amolecidas em água
- 2 bananas-nanicas picadas
- 1 xícara de azeitonas picadas
- 1 xícara de temperos verdes picados
- 2 xícara de farinha de trigo
- 2 colheres de sopa de fermento em pó para bolos
- 2 colheres de sopa de azeite de oliva
- 3 colheres de sopa de missô
- 3 colheres de sopa de shoyo
- água

Misturar todos os ingredientes em uma tigela, colocando um pouquinho de água, ou sobras de caldo de sopa ou água do cozimento de algum legume.

Deixar a massa na consistência da comum de bolo e não se esquecer de colocar o fermento.

Untar uma forma ou pirex com azeite, polvilhá-la de farinha (pode ser de rosca) e assar o bolo até crescer e ficar dourado.

BOLO SALGADO RÁPIDO

- 1 lata de ervilhas em conserva
- 1 lata de milho verde
- 1/2 xícara de palmito picadinho
- 1/2 xícara de azeitonas picadinhas
- 1 xícara de farinha de trigo
- 1/2 xícara de maisena
- 1 colher de sobremesa de fermento químico em pó
- 1/2 colher de sobremesa de sal
- 1 xícara de água

Misturar todos os ingredientes em uma tigela, deixando para o fim o fermento em pó.

Pôr mais farinha de trigo na massa se estiver rala, ou mais água se não tiver dado liga.

Colocá-la numa forma untada com óleo e polvilhada de farinha de trigo ou farinha de rosca e assá-la em forno médio por aproximadamente 1 hora ou até estar com as laterais douradas.

PEQUENA TORTA FOLHADA DE PALMITO

- 2 xícaras de palmito picado
- 1 xícara de pimentão vermelho picado
- 1/2 pacote de massa folhada
- 4 colheres de sopa de farinha de trigo
- 1 colher de sobremesa rasa de sal
- 3 colheres de sopa de azeite de oliva
- 1/2 xícara da água do palmito

Aquecer o azeite em uma panela e fritar nele o pimentão, com o sal, até dourar. Acrescentar o palmito picado e refogar tudo por mais 5 minutos.

Diluir a farinha de trigo na água do palmito e juntá-la à panela, mexendo-a sempre, até engrossar.

Dividir a massa folhada em duas partes e abri-las com rolo.

Forrar um pirex com uma parte da massa, colocar o recheio e tampá-lo com a outra parte. Deixar a torta 15 minutos na geladeira, e então colocá-la no forno já quente. Assá-la por 40 minutos em forno médio/alto.

TORTA DE TOFU COM BRÓCOLIS

- 1 prato grande de tofu
- 2 maços médios de brócolis
- 1/2 xícara de azeitonas sem os caroços
- 1 xícara de coentro picadinho
- 4 colheres de sopa de aveia em flocos finos ou fubá
- sal a gosto
- 1 xícara de café de azeite de oliva
- 2 xícaras ou menos de leite de soja (diluir 2 colheres de sopa de extrato de soja em 1 xícara ou menos de água) ou água

Aferventar os brócolis e deixá-los reservados.

Bater no liquidificador o tofu com 1/2 xícara de coentro, as azeitonas, o leite de soja, a aveia, o sal e o azeite de oliva.

Misturar a essa massa os raminhos de brócolis. Colocá-la em um pirex untado e assá-la em forno médio por uns 50 minutos aproximadamente, ou até a torta ficar dourada.

Observação: Colocar o leite ou a água aos poucos no liquidificador, pois a massa não deve ficar rala. O leite é só para fazer com que o liquidificador consiga bater, e a consistência do tofu pode variar, podendo ser mais mole ou mais dura. Se a massa ficar aguada, demorará muito no forno, portanto, não necessariamente serão 2 copos de leite/água.

TORTA DE TOFU COM COUVE-FLOR

- 1 prato grande de tofu
- 1 couve-flor média
- 1 xícara de salsa picada
- 1 colher de café de urucum em pó
- 3 colheres de sopa de aveia, farinha de trigo ou fubá
- sal a gosto
- 1 xícara de café de azeite de oliva
- 2 copos de leite de soja (diluir 2 colheres de sopa de extrato de soja em 1 xícara de água) ou água

Aferventar a couve-flor e deixá-la reservada.

Bater no liquidificador o tofu com os temperos, o azeite de oliva, o leite de soja e a farinha. Misturar a essa massa os raminhos de couve-flor.

Colocá-la em um pirex untado e assá-la em forno médio por uns 50 minutos aproximadamente, ou até a torta ficar ligeiramente dourada.

Observação: Colocar o leite ou a água aos poucos no liquidificador, pois a massa não deve ficar rala. O leite é só para fazer com que o liquidificador consiga bater, e a consistência do tofu pode variar, podendo ser mais mole ou mais dura. Se a massa ficar aguada, demorará muito no forno, portanto, não necessariamente serão 2 copos de leite ou água.

TORTA DE ABÓBORA E ERVILHA-TORTA

MASSA
- 2 xícaras de farinha de trigo
- 1 colher de sopa de fermento de bolo
- 1/2 colher de sobremesa de sal
- 3 colheres de sopa de óleo
- leite de soja (diluir 2 colheres de sopa de extrato de soja em 1 xícara de água) ou leite de coco ou água

RECHEIO
- 4 xícaras de ervilhas-tortas, sem as pontas e as laterais fibrosas
- 1 tomate picadinho
- 2 xícaras de abóbora cozida e amassada
- 1/2 xícara de manjericão fresco picado
- 1 colher de sobremesa de sal
- 5 colheres de sopa de óleo

Refogar no óleo o manjericão com o sal. Acrescentar as ervilhas e o tomate. Tampar a panela e esperar que a ervilha fique cozida. Juntar a abóbora e misturá-la bem.

Colocar os ingredientes secos da massa e o óleo em uma vasilha e despejar sobre eles o leite ou a água aos poucos, até tudo se transformar em uma massa lisa. Dividi-la em duas partes.

Abrir uma com rolo e forrar com ela uma forma untada. Colocar o recheio e cobri-lo com a outra metade, também aberta com rolo.

Assar a torta em forno médio por aproximadamente 45 minutos, ou até estar dourada.

TORTA DE BERINJELA E BATATA

MASSA
- 3 1/2 xícaras de farinha de trigo
- 1 colher de sobremesa de sal
- 1 xícara de óleo

RECHEIO
- 3 xícaras de berinjela crua picadinha
- 3 xícaras de purê de batatas
- 1/2 xícara de cenoura ralada
- 1/2 xícara de azeitonas picadas
- 1/2 xícara de tomate picado
- 1/2 xícara de coentro picado
- 1 pitada de pimenta-do-reino em pó
- 1 pitada de curry
- 1/2 colher de sobremesa de sal
- 6 colheres de sopa de óleo

Fritar as berinjelas no óleo por uns 10 minutos e acrescentar o coentro, as azeitonas, as cenouras, os tomates, o curry, a pimenta e o sal.

Assim que as cenouras estiverem cozidas, acrescentar o purê de batatas e misturar tudo bem, com colher de pau. Deixar o recheio amornando.

Misturar os ingredientes da massa em uma vasilha e forrar com ela um pirex ou uma forma, pressionando bem a massa com as mãos para que fique firme nas paredes e no fundo.

Reservar uma porção de massa para cobrir a torta. Colocar o recheio e cobrir a torta.

Assá-la em forno médio por 40 minutos, ou até estar dourada.

Pode-se servi-la quente ou fria, nas refeições, com saladas ou em lanches.

TORTA DE BRÓCOLIS COM MASSA PODRE

MASSA

- 1 1/2 xícara de farinha de trigo
- 1 colher de sobremesa de sal
- 1 xícara de óleo

RECHEIO

- 1 maço de brócolis
- 1 xícara de azeitonas chilenas picadas (pretas graúdas)
- 1/2 xícara de salsa fresca
- 1 colher de sobremesa de orégano
- 2 colheres de sopa de maisena
- 1/2 colher de sobremesa de sal
- 3 colheres de sopa de missô diluído em água
- 5 colheres de sopa de óleo
- 1 xícara de leite de soja (diluir 2 colheres de sopa de extrato de soja em 1 xícara de água)

MASSA

Misturar todos os ingredientes em uma tigela até tornarem-se uma farofa, que se firma quando apertada.

Espalhar a massa em uma forma com fundo móvel ou em um pirex e pressioná-la bem no fundo e nas laterais.

Deixá-la reservada.

RECHEIO

Refogar no óleo a salsa, as azeitonas e os talos dos brócolis, que deverão estar picados o mais possível. Temperá-los com o sal e o missô e tampar a panela.

Enquanto os talos cozinham, pôr no fogo outra panela grande com água e sal, e nela ferver os raminhos de brócolis. Quando estiverem cozidos mas sem se desmancharem, escorrer a água e colocá-los na panela dos talos.

Diluir a maisena no leite de soja, despejá-la na panela e mexê-la bem até o recheio engrossar.

Pôr o recheio na forma já forrada com a massa que estava reservada. Pressionar antes a massa delicadamente com as mãos para dar liga à farinha.

Assar a torta em forno médio por 40 minutos aproximadamente.

Pode-se cobrir a torta; para isto basta reservar uma porção de massa, espalhá-la sobre o recheio e pressioná-la levemente com as mãos para se tornar firme.

TORTA DE COUVE-FLOR E ESTRAGÃO

MASSA
- 1 kg de farinha de trigo
- 1 colher de sobremesa de curry
- 1 colher de sopa de fermento em pó
- 2 colheres de sobremesa de sal
- 20 colheres de sopa de óleo
- 20 colheres de sopa de água

RECHEIO
- 2 couves-flores médias cozidas
- 1/2 colher de sopa de estragão
- 2 colheres de sopa de alcaparras
- 1 xícara de cogumelo
- 1/2 colher de café de pimenta-do-reino moída
- 4 colheres de sopa de maisena
- 1 1/2 colher de sobremesa de sal
- 5 colheres de sopa de azeite de oliva
- 1 xícara de água do cozimento da couve-flor

MASSA

Misturar todos os ingredientes numa tigela e amassá-los bem com as mãos.

Virar a massa na mesa enfarinhada, dividi-la em duas partes, abrir uma com o rolo e colocá-la no fundo de um pirex grande, untado.

Pôr o recheio e cobri-lo com a outra parte da massa, também aberta com rolo. Assar a torta de 30 a 40 minutos ou até estar dourada. Servi-la depois de fria.

RECHEIO

Refogar no azeite a couve-flor, já cozida, e deixar 2 xícaras dela reservadas, bem como 1 xícara da água do cozimento. Acrescentar o estragão, a pimenta-do-reino, o cogumelo e 1/2 colher de sal.

Bater no liquidificador as duas xícaras de couve-flor reservadas, a água do cozimento, mais uma colher de sal, as alcaparras e a maisena. Colocar esse creme na panela e mexer o recheio bem até engrossar. Provar o sal.

Observação: Ao cozinhar a couve-flor, colocar uma colher de café de bicarbonato de sódio para a couve não desbotar.

TORTA DE ESCAROLA

MASSA
- 1 kg de farinha de trigo
- 1 colher de sobremesa de sal
- 1 1/2 xícara de óleo

Torta de escarola
(continuação)

RECHEIO

- 4 pés grandes de escarola fresca
- 2 batatas grandes amassadas
- 1 vidro de palmito com a água (cortar os palmitos em pedaços pequenos)
- 1/2 xícara de azeitonas verdes picadas
- 1/2 xícara de tomate picado
- 1 xícara de salsa fresca picada
- 1/2 colher de sopa de curry
- 2 colheres de sopa de maisena
- 1 1/2 colher de sobremesa de sal
- 4 colheres de sopa de óleo

MASSA

Misturar os ingredientes da massa em uma tigela.

Forrar um pirex ou uma forma com fundo móvel com essa massa, deixando um pouco dela para cobrir o recheio. Não é preciso untar o recipiente. Pressionar bem a massa contra as paredes e o fundo dele.

RECHEIO

Refogar no óleo a escarola picada e a salsa. Tampar a panela e, assim que as folhas estiverem bem cozidas, acrescentar os demais ingredientes, exceto a maisena.

Quando toda a mistura estiver quente, adicionar a maisena diluída na água do palmito. Não parar de mexer a panela até que tudo esteja bem encorpado. Colocar o recheio sobre a massa e cobri-lo com o restinho dela. Levar a torta ao forno de médio a alto por 45 minutos aproximadamente. Servi-la quente ou fria, em lanches ou refeições.

TORTA DE FOLHAS COM BANANA

- 2 xícaras de bertália ou rúcula ou espinafre escaldado
- 1 ou 2 maços de acelga ou folhas de brócolis
- 1 xícara de folhas de nabo ou de rabanete picadas
- 6 bananas-pratas cortadas ao meio ao comprido e fritas em óleo
- 1 xícara de azeitonas picadas
- 1 pimentão picadinho
- 2 xícaras de coentro fresco bem picado
- 1 colher de chá de gengibre ralado
- 3 colheres de sopa de tahine
- 2 xícaras de farinha de trigo
- 2 colheres de sopa de fermento para bolo
- 2 colheres de sopa de shoyo ou missô
- 1 xícara de azeite de oliva

Refogar no azeite de oliva as folhas com 1 xícara de coentro, o gengibre e 1/2 colher de missô. Depois de cozidas, picá-las bem.

Bater no liquidificador o restante do missô, o tahine, 1 colher de sopa do pimentão picado, 1 colher de sopa de azeitonas picadas, a farinha de trigo e um pouquinho de água, somente para ajudar o liquidificador.

Virar a massa em uma tigela e acrescentar os demais ingredientes, exceto as verduras e as bananas. Misturar tudo bem.

Untar um pirex com azeite de oliva e ir derramando nele a massa, intercalando-a com as verduras cozidas: massa, verdura, massa.

Arrumar por cima as bananas fritas e levar a torta ao forno médio. Assá-la por 1 hora ou até estar firme e corada.

Servi-la quente, na refeição, ou fria, acompanhada de salada.

TORTA DE GRÃO-DE-BICO E ESCAROLA

- 1/2 pacote de grão-de-bico
- 2 maços de escarola cortada em tirinhas finas
- 1 colher de sopa de orégano
- 4 colheres de sopa de tahine não diluído em água
- 4 colheres de sopa de aveia em flocos
- 2 colheres de sopa de farinha de rosca
- 1/2 colher de sobremesa de sal
- 1/2 xícara da água em que o grão-de-bico foi cozido

Dispor em um pirex untado as folhas de escarola picadinhas.

Bater no liquidificador o grão-de-bico cozido com o tahine, a aveia e o sal. Colocar a água aos poucos para a massa não ficar rala.

Cobrir as escarolas com o creme de grão-de-bico, salpicar o orégano misturado com a farinha de rosca e levar a torta ao forno por 40 minutos, em temperatura média.

TORTA DE MANDIOCA E MILHO VERDE

- 1 xícara de mandioca crua ralada
- 1 lata de milho verde
- 1 xícara de tomate picadinho
- 1/2 xícara de coentro picado

Torta de mandioca
e milho verde
(continuação)

- 1/2 xícara de farinha de trigo
- 2 colheres de sopa de fermento em pó para bolos
- 1/2 colher de sobremesa de sal
- 5 colheres de sopa de azeite de oliva

Misturar em uma tigela a mandioca ralada com o milho, o sal, o azeite e o coentro fresco.

Acrescentar a farinha de trigo e o fermento em pó.

Misturar bem essa massa e colocá-la em um pirex untado com óleo.

Levá-la ao forno preaquecido, em temperatura média, e deixá-la por aproximadamente 45 minutos, ou até o fundo estar dourado.

Servir a torta quente ou fria.

TORTA DE TOFU COM CHUCHU

- 3 xícaras de tofu
- 3 xícaras de chuchu cru ralado
- 1/4 de xícara de passinhas
- 1 colher de sopa de manjericão
- 5 colheres de sopa de flocos finos de aveia
- 2 colheres de sopa de farinha de trigo integral
- sal a gosto
- 10 colheres de sopa de azeite de oliva
- 1/2 xícara de leite de soja (diluir 2 colheres de sopa de extrato de soja em 1 xícara de água)

Bater no liquidificador o tofu com o azeite de oliva, os temperos e o sal. Ir colocando o leite de soja aos poucos.

Misturar o creme de tofu com o chuchu e mexê-los bem. Acrescentar a farinha de trigo, a aveia e as passas.

Assar a torta em forno médio em um pirex grande, untado, por uma hora e quinze minutos.

Sugestão opcional: Colocar gergelim descascado por cima da massa antes de assá-la.

TORTA DE TOFU COM GRÃO-DE-BICO

- 1 prato grande de tofu
- 2 xícaras de grão-de-bico cozido
- 1 xícara de azeitonas pretas sem os caroços
- 1 xícara de coentro picado
- 1/4 de xícara de orégano

Torta de tofu com grão-de-bico (continuação)

- 1 colher de sopa de gergelim descascado
- 3 colheres de sopa de farinha de trigo integral
- sal a gosto
- 1 xícara de café de azeite de oliva
- 2 xícaras de leite de soja (diluir 2 colheres de sopa de extrato de soja em 1 xícara de água) ou água

Bater no liquidificador o tofu com o coentro, o orégano, o sal, o azeite de oliva e o leite de soja.

Misturar esse creme com o grão-de-bico, as azeitonas inteiras e a farinha, sem bater.

Colocar a massa num pirex raso, untado, cobri-la com gergelim descascado e assá-la em forno médio por aproximadamente 50 minutos, ou até ficar dourada.

Observações: Colocar o leite ou a água aos poucos no liquidificador, pois a massa não deve ficar rala. O leite é só para fazer com que o liquidificador consiga bater, e a consistência do tofu pode variar, podendo ser mais mole ou mais duro. Se a massa ficar muito aguada, demorará muito no forno, portanto, não necessariamente serão 2 copos de leite ou água.

Pode-se substituir o grão-de-bico por palmito, espinafre, etc.

TORTA DE TOFU E ABÓBORA

- 1 prato grande de tofu
- 4 xícaras de abóbora crua ralada
- azeitonas portuguesas
- 1/2 xícara de coentro picadinho
- 3 colheres de sopa de germe de trigo
- 3 colheres de sopa de fubá
- 1/2 colher de sobremesa de sal
- 1/3 de xícara de azeite de oliva
- 1/2 xícara de leite de soja (diluir 2 colheres de sopa de extrato de soja em 1 xícara de água) ou água

Bater no liquidificador o tofu com os temperos e o sal. Acrescentar o leite de soja aos poucos.

Em uma tigela, juntar a abóbora ralada, o creme do liquidificador, o fubá e o germe de trigo.

Colocar a mistura em um pirex untado. Arrumar algumas azeitonas por cima e assar a torta em forno médio por aproximadamente uma hora e trinta minutos ou até ficar dourada.

Observação: Colocar o leite ou a água aos poucos no liquidificador, pois a massa não deve ficar rala. O leite é só para fazer com que o liquidificador consiga bater, e a consistência do tofu pode variar. Se a massa ficar aguada, demorará muito no forno, portanto, não necessariamente serão 2 copos de leite ou água.

TORTA FOLHADA DE BRÓCOLIS

- 1 pacote de massa folhada
- 2 ou 3 maços de brócolis
- 2 batatas cozidas
- 6 ou 7 azeitonas chilenas
- 2 tomates médios picados
- 1 pimentão verde picadinho
- 1 xícara de coentro picadinho
- 1 xícara de salsa picadinha
- 4 colheres de chá de manjericão
- 1 colher de sobremesa de sal
- 4 colheres de sopa de azeite de oliva
- 5 colheres de sopa de óleo

Tirar os talos maiores e mais grossos dos brócolis, cortá-los em pequenos pedaços e colocá-los em uma panela grande com o óleo, o coentro, a salsa e o manjericão.

Acrescentar o sal e deixar a panela tampada, em fogo baixo, até tudo estar cozido. Adicionar o pimentão e os tomates picados.

Separadamente, bater no liquidificador as batatas cozidas com o azeite de oliva e as azeitonas. Juntar o purê à panela, mexendo-a cóm uma colher de pau até que tudo fique bem encorpado.

Cortar a massa folhada em 3 pedaços, deixando um deles um pouco maior.

Abrir o maior pedaço e forrar com ele uma forma, assadeira ou pirex untado com óleo. Dividir o recheio em duas partes iguais e pôr uma delas na forma, sobre a massa.

Abrir o outro pedaço de massa e cobrir o recheio com ele. Colocar por cima a segunda parte do recheio e tampá-lo com a última parte de massa, aberta com rolo. Fechar bem as laterais e deixar a torta na geladeira por 15 minutos. Acender o forno e, assim que estiver bem quente, colocar nele a torta crua, que deverá estar gelada.

Ássá-la por 50 minutos em forno médio, ou até estar dourada.

Pizzas e Esfihas

Minipizza de tomate e berinjela	187
Minipizza de tomate, palmito e maçã	188
Pizza de banana frita com molho de cenoura	188
Pizza de banana para sobremesa	189
Pizza de berinjela	190
Pizza de beterraba	191
Pizza de brócolis e cenoura	192
Pizza de brócolis e cogumelo	193
Pizza de cenoura e alcaparras	194
Pizza de cogumelo fresco	194
Pizza de ervilha fresca	195
Pizza de milho	196
Pizza de palmito e banana frita	197
Pizza de pimentão com milho verde	198
Pizza de tofu e escarola	199
Pizza fechada (calzone) de palmito	199
Pizza fechada (calzone) de pimentão e manjericão	200
Pizza integral de tofu e tomates	201
Massa para esfihas	201
Recheio para esfihas de folha de nabo	202
Recheio para esfihas de repolho e flocos de erviilha	202
Recheio para esfihas com acelga	203
Recheio para esfihas com ervilhas frescas e cenoura	203
Recheio para esfihas com proteína de soja miúda	204

MINIPIZZA DE TOMATE E BERINJELA

MASSA
- 2 xícaras de farinha de trigo branca
- 1/2 colher de sopa de fermento biológico para pães
- farinha de trigo para trabalhar a massa
- 1 colher de sobremesa de sal
- 5 colheres de sopa de óleo
- 1/2 xícara de água morna ou leite de soja morno (diluir 2 colheres de sopa de extrato de soja em 1 xícara de água)

COBERTURA
- 2 ou 3 berinjelas cortadas em rodelas finas
- 2 ou 3 tomates cortados em rodelas
- 1 xícara de molho de tomate
- manjericão a gosto (ou orégano ou alecrim)
- sal a gosto
- óleo para fritar

Misturar muito bem todos os ingredientes da massa.

Em seguida virá-los em mesa enfarinhada e trabalhá-los até tornarem-se uma massa macia.

Protegê-la bem do frio e deixá-la crescer por 1 hora e meia.

A seguir, abri-la com rolo de macarrão até ficar fina.

Cortá-la com um copo de boca larga, formando discos. Arrumar todos os discos em uma assadeira grande, untada com óleo e polvilhada de farinha de trigo.

Espalhar molho de tomate sobre cada um e levá-los ao forno médio por 15 minutos.

Fritar as rodelas de berinjela em óleo quente e, assim que dourarem, retirá-las e escorrê-las em papel absorvente.

Arrumar as rodelas de tomate em cima de cada disco de massa semi-assado e, por cima, as de berinjela.

Temperar as minipizzas com sal e manjericão, orégano ou alecrim a gosto, e terminar de assá-las por mais uns 20 minutos.

Servi-las quentes em lanchinhos, acompanhadas de sucos e iogurtes.

MINIPIZZA DE TOMATE, PALMITO E MAÇÃ

MASSA
- 2 xícaras de farinha de trigo
- 1/2 colher de sopa de fermento para pão
- 1 colher de sobremesa de sal
- 5 colheres de sopa de óleo
- 2/3 de xícara de água quente

COBERTURA
- 1 vidro de palmito cortados em rodelas
- 2 ou 3 maçãs descascadas e sem sementes
- 2 ou 3 tomates cortados em rodelas
- 1 xícara de molho de tomate
- orégano
- sal
- azeite de oliva

Misturar todos os ingredientes da massa; em seguida virá-los em mesa enfarinhada e trabalhá-los até tornarem-se uma massa lisa e macia.

Usar mais água ou mais farinha, se necessário, e deixar a massa crescer, agasalhada, por 2 horas aproximadamente.

Abri-la com rolo e cortá-la com cortador de biscoito, no formato desejado, ou com a boca de um copo.

Arrumar as massas cortadas em uma assadeira untada com óleo e polvilhada de farinha de trigo e espalhar molho sobre elas.

Assá-las durante 15 minutos em forno médio.

Ao retirá-las do forno, colocar sobre cada uma 1 rodela de tomate, 2 de maçã e 1 ou 2 de palmito.

Colocar sal, orégano e azeite de oliva a gosto.

Assá-las novamente por mais 15 minutos.

PIZZA DE BANANA FRITA COM MOLHO DE CENOURA

MASSA
- 1/2 kg de farinha de trigo comum
- 1 colher de sopa de fermento para pão
- 1/2 colher de sobremesa de sal
- 12 colheres de sopa de óleo
- 1 xícara de água quente

COBERTURA
- de 10 a 12 bananas-pratas cortadas ao meio e fritas em bastante óleo
- 6 ou 7 cenouras cozidas

**Pizza de banana frita
com molho de cenoura
(continuação)**

- 1/2 xícara de azeitonas picadas
- 5 ou 6 tomates em rodelas
- orégano
- 1/2 colher de sobremesa de sal
- 4 colheres de sopa de azeite de oliva

Misturar a farinha de trigo, o óleo e o sal. Diluir o fermento na água quentinha e juntá-lo à mistura, mexendo-a energicamente com uma colher de pau. Colocá-la em mesa enfarinhada e trabalhá-la com as mãos até tornar-se uma massa macia. Pode precisar de mais farinha ou de mais água; ficar atento. Deixá-la crescer por 2 horas em lugar protegido.

Abrir a massa com rolo e colocá-la em forma de pizza untada com óleo. Pincelar azeite por toda a massa e assá-la por 20 minutos em forno médio.

Bater no liquidificador as cenouras cozidas com azeite e sal, e espalhar esse creme sobre a massa semi-assada

Cobri-la com rodelas de tomate e pedaços de azeitonas, polvilhá-la de sal e orégano a gosto e regá-la com azeite de oliva.

Por cima de tudo arrumar as fatias de banana frita, que podem ser polvilhadas de canela.

Terminar de assar a pizza por 20 minutos ou até estar no ponto desejado.

PIZZA DE BANANA PARA SOBREMESA

MASSA
- 1/2 kg de farinha de trigo comum
- 1 colher de sopa de fermento para pão
- 1 colher de sobremesa de sal
- 1 xícara de açúcar mascavo
- 1/2 xícara de óleo
- 1 xícara de leite de soja quente (diluir 2 colheres de sopa de extrato de soja em 1 xícara de água) ou água quente

RECHEIO
- 10 bananas-nanicas
- de 6 a 8 bananas-pratas
- passinhas sem sementes
- coco ralado
- 1 xícara de açúcar mascavo
- 2 colheres de sopa de suco de limão
- 1 colher de sopa de canela em pó
- 1 colher de café de bicarbonato de sódio
- óleo para fritar

Misturar os ingredientes da massa, mexê-los muito bem com colher de pau, e em seguida virá-los em superfície enfarinhada.

Amassá-los até tornarem-se uma massa lisa e macia. Cobri-la com pano ou cobertor e deixá-la crescer por 2 horas.

Abrir a massa com rolo e colocá-la em forma de pizza untada com óleo. Assá-la em temperatura média, por 15 minutos.

Cozinhar as bananas-nanicas em uma panela com o açúcar mascavo e o limão. Deixar a panela tampada até que as bananas estejam bem macias.

Mexê-las com colher de pau para que se desmanchem e, assim que estiverem em ponto de doce, acrescentar o bicarbonato de sódio. Mexer tudo muito bem e desligar o fogo.

Cortar as bananas-pratas no sentido do comprimento e fritá-las em uma frigideira ou panela com bastante óleo.

Espalhar o doce de banana-nanica sobre a massa pré-assada e arrumar por cima, harmoniosamente, as bananas fritas; polvilhá-las de coco ralado e canela em pó a gosto e decorar a pizza com passinhas.

Levá-la ao forno e assá-la novamente durante 15 minutos.

Servi-la quente ou fria.

PIZZA DE BERINJELA

MASSA
- 1 1/2 xícara de farinha de trigo comum
- 1/2 xícara de farinha de trigo integral
- 1/2 xícara de farinha de aveia
- 1 colher de sopa de fermento de pão
- 1 colher de sobremesa de sal
- 1 colher de sopa de açúcar
- 1/2 xícara de óleo
- 1 xícara de leite de soja quente (diluir 2 colheres de sopa de extrato de soja em 1 xícara de água) ou água quente

COBERTURA
- 3 ou 4 berinjelas
- 1 xícara de azeitonas chilenas inteiras ou em pedaços (pretas, graúdas)
- 1 pimentão amarelo
- 1 pimentão vermelho
- 4 ou 5 tomates em rodelas
- 1/2 xícara de molho de tomate
- orégano
- sal
- azeite

Misturar os ingredientes da massa e mexê-los bem com colher de pau. Amassá-los em superfície enfarinhada até tornarem-se uma massa lisa. Deixá-la crescer em lugar protegido e bem coberta, por 2 horas.

Abri-la então com rolo e colocá-la em uma forma grande, de pizza, untada com óleo.

Espalhar o molho por cima e levá-la ao forno médio por 15 minutos aproximadamente.

Separadamente, colocar as berinjelas lavadas, enxutas e cortadas em fatias em uma assadeira. Pincelá-las com azeite de oliva e polvilhar cada fatia de sal.

Levá-las ao forno, virar as fatias após 10 minutos e assá-las do outro lado por mais 10 minutos.

Cobrir a massa semi-assada com as rodelas de tomates. Arrumar por cima os pimentões coloridos cortados em rodelas fininhas e, por último, as berinjelas assadas.

Enfeitar a pizza com azeitonas, temperá-la com sal e azeite a gosto, polvilhá-la de orégano e levá-la ao forno por mais 20 minutos ou até estar no ponto desejado.

PIZZA DE BETERRABA

MASSA
- 1/2 kg de farinha de trigo comum
- 1 colher de sopa de fermento para pão
- 1 colher de sobremesa de sal
- 1/2 xícara de óleo
- 1 xícara de água quente

COBERTURA
- 5 ou 6 beterrabas grandes, cozidas inteiras e depois descascadas e cortadas em rodelas finas
- 2 xícaras de tofu feito em casa
- 4 ou 5 tomates cortados em rodelas
- 1/2 xícara de molho de tomate
- 1 ou 2 colheres de sopa de manjericão
- sal a gosto
- azeite de oliva

Misturar a farinha de trigo com o sal e o óleo. Adicionar o fermento diluído na água quente e amassar bem a mistura com as mãos, após tê-la mexido com colher de pau. Quando se tornar uma massa lisa e macia, cobri-la e deixá-la agasalhada por 3 horas.

Abrir a massa com rolo, em uma superfície enfarinhada, e colocá-la na forma de pizza untada com óleo.

Espalhar molho de tomate por toda a massa e assá-la por 15 minutos em forno médio.

Ao retirá-la do forno, cobri-la com os tomates em rodelas, o tofu, e por cima as beterrabas em fatias finas.

Regar a pizza com azeite de oliva, temperá-la com sal e manjericão e assá-la por mais 20 minutos em temperatura média/alta.

PIZZA DE BRÓCOLIS E CENOURA

MASSA

- 1/2 kg de farinha de trigo comum
- 1 colher de sopa de fermento para pão
- 1 colher de sobremesa de sal
- 1/2 xícara de óleo
- 1 xícara de água quente

COBERTURA

- 1 maço de brócolis cortados em raminhos e cozidos em água e sal
- 4 ou 5 cenouras cozidas e cortadas em tirinhas
- 2 xícaras de tofu
- azeitonas verdes
- 1/2 xícara de molho de tomate
- orégano a gosto
- sal
- azeite de oliva

Misturar os ingredientes da massa em uma tigela e mexê-los bem. Virá-los em superfície enfarinhada e trabalhá-los até tornarem-se uma massa lisa e macia. Colocá-la na tigela, cobri-la bem e deixá-la crescer por 2 horas ou até que seu volume dobre.

Abrir a massa com rolo e arrumá-la em forma de pizza untada com óleo. Espalhar por cima o molho de tomate e assá-la por 15 minutos.

Ao retirá-la do forno, cobri-la com o tofu picadinho e arrumar delicadamente os raminhos de brócolis por cima, intercalando-os com tiras de cenoura.

Terminar a decoração com as azeitonas e temperar a pizza com sal, orégano e azeite de oliva.

Deixá-la no forno por mais 15 minutos.

Se sobrar massa, colocar frutas dentro dela, ou fazer pãezinhos, colocar tomate e azeitonas dentro, ou mesmo abri-la com rolo e fazer biscoitinhos.

Pode-se também fritar a massa cortada em pedaços, com 1 azeitona sem caroço dentro de cada um, formando bolinhos salgados ou recheados com doces e geléias para ficarem adocicados.

PIZZA DE BRÓCOLIS E COGUMELO

MASSA
- 4 xícaras de farinha de trigo branca
- 2 colheres de sopa de fermento biológico para pão
- 1 colher de sobremesa de sal
- 4 colheres de sopa de óleo
- 2 xícaras de água morna

COBERTURA
- 1 maço grande de brócolis cortados em raminhos iguais e escaldados em água e sal
- 2 xícaras de cogumelos (*champignon, shiitake* ou *pleurotus*) cozidos, cortados em fatias e deixados de molho em 1 xícara de shoyo
- 1 xícara de azeitonas portuguesas (pretas e pequenas)
- 6 tomates cortados em rodelas finas
- 2 xícaras de molho de tomate
- orégano
- sal
- azeite

Misturar os ingredientes da massa e mexê-los bem.

Virá-los em uma superfície polvilhada de farinha de trigo e amassá-los até tornarem-se uma massa lisa, macia e elástica.

Deixá-la crescer por 2 horas em lugar protegido.

Dividir a massa em duas partes, abri-las com rolo e arrumá-las em duas formas de pizza grandes.

Espalhar sobre elas o molho de tomate e assá-las por 20 minutos em forno médio.

Cobrir as massas pré-assadas com as rodelas de tomate, arrumar sobre elas os raminhos de brócolis (cortá-los ao meio no sentido do comprimento), intercalando-os com as fatias de cogumelo e as azeitonas.

Regar as pizzas com azeite de oliva, temperá-las com sal e orégano a gosto e terminar de assá-las, agora em forno mais alto, por mais 30 minutos ou até estarem no ponto desejado.

PIZZA DE CENOURA E ALCAPARRAS

MASSA

- 1 1/2 xícara de farinha de trigo comum
- 1/2 xícara de farinha de glúten
- 1/2 xícara de aveia em flocos finos
- 1 colher de sopa de fermento para pão
- 1 colher de sobremesa rasa de sal
- 1 colher de sopa de açúcar
- 1/2 xícara de óleo
- 1 xícara de água morna

COBERTURA

- 5 ou 6 xícaras de cenoura cozida, cortada em rodelas
- 1/2 xícara de alcaparras
- 1 xícara de azeitonas portuguesas (pretas, bem pequenas)
- 3 ou 4 tomates cortados em rodelas
- 1/2 xícara de molho de tomate
- orégano a gosto
- sal
- azeite

Colocar em uma tigela os ingredientes secos da massa e misturá-los bem. Adicionar o óleo e o fermento diluído na água morna. Mexer a mistura com colher de pau, e em seguida virá-la em mesa enfarinhada. Trabalhá-la bastante com as mãos até tornar-se uma massa bem macia. Devolvê-la à tigela, cobri-la e deixá-la em lugar protegido por 2 horas. Após esse período, abri-la com rolo de macarrão e colocá-la em forma de pizza untada com óleo.

Espalhar o molho de tomate sobre ela e levá-la ao forno, em temperatura média, por 15 minutos.

Retirar a massa do forno e cobri-la com rodelas de tomate e de cenoura. Espalhar harmoniosamente as alcaparras e as azeitonas por cima. Temperá-la com sal e orégano.

Regá-la com bastante azeite e deixá-la no forno alto de 10 a 15 minutos.

PIZZA DE COGUMELO FRESCO

MASSA

- 1 1/2 xícara de farinha de trigo comum
- 1 xícara de farinha de trigo integral
- 1/2 colher de sopa de fermento para pão
- 1/2 colher de sobremesa de sal
- 1/2 xícara de óleo
- 1 xícara de água quente

Pizza de cogumelo fresco (continuação)

COBERTURA

- 4 xícaras de cogumelos (*champignon, shiitake* ou *pleurotus*) frescos
- 1/2 xícara de azeitonas chilenas
- 4 tomates cortados em rodelas
- 1/2 xícara de molho de tomate
- 1 colher de sobremesa de alecrim
- 1/2 colher de sobremesa de sal
- 3 colheres de sopa de azeite de oliva

Misturar as farinhas com o sal e o óleo. Diluir o fermento na água quente, juntá-lo às farinhas e misturá-los bem.

Amassar a mistura em mesa enfarinhada até tornar-se uma massa lisa e macia. Deixá-la crescer por 3 horas.

Abri-la com rolo e colocá-la em forma de pizza untada com óleo. Espalhar sobre ela o molho de tomate e assá-la por 15 minutos.

Fatiar os cogumelos e refogá-los no azeite com sal e alecrim.

Sobre a massa pré-assada, arrumar as rodelas de tomate, os cogumelos fritos, as azeitonas e mais azeite de oliva, se desejar.

Terminar de assá-la por 20 minutos aproximadamente.

PIZZA DE ERVILHA FRESCA

MASSA

- 1/2 kg de farinha de trigo comum
- 1 colher de sopa de fermento de pão
- 1 colher de sobremesa de sal
- 2 colheres de sopa de açúcar
- 12 colheres de sopa de óleo
- 1 copo de água ou leite de soja quente (diluir 2 colheres de sopa de extrato de soja em 1 xícara de água)

COBERTURA

- 3 ou 4 xícaras de ervilhas frescas fervidas em água e sal
- 2 xícaras de tofu feito em casa
- azeitonas a gosto
- 4 ou 5 tomates cortados em rodelas finas
- 1/2 xícara de molho de tomate
- orégano
- sal
- azeite de oliva

Misturar a farinha de trigo com o sal, o açúcar e o óleo. Diluir o fermento no leite ou na água quente e juntá-lo à mistura. Mexê-la com colher de pau, e em seguida colocá-la em mesa enfarinhada. Amassá-la bem até tornar-se uma massa macia e lisa. Deixá-la crescer por 3 horas, em lugar protegido.

Abrir a massa e colocá-la em uma forma de pizza grande untada com óleo. Espalhar sobre ela o molho de tomate e assá-la em forno médio por 15 minutos.

Cobrir a massa com tofu, e sobre ele arrumar as rodelas de tomate. Em seguida espalhar as ervilhas, regar a pizza com bastante azeite de oliva, temperá-la com sal e orégano, enfeitá-la com azeitonas e assá-la em forno médio por mais 20 minutos ou até o ponto desejado.

PIZZA DE MILHO

MASSA
- 1 xícara de fubá
- 1 xícara de farinha de trigo
- 1 colher de sopa de fermento de pão
- 1/2 colher de sobremesa de sal
- 1 colher de sopa de açúcar mascavo
- 10 colheres de sopa de óleo
- 1/2 xícara ou mais de água quente

COBERTURA
- 3 ou 4 xícaras de milho verde cozido
- 1 xícara de azeitonas chilenas picadas
- 4 colheres de sopa de alcaparras
- 4 ou 5 tomates maduros cortados em rodelas
- 1/2 xícara de molho de tomate
- orégano
- sal
- azeite de oliva

Misturar os ingredientes da massa e mexê-los bem. Sová-los em superfície enfarinhada até tornarem-se uma massa lisa e macia. Acrescentar-lhe mais farinha de trigo se estiver muito líquida, ou mais água se estiver ressecada.

Deixá-la crescer por 2 horas, no mínimo, e então abri-la com rolo.

Colocá-la em uma forma de pizza untada com óleo, cobri-la totalmente com o molho de tomate e levá-la ao forno por 20 minutos aproximadamente.

Retirá-la do forno, espalhar sobre ela as rodelas de tomate e depois todo o milho. Arrumar as azeitonas e as alcaparras por cima.

Temperá-la com sal e orégano e por último regá-la com bastante azeite de oliva.

Assá-la novamente por mais 15 minutos.

PIZZA DE PALMITO E BANANA FRITA

MASSA
- 2 xícaras de farinha de trigo
- 1/2 colher de sopa de fermento biológico
- 1 colher de sobremesa de sal
- 5 colheres de sopa de azeite de oliva
- 5 colheres de sopa de óleo
- 1 xícara de água morna/quente

COBERTURA
- 2 ou 3 xícaras de palmito picado
- 1/2 dúzia de bananas-pratas, bananas-marmelo ou bananas-da-terra, cortadas ao meio e fritas em óleo quente
- 5 tomates maduros cortados em rodelas
- 1 colher de sopa de manjericão ou basilicão
- sal a gosto
- azeite de oliva a gosto

MOLHO BÁSICO PARA PIZZAS
- 1 xícara de tomates sem sementes bem picados
- 1 colher de chá de orégano
- 1 xícara de purê de tomate
- 4 colheres de missô diluído em água ou 1/2 colher de sobremesa de sal
- 4 colheres de sopa de azeite de oliva
- 1/2 xícara de água

Misturar muito bem a farinha de trigo com o sal e o fermento. Acrescentar o óleo e misturá-lo com a farinha. Colocar a água quente e mexer tudo, em uma tigela, com colher de pau. Virar a massa em uma mesa polvilhada com farinha de trigo e trabalhá-la bem com as mãos.

Assim que se tornar lisa e bem macia, devolvê-la à tigela, tampá-la com um prato e cobri-la com uma toalha de mesa para aquecer a massa.

Deixá-la descansar por uma hora e meia aproximadamente. Certificar-se de que o local não tem correntes de ar frio e de que a temperatura não irá abaixar. É muito importante a massa manter-se quentinha, senão pode tornar-se pesada e dura.

Em uma panela média, fazer o molho básico: refogar no azeite de oliva os tomates em pedaços, o orégano e o missô ou o sal.

Após 6 minutos, acrescentar o purê de tomate e a água. Mexer bem a mistura e deixá-la em fogo alto até encorpar.

Abrir a massa com um rolo de macarrão, arrumá-la em uma forma própria para pizza, já untada, e cobri-la com o molho.

Levá-la ao forno médio por 35 minutos aproximadamente, sem deixá-la torrar.

Arrumar sobre ela os tomates, os palmitos e as bananas, temperá-la com sal e basilicão e regá-la com azeite de oliva.

Deixar a pizza 15 minutos em forno quente e servi-la.

PIZZA DE PIMENTÃO COM MILHO VERDE

MASSA

- 1 xícara de farinha de trigo integral
- 1 xícara de farinha de trigo branca
- mais farinha de trigo para trabalhar a massa
- 1/2 colher de sopa de fermento para pães
- 1 colher de sobremesa de sal
- 6 colheres de sopa de óleo
- 1 xícara de água morna

COBERTURA

- 6 pimentões verdes
- 1 lata de milho verde, ou o equivalente em grãos de milho escaldados
- 1 xícara de azeitonas verdes, se possível recheadas
- 3 tomates maduros
- orégano a gosto
- sal a gosto
- 3 colheres de sopa de missô
- azeite de oliva

Misturar os ingredientes da massa em uma tigela, transferi-los para uma mesa enfarinhada e trabalhá-los com as mãos até tornarem-se uma massa macia e elástica.

Tampá-la, protegê-la do frio e deixá-la crescer por uma hora e meia ou até dobrar de tamanho.

Abri-la e colocá-la em forma de pizza, untada com óleo.

Bater no liquidificador 1 tomate inteiro, com 2 pimentões, 3 colheres de missô e 4 azeitonas sem caroços.

Espalhar esse creme sobre a massa e levá-la ao forno por 15 minutos.

Retirá-la do forno e cobri-la com os 2 tomates restantes cortados em rodelas, os pimentões cortados em rodelas bem finas e o milho verde.

Enfeitar a pizza com azeitonas, regá-la com azeite de oliva e temperá-la com sal e orégano a gosto.

Terminar de assá-la por 20 ou 30 minutos.

PIZZA DE TOFU E ESCAROLA

MASSA
- 1/2 kg de farinha de trigo integral
- 1 colher de sopa de fermento para pão
- 1/2 colher de sobremesa de sal
- 4 colheres de sopa de óleo
- 1 xícara de água ou leite de soja quente (diluir 2 colheres de sopa de extrato de soja em 1 xícara de água)

COBERTURA
- 3 pés de escarola picada e escaldada até amaciar
- 2 xícaras ou mais de tofu
- azeitonas
- 4 tomates maduros em rodelas
- 1/2 xícara de purê de tomates
- orégano
- sal
- azeite de oliva
- 2 colheres de sopa de missô
- 1/3 de xícara de água

Misturar os ingredientes da massa e trabalhá-los bem em superfície enfarinhada. Deixar a massa crescer em lugar protegido por 30 minutos.

Abri-la com rolo e colocá-la em forma de pizza untada com óleo.

Diluir na água o missô e o purê de tomates. Acrescentar orégano a gosto e espalhar esse creme sobre a pizza antes de assá-la, de 15 a 20 minutos em forno médio.

Ao retirá-la do forno, cobri-la com o tofu amassado com um garfo, espalhar por cima as rodelas de tomate e, por último, colocar a escarola, que deverá estar escaldada em água salgada.

Temperá-la com sal, orégano e azeitonas a gosto e regá-la com azeite de oliva. Deixá-la no forno novamente por 20 minutos ou até o ponto desejado.

PIZZA FECHADA (CALZONE) DE PALMITO

MASSA
- 1 kg de farinha de trigo
- 1 colher de sopa de fermento biológico
- 1 colher de sobremesa de sal
- 1/3 de xícara de óleo de milho
- 1 1/2 xícara ou mais de água quente

**Pizza fechada (calzone)
de palmito
(continuação)**

RECHEIO

- 1 vidro de palmito
- 2 colheres de sopa de alcaparras
- 1 xícara de azeitonas picadas
- 6 tomates
- 1/2 xícara de purê de tomate
- 2 colheres de sopa de orégano
- 1 colher de sopa de missô
- 4 colheres de sopa de azeite de oliva

Misturar bem os ingredientes da massa em uma tigela.

Amassá-los com as mãos em superfície enfarinhada até tornarem-se uma massa macia e deixá-la crescer, bem protegida, por uma hora e meia.

Untar uma forma, abrir a massa com um rolo em dois discos iguais e forrar a forma com um. Colocar sobre ele os ingredientes do recheio, já bem misturados, exceto o missô, o purê de tomates e o azeite de oliva.

Diluir o missô com o purê de tomate e espalhá-lo por cima do recheio. Regar tudo com um fio de azeite de oliva e tampar a pizza com o outro disco de massa.

Assá-la até o ponto desejado.

PIZZA FECHADA (CALZONE) DE PIMENTÃO E MANJERICÃO

- 1 kg de farinha de trigo
- 1 colher de sopa de fermento biológico
- 1 colher de sobremesa de manjericão
- 1 colher de sobremesa de sal
- 1/3 de xícara de azeite de oliva
- 1 1/2 xícara de água quente

RECHEIO

- 1 pimentão vermelho em tiras
- 1 pimentão verde em tiras
- 1 pimentão amarelo em tiras
- 1/2 xícara de azeitonas verdes picadas
- 4 tomates maduros
- 1/2 xícara de purê de tomate
- 1 colher de sopa de missô

Misturar os ingredientes da massa em uma tigela e em seguida trabalhá-los com as mãos em uma mesa enfarinhada. Assim que se tornarem uma massa macia, devolvê-la à tigela e deixá-la crescer por uma hora e meia.

Dividir a massa em duas partes iguais e abri-las com um rolo.

Forrar com uma delas uma assadeira untada e passar sobre ela o missô previamente diluído no purê de tomate.

Arrumar sobre ele os demais ingredientes e tampar a pizza com a outra metade de massa, que não deverá estar muito grossa.

Assar a pizza em forno médio por aproximadamente 1 hora, ou até estar dourada. Retirá-la da assadeira e servi-la.

PIZZA INTEGRAL DE TOFU E TOMATES

MASSA
- 1 xícara de farinha de trigo integral
- 1/2 colher de sobremesa de sal
- 1/2 xícara de água

COBERTURA
- 4 xícaras de tofu
- 5 ou 6 tomates cortados em rodelas finas
- manjericão a gosto
- sal a gosto
- azeite de oliva

Misturar todos os ingredientes da massa em uma tigela e trabalhá-los com as mãos até tornarem-se uma massa macia. Colocar mais água se for necessário.

Abrir a massa com um rolo de macarrão e colocá-la em uma forma de pizza untada com óleo.

Espalhar por cima dela um pouco de azeite de oliva e levá-la ao forno médio por uns 15 minutos.

Arrumar o tofu por cima, com um garfo, e sobre ele as rodelas de tomates.

Temperar a pizza com sal e manjericão e regá-la com azeite de oliva. Deixá-la no forno por mais uns 10 minutos. Ficar atento para a massa não torrar muito, pois, como não leva fermento, poderá endurecer.

MASSA PARA ESFIHAS

- 1 quilo de farinha de trigo branca ou integral
- 2 colheres de sopa de fermento para pão
- 4 colheres de sopa de óleo
- 2 xícaras de leite de soja morno (diluir 2 colheres de sopa de extrato de soja em 1 xícara de água)

Misturar em uma tigela, a farinha de trigo com o óleo. Dissolver o fermento de pão no leite morno e juntá-lo à farinha. Misturar tudo bem e colocar a mistura em uma mesa enfarinhada, para poder amassá-la com as mãos. Dividir a massa em duas partes.

Abrir a primeira com o rolo, deixando-a o mais fininho possível. Cortá-la, com um pote plástico, em quadrados de aproximadamente 10 cm de lado, e rechear as esfihas. Fechar-lhes as pontas com os dedos, deixando-as na forma de um triângulo. Apertar bem as pontas.

Juntar todas as sobrinhas da massa, amassá-la novamente, abri-la com o rolo e fazer mais esfihas.

Acabada a primeira massa, abrir a segunda e proceder da mesma forma. Untar uma forma com óleo e arrumar nela as esfihas. Levá-las para assar em forno médio por uma hora ou até estarem douradas.

Observação: Deixar a mesa sempre enfarinhada, para que as esfihas fiquem soltas, continuando assim com o formato quadrado. É a partir do quadrado que se formará o triângulo, bastando apenas juntar as duas pontas opostas.

RECHEIO PARA ESFIHAS DE FOLHA DE NABO

- 12 xícaras de folhas de nabo picadinhas
- 1/2 xícara de azeitonas chilenas picadas em grandes pedaços
- 1 xícara de pimentão verde picadinho
- 1/2 pimentão amarelo picado
- 1 colher de sopa de zattar (tempero sírio encontrado em empórios árabes)
- 2 colheres de sobremesa rasas de sal
- 8 colheres de sopa de azeite de oliva

Refogar no azeite de oliva por alguns minutos o pimentão verde, as azeitonas, o zattar e o sal. Acrescentar as folhas picadas e manter a panela destampada, mexendo-a até as folhas ficarem cozidas. Colocar o pimentão amarelo bem picadinho e provar o tempero.

Rechear as esfihas e assá-las. Servi-las com caldo de limão à vontade, quentes ou frias.

RECHEIO PARA ESFIHAS DE REPOLHO E FLOCOS DE ERVILHA

- 2 xícaras de repolho cortado o mais fino possível
- 9 colheres de sopa de flocos de ervilha (encontrados em casas de produtos naturais)
- 2 xícaras de acelga bem picadinha
- 1/2 xícara de azeitonas verdes picadas
- 1 xícara de pimentão amarelo
- 1 xícara de salsinha picada

Recheio para esfihas de
repolho e flocos de ervilha
(continuação)

- 1 colher de sopa de zattar (tempero sírio encontrado em empórios árabes)
- 1 1/2 colher de sobremesa de sal
- 8 colheres de sopa de azeite

Esquentar o azeite em uma panela. Acrescentar a salsa, o zattar, o sal, as azeitonas e os flocos de ervilha. Deixá-los refogar por 2 minutos.

Colocar então a acelga, o repolho e ir adicionando a água bem aos poucos, conforme for precisando. Colocar por último os pimentões picados. Assim que estiver tudo cozido e as ervilhas já estiverem inchadas, desligar o fogo e esperar o refogado esfriar para rechear as esfihas. Rende aproximadamente 40 esfihas.

RECHEIO PARA ESFIHAS COM ACELGA

- 1 acelga
- 2 pés de chicória ou escarola
- 4 colheres de sopa bem cheias de flocos de ervilha (encontrados em lojas de produtos naturais)
- 1 pimentão verde grande
- 1 1/2 xícara de coentro picadinho
- 1 colher de sopa de zattar (tempero sírio encontrado em empórios árabes)
- 1 colher rasa de sobremesa de sal
- 7 colheres de sopa de azeite de oliva

Esquentar o azeite em uma panela grande. Acrescentar o coentro, o pimentão bem picadinho, o zattar, o sal, a chicória e a acelga picada o mais fininho possível. Mexer tudo bem com uma colher de pau e tampar a panela. Deixá-la em fogo baixo até as folhas estarem cozidas.

Quando o recheio ficar pronto, provar o sal e colocar os flocos para absorverem o excesso de água acumulada.

Deixá-lo na geladeira para rechear as esfihas no dia seguinte.

Rende aproximadamente 40 esfihas.

RECHEIO PARA ESFIHAS COM ERVILHAS FRESCAS E CENOURA

- 2 xícaras de ervilhas frescas (na falta, usar as congeladas)
- 1 xícara de cenoura desfiada com descascador manual
- 3 ou 4 pés de escarola cortados bem fininho
- 1 xícara de azeitonas verdes picadas
- 1 pimentão verde bem picadinho
- 2 maços de coentro picadinho

Recheio para esfihas com ervilhas frescas e cenoura (continuação)

- 1 maço de salsa fresca picada
- 4 colheres de sopa de zattar (tempero sírio encontrado em empórios árabes)
- 1 colher de sobremesa de sal
- 5 colheres de sopa de azeite de oliva

Esquentar o azeite em uma panela e refogar o coentro picado, a salsa picada, as azeitonas e o zattar. Após 5 ou 6 minutos, acrescentar o pimentão picadinho, a cenoura e o sal. Colocar então as escarolas em tirinhas e as ervilhas.

Misturá-los com colher de pau, tampar a panela e esperar que cozinhem, mexendo de vez em quando para distribuir bem o tempero.

Rechear as esfihas e, depois de prontas, servi-las com caldo de limão, quentes ou frias.

RECHEIO PARA ESFIHAS COM PROTEÍNA DE SOJA MIÚDA

- 1 1/2 xícara de proteína de soja miúda
- 1/2 xícara de pimentão bem picadinho
- 1 maço de salsa fresca
- 3 colheres de sopa de zattar (tempero sírio encontrado em empórios árabes)
- 1/2 colher de sobremesa de sal
- 12 colheres de sopa de azeite de oliva
- 2 xícaras de água quente

Colocar o azeite de oliva em uma panela e levá-la ao fogo. Assim que estiver quente, colocar a proteína de soja e torrá-la levemente, mexendo-a com uma colher de pau para evitar que grude no fundo da panela.

Adicionar o sal, a salsinha e o zattar e misturá-los bem. Acrescentar a água quente e deixar a panela semitampada até a soja estar inchada.

Não deixá-la ficar mole demais e, assim que estiver boa, provar o sal e acrescentar o pimentão picadinho bem miúdo. Desligar o fogo e esperar o refogado esfriar para rechear as esfihas. Servi-las com limão.

MASSAS

Cabelo-de-anjo com ervilha fresca e alcaparras 207
Farfale com caruru 207
Farfale com legumes 208
Fettucine com ervilha-torta e cogumelo 208
Macarrão ao molho de azeitonas 209
Macarrão bifun (mifun) com tomatinho-rubi 209
Macarrão bifun com abobrinhas 210
Macarrão bifun com bardana e tomates secos 211
Macarrão com berinjela e brócolis 211
Macarrão com brócolis 212
Macarrão com brotos de lentilha 212
Macarrão com ervilha fresca e alcaparras 213
Macarrão com folhas 213
Macarrão com funghi seco 214
Macarrão com milho 214
Macarrão com noz-moscada 215
Macarrão com nozes 215
Macarrão com raízes 215
Macarrão com tomates secos 216
Macarrão cremoso 216
Macarrão simples com salsinha fresca 217
Macarrão tricolor com molho 217
Macarronada com tomate recheado 218
Macarronada crocante 219
Macarronada de berinjela e ervilha-torta 220
Macarronada de bavette com brócolis e cenoura 220

Macarronada delicada 221
Nhoque de abóbora 221
Nhoque de batata 222
Nhoque de cará 223
Nhoque de mandioca 223
Parafuso com milho 224
Parafuso com tomate 224
Spaghetti com ervilha-torta 225
Spaghetti com molho de tomate simples, peneirado 225
Spaghetti com molho verde 226
Spaghetti com proteína de soja e alcaparras 226
Spaghetti com rodelas de berinjela 227
Talharim com molho de tomate e berinjela 228

CABELO-DE-ANJO COM ERVILHA FRESCA E ALCAPARRAS

- 1/2 pacote de macarrão sem ovos tipo cabelo-de-anjo
- 4 xícaras de ervilha fresca (na falta usar congelada)
- 4 colheres de sopa de alcaparras
- 1 xícara de azeitonas picadas em grandes pedaços
- 1 colher de sopa de manjericão
- 3 colheres de sobremesa de semente de coentro
- 1 colher de sobremesa de sal
- 8 colheres de sopa de azeite de oliva
- água, óleo e sal para cozinhar o macarrão

Cozinhar o macarrão conforme as instruções da embalagem. Escorrê-lo, lavá-lo em água fria e reservá-lo.

Refogar os temperos no azeite de oliva, junto com as alcaparras, as azeitonas e o sal. Assim que estiverem levemente fritos, acrescentar as ervilhas, mexê-las bem com colher de pau, tampar a panela e, tão logo estejam macias e quentes, adicionar o macarrão cozido.

Servi-lo quente.

FARFALE COM CARURU

- 1/2 caixa de macarrão tipo farfale, gravatinha de sêmola ou grano duro
- 2 maços de caruru fresco
- 3 colheres de sopa de alcaparra
- 1 xícara de pimentão amarelo cortado em tirinhas
- 1/2 xícara de coentro fresco picado
- 10 colheres de sopa de azeite de oliva

Cozinhar o macarrão conforme as instruções da embalagem e, em seguida, lavá-lo em água fria para retirar o amido, que deixa o macarrão grudado depois de frio. Refogar no azeite, em uma panela grande, o coentro, o pimentão e as alcaparras. Deixá-los por 7 minutos, mexendo-os sempre.

Acrescentar o caruru (somente as partes tenras) e, assim que estiver macio, o que é rápido, colocar o macarrão cozido. Misturá-lo bem, transferi-lo para uma travessa e servi-lo quente.

FARFALE
COM LEGUMES

- 1/2 pacote de farfale de sêmola ou grano duro
- 1/2 berinjela média
- 1 abobrinha
- 1/2 xícara de azeitonas pretas sem os caroços
- 1/2 pimentão amarelo
- 1/2 pimentão vermelho
- 2 tomates
- 1 1/2 xícara de purê de tomate
- 1 colher de sopa de manjericão
- 1/2 colher de sopa de alecrim
- 1 colher de sopa de gengibre fresco ralado
- 1/2 colher de sobremesa de sal
- 4 colheres de sopa de azeite de oliva

Cortar os legumes em quadradinhos de tamanhos iguais e colocá-los em uma assadeira. Os tomates deverão estar sem as sementes.

Assar os legumes e, enquanto isso, fazer o macarrão e o molho.

Quanto ao macarrão, basta cozinhá-lo seguindo as instruções da embalagem.

Para o molho, colocar o azeite, o manjericão, as azeitonas picadas, o gengibre, o sal, o alecrim e o purê de tomate em uma panela. Deixá-la em fogo baixo enquanto os legumes estiverem assando.

Virar os legumes para que fiquem assados dos dois lados e, assim que estiverem bem macios, transferi-los para a panela do molho. Colocar o macarrão também na panela do molho, misturar tudo bastante, passar para uma travessa grande e servir quente.

FETTUCINE COM
ERVILHA-TORTA
E COGUMELO

- 1/2 pacote de fettucine de sêmola ou grano duro
- 6 xícaras de ervilhas-tortas sem as pontas e as laterais fibrosas
- 3 xícaras de cogumelo de sua preferência
- 1 pimentão verde picado em tiras semelhantes às ervilhas
- 1 colher de chá de manjericão fresco picado
- 1 colher de chá de alecrim seco
- 1 colher de sobremesa de sal
- 8 colheres de sopa de azeite de oliva

Cozinhar o macarrão seguindo as instruções da embalagem e reservá-lo.

Esquentar o azeite de oliva, fritar os cogumelos, temperá-los com alecrim, manjericão e sal e, assim que estiverem levemente dourados, acrescentar as ervilhas cortadas ao meio. Tampar a panela e deixá-la em fogo baixo até as ervilhas estarem cozidas.

Adicionar as tiras de pimentão e o macarrão cozido. Misturar o macarrão delicadamente com garfo ou colher de pau, até ter-se incorporado ao refogado.

Colocá-lo em uma travessa e servi-lo quente.

Caso seja necessário esquentar o macarrão, cobri-lo com papel alumínio.

MACARRÃO AO MOLHO DE AZEITONAS

- 1 pacote de macarrão tipo fettucine sem ovos
- 10 azeitonas verdes inteiras
- 4 colheres de sopa de azeitonas verdes sem caroços e, se possível, recheadas
- 1 lata de tomates inteiros
- 1 xícara de tomates maduros, picados
- 1 1/2 xícara de purê de tomate
- 1/2 xícara de salsa fresca picada
- 1 colher de café de urucum em pó
- 1 colher de sopa de açúcar
- 1 colher de sobremesa de sal
- 8 colheres de sopa de óleo

Cozinhar o macarrão com óleo e sal, seguindo as instruções da embalagem.

Esquentar o óleo em outra panela e refogar nele, por 5 minutos, a salsa, o coentro, o urucum, o sal e as azeitonas inteiras.

Acrescentar então o purê de tomate, o açúcar e os tomates inteiros da lata. Mexê-los bem e cozinhá-los por mais 5 minutos.

Bater no liquidificador as azeitonas sem caroços e uma concha do molho da panela. Tomar cuidado para não retirar as azeitonas inteiras.

Devolver à panela o molho batido com as azeitonas. Abaixar o fogo e deixar o molho ferver por 25 minutos, ou até estar bem cremoso.

MACARRÃO BIFUN (MIFUN) COM TOMATINHO-RUBI

- 1/2 pacote de macarrão Bifun de arroz
- 3 xícaras de tomatinhos-rubis cortados ao meio
- 1/2 xícara de folhas de salsão picadas
- 1/2 xícara de coentro fresco picado

Macarrão Bifun (mifun)
com tomatinho-rubi
(continuação)

- 1/2 colher de café de açafrão em pó
- 1/2 colher de café de raiz-forte em pó
- 1/2 colher de sobremesa de sal
- 4 colheres de sopa de shoyo
- 4 colheres de sopa de óleo

Cozinhar o macarrão em água fervente com óleo e sal, escorrê-lo e passá-lo em água fria. Reservá-lo.

Levar ao fogo o óleo em outra panela e, assim que estiver quente, fritar nele o coentro, o açafrão, a raiz-forte, o salsão e o sal.

Após 5 minutos, acrescentar os tomatinhos e deixá-los refogar em fogo baixo, com a panela semitampada, por 20 minutos.

Adicionar então o macarrão cozido e misturá-lo delicadamente.

Colocar shoyo e missô a gosto.

Transferir o macarrão para uma travessa e servi-lo quente.

MACARRÃO BIFUN COM ABOBRINHAS

- 1/2 pacote de macarrão Bifun (feito de arroz, cozinha rapidamente)
- 2 xícaras de abobrinha picada o mais possível
- 1 xícara de tomates-rubis (minitomates), ou 1 xícara de tomate picado
- 3 colheres de sopa de coentro
- manjericão a gosto
- 1 colher de café de noz-moscada em pó
- 1/2 colher de sobremesa de sal
- 6 colheres de sopa de shoyo
- 4 colheres de sopa de azeite de oliva

Cozinhar o macarrão em água e pouco sal. Escorrer a água do cozimento, passar o macarrão em outra, fria, e deixá-lo reservado.

Levar ao fogo uma panela com azeite de oliva e, quando estiver quente, acrescentar o coentro e as abobrinhas. Mexer a panela e deixá-la tampada por 6 minutos. Colocar então o shoyo, os tomatinhos, a noz-moscada, e um pouquinho de manjericão.

Misturar tudo bem com colher de pau e deixar em fogo alto com a panela destampada.

Adicionar o macarrão cozido, e misturá-lo bem.

Virá-lo em uma travessa e servi-lo quente.

MACARRÃO BIFUN COM BARDANA E TOMATES SECOS

- 1/2 pacote de macarrão Bifun, massa de arroz, que se encontra em casas japonesas
- 7 raízes de bardana picadas
- de 7 a 10 azeitonas verdes sem caroços
- 2 xícaras de tomates secos previamente temperados e cortados em pedaços
- 5 colheres de sopa de purê de tomate
- 1/2 xícara de coentro picado
- 1 colher de sobremesa de sal
- 5 colheres de sopa de shoyo
- 8 colheres de sopa de azeite de oliva

Cozinhar o macarrão em água fervente e sal. Escorrê-lo, lavá-lo em água fria e reservá-lo.

Fritar no azeite de oliva as raízes e os tomates secos, ambos picados.

Bater no liquidificador o coentro, o purê de tomate, as azeitonas e o shoyo e juntar esse creme à panela.

Assim que o refogado estiver fervendo, acrescentar o macarrão cozido.

Misturá-lo delicadamente, arrumá-lo em uma travessa e servi-lo em seguida.

MACARRÃO COM BERINJELA E BRÓCOLIS

- 1/2 pacote de macarrão sem ovos
- 3 xícaras de berinjela picada (aproximadamente 1 berinjela média)
- 3 xícaras de brócolis picados
- 1/2 colher de sobremesa de sal
- shoyo ou missô a gosto
- 5 colheres de sopa de óleo
- óleo e sal para cozinhar o macarrão

Levar ao fogo uma panela grande, com água. Assim que estiver fervendo, adicionar 1 colher de sopa de óleo e 1 colher de sopa de sal.

Esperar levantar fervura novamente e colocar o macarrão. Respeitar os minutos recomendados na embalagem.

Escorrê-lo, passá-lo em água fria e deixá-lo reservado.

Refogar no óleo, em outra panela, a berinjela picada, os brócolis picados e o sal.

Tampar a panela e, assim que tudo estiver macio, adicionar o macarrão reservado. Misturá-lo delicadamente.

Transferi-lo para uma travessa e servi-lo quente, com shoyo ou missô a gosto.

MACARRÃO COM BRÓCOLIS

- ◆ 1 pacote de macarrão sem ovos (massa miúda como, por exemplo, gravatinhas, argolinhas, etc.)
- ◆ 1 maço de brócolis picado
- ◆ 1/2 xícara de coentro picado
- ◆ 1/2 xícara de salsa fresca picada
- ◆ 1 colher de chá de gengibre ralado
- ◆ 1 colher de sobremesa de sal
- ◆ 3 colheres de sopa de óleo

Cozinhar o macarrão seguindo as instruções da embalagem.

Escorrê-lo, lavá-lo em água fria e reservá-lo.

Aquecer bem o óleo em uma panela grande e refogar nele o gengibre, os temperos verdes, o sal e os brócolis picados.

Tampar a panela e deixá-la em fogo alto até os brócolis estarem macios, não se desmanchando.

Adicionar o macarrão, misturá-lo delicadamente com colher de pau, e deixá-lo em fogo brando por 5 minutos.

Quando estiver quente, provar o sal e corrigi-lo se necessário.

Transferir o macarrão para uma bonita travessa e servi-lo quente.

MACARRÃO COM BROTOS DE LENTILHA

- ◆ 1/2 pacote de macarrão japonês
- ◆ 1/2 xícara de grãos de lentilha
- ◆ 1/2 xícara de cenouras em cubinhos
- ◆ 1/2 xícara de nabo cortado em cubinhos
- ◆ 5 colheres de sopa de shoyo ou sal a gosto
- ◆ 4 colheres de sopa de azeite de oliva

Deixar as lentilhas de molho por uma noite inteira e escorrê-las em uma peneira coberta com um pano de prato limpo.

Deixá-las assim por 2 dias, lavando-as 2 ou 3 vezes ao dia, para que os grãos fiquem sempre úmidos.

Quando os brotos crescerem, preparar o macarrão.

Cozinhar o macarrão de sua preferência e reservá-lo.

Refogar no azeite de oliva, por aproximadamente 6 minutos, a cenoura, o nabo e os brotos, mexendo-os sempre com uma colher de pau.

Adicionar então o shoyo, tampar a panela e, assim que os legumes estiverem cozidos, colocar o macarrão.

Misturar tudo bem, colocar em travessa e servir quente.

MACARRÃO COM ERVILHA FRESCA E ALCAPARRAS

- 1/2 pacote de macarrão sem ovos
- 4 xícaras de ervilha fresca (pode-se usar a congelada)
- 4 colheres de sopa de alcaparras
- 1 xícara de azeitonas em grandes pedaços
- 1 colher de sopa de manjericão
- 3 colheres de sobremesa de sementes de coentro
- 1 colher de sobremesa de sal
- 8 colheres de sopa de azeite de oliva
- água, óleo e sal para cozinhar o macarrão

Cozinhar o macarrão conforme as instruções da embalagem. Escorrê-lo, lavá-lo em água fria e reservá-lo.

Refogar os temperos no azeite de oliva, junto com as alcaparras, as azeitonas e o sal. Após uma leve fritada, acrescentar as ervilhas (ainda congeladas). Mexer bem a panela com colher de pau, tampá-la e, tão logo as ervilhas estejam macias e quentes, adicionar o macarrão cozido. Esquentá-lo por 20 minutos em forno médio, com a travessa coberta, caso não seja servido em seguida.

MACARRÃO COM FOLHAS

- 1 pacote de macarrão de sêmola ou grano duro
- 2 xícaras de acelga picadinha
- 1 xícara de folha de nabo picadinha
- 1 xícara de folhas de cenoura picadinhas
- 2 xícaras das partes tenras de caruru picadinhas
- 4 colheres de sopa de alcaparras
- 1/2 xícara de coentro fresco picadinho
- 2 colheres de sopa de manjericão
- 1 pitada de alecrim
- 1 colher de sobremesa de sal
- 5 colheres de sopa de azeite de oliva

Cozinhar o macarrão seguindo as instruções da embalagem, escorrê-lo, lavá-lo em água fria e reservá-lo.

Refogar no azeite de oliva, em uma panela grande, o manjericão, o coentro e o alecrim. Após 5 ou 6 minutos, colocar as folhas. Mexê-las até que fiquem bem misturadas com os temperos. Deixar a panela destampada, e não parar de mexê-la até as folhas estarem macias. Adicionar o macarrão cozido e misturá-lo com as folhas. Assim que estiver quentinho e bem misturado, servi-lo.

MACARRÃO COM FUNGHI SECO

- 2 xícaras de macarrão tipo Pignolina 71 (formato de arroz)
- 2 xícaras de funghi seco
- 1 xícara de azeitonas recheadas
- 1 xícara de coentro picado
- 1 colher de sopa de sálvia
- 2 colheres de sobremesa de sal
- 6 colheres de sopa de azeite de oliva
- 4 colheres de sopa de óleo
- 6 xícaras de água

Deixar os funghis de molho por 30 minutos em 4 xícaras de água e então escorrê-los. Essa água deverá ser levada ao fogo com mais 2 xícaras de água, 4 colheres de sopa de óleo e 1/2 colher de sobremesa de sal. Adicionar o macarrão assim que a água estiver fervendo.

Quando o macarrão estiver macio, escorrer a água e deixá-lo reservado.

Fritar no azeite de oliva o coentro, a sálvia, as azeitonas picadas, os funghis picados e o sal restante.

Após 6 minutos, acrescentar o macarrão cozido e mexê-lo delicadamente. Colocá-lo em uma travessa e servi-lo.

MACARRÃO COM MILHO

- 1/2 pacote de macarrão furadinho
- 4 xícaras de milho verde cozido, ou 4 latinhas
- 4 colheres de sopa de castanhas picadas
- 1 pimentão verde picado
- 1 xícara de coentro picado
- 1 xícara de salsa fresca picada
- 1/2 xícara de shoyo
- 3 colheres de sopa de azeite de oliva

Cozinhar o macarrão em água fervente com óleo e sal. Escorrê-lo, passá-lo em água fria e reservá-lo.

Refogar no azeite, em uma panela grande, o pimentão, o coentro, a salsa, o milho, as castanhas e o shoyo.

Misturá-los bem e deixá-los por 20 minutos no fogo alto, com a panela tampada.

Acrescentar o macarrão à panela, misturá-lo bem e aquecê-lo por 5 minutos aproximadamente. Arrumá-lo em travessa e servi-lo.

Pode-se servir pão fresco para acompanhá-lo.

MACARRÃO COM NOZ-MOSCADA

- 1/2 pacote de macarrão de grano duro, tipo talharim
- 1 colher de chá ou mais de noz-moscada moída
- 4 xícaras de cogumelos (*champignon, shiitake* ou *pleurotus*)
- 4 colheres de sopa de shoyo
- sal a gosto
- 6 colheres de sopa de azeite de oliva

Aquecer o azeite e nele fritar os cogumelos. Misturar o shoyo, a noz-moscada e o macarrão já cozido em água e sal e escorrido.

Transferi-lo para uma travessa e salpicá-lo com mais shoyo, se estiver sem sal, e servi-lo quente.

MACARRÃO COM NOZES

- 1 pacote de macarrão argolinha
- 1 xícara de nozes descascadas e quebradas em pedaços (não moídas)
- de 6 a 10 azeitonas chilenas inteiras
- 1 xícara de uva-passa sem sementes
- 1 xícara de salsa fresca picada
- 1/2 colher de sopa de curry
- sal a gosto
- 4 colheres de sopa de azeite de oliva

Cozinhar o macarrão em uma panela com água fervente, óleo e sal até estar macio. Escorrê-lo e deixá-lo reservado.

Esquentar o azeite de oliva em uma panela e fritar nele a salsa e as azeitonas chilenas inteiras.

Após 6 minutos, adicionar o curry, uma pitada de sal, as nozes, as passas e o macarrão cozido e escorrido.

Misturá-lo delicadamente com um garfo de madeira até ficar bem homogêneo.

Colocá-lo em uma travessa e servi-lo quente, com algumas nozes inteiras, com mais sal, se necessário, e azeite de oliva.

MACARRÃO COM RAÍZES

- 1/2 pacote de macarrão sem ovos, tipo cabelo-de-anjo
- 1 cenoura picadinha
- 2 mandioquinhas

Macarrão com raízes
(continuação)

- 1 xícara de beterraba descascada e picada
- 1/2 xícara de cará descascado e picado
- 1/2 xícara de shoyo
- 1/2 xícara de água

Cozinhar o macarrão em água fervente, com óleo e sal. Escorrê-lo, lavá-lo em água fria e reservá-lo.

Levar ao fogo uma panela com o shoyo, a água e os legumes e, assim que estiverem cozidos, acrescentar o macarrão, misturá-lo bem, e desligar o fogo. Colocar o macarrão em travessa e servi-lo quente.

MACARRÃO COM TOMATES SECOS

- 1/2 pacote de macarrão sem ovos, tipo gravatinha (farfale)
- 1 xícara de azeitonas pretas picadas
- 3 xícaras de tomates secos temperados
- 1 xícara de pimentão picado
- 2 colheres de sopa de temperos verdes
- 1 colher de sobremesa de sal
- 1/2 xícara de azeite de oliva
- 2 colheres de sopa de óleo

Colocar 2 colheres de sopa de óleo e 1 colher de sopa de sal em uma panela grande, com água. Levá-la ao fogo e, assim que estiver fervendo, adicionar o macarrão.

Respeitar os minutos sugeridos na embalagem. Quando estiver macio, escorrê-lo, passá-lo em água fria e deixá-lo reservado.

Aquecer, em uma panela grande, o azeite de oliva e refogar nele todos os ingredientes. Após 8 minutos, colocar o macarrão cozido. Mexê-lo delicadamente com uma colher de pau. Colocá-lo em uma travessa e servi-lo quente.

MACARRÃO CREMOSO

- 1/2 pacote de macarrão tipo fettucine
- 1 couve-flor média cortada em raminhos
- 10 azeitonas verdes picadinhas
- 1/2 xícara de nozes picadas
- 3 tomates maduros bem picadinhos
- 1 colher de sopa de manjerona
- 1 pitada de noz-moscada em pó
- 1 colher de chá de curry
- 2 colheres de sopa de farinha de trigo

Macarrão cremoso
(continuação)

- farinha de rosca (opcional)
- sal
- 1/2 xícara de azeite de oliva

Cozinhar o macarrão, escorrê-lo, passá-lo em água fria e reservá-lo.

Cozinhar os raminhos de couve-flor em água e sal. Retirá-los quando estiverem macios e reservar a água.

Levar ao fogo em outra panela o azeite e a farinha de trigo e, mexendo-a com uma colher de pau, deixá-la torrar até que doure. Despejar na panela, aos poucos, 2 xícaras da água do cozimento da couve-flor, bem quente, mexendo sempre a farinha para não empelotar. Acrescentar os temperos e os tomates e deixá-los ferver até o molho engrossar.

Transferir o macarrão cozido para uma travessa funda, regá-lo com um pouquinho de azeite de oliva, distribuir os raminhos de couve-flor entre a massa e despejar o molho branco por cima. Espalhar farinha de rosca e as nozes sobre o macarrão e deixá-lo no forno preaquecido de 6 a 8 minutos.

MACARRÃO SIMPLES COM SALSINHA FRESCA

- 1 pacote de macarrão tipo pene de sêmola ou grano duro
- 2 xícaras de salsa fresca picada
- sal ou shoyu a gosto
- 10 colheres de sopa de azeite de oliva

Cozinhar o macarrão com óleo e sal seguindo as instruções da embalagem e reservá-lo. Esquentar o azeite em uma panela e fritar a salsinha. Colocar o macarrão na panela, adicionar o sal ou o shoyo e misturá-lo bem. Transferi-lo para uma travessa e servi-lo quente.

MACARRÃO TRICOLOR COM MOLHO

- 1/2 pacote de macarrão tricolor sem ovos
- 1 xícara de nabos secos fatiados
- 1 fatia de abóbora crua para encorpar
- 6 tomates sem peles
- 1 pimentão vermelho picado em rodelas
- 1/2 xícara de salsão (aipo) em rodelinhas
- 1 xícara de coentro ou salsa fresca picadinha
- 1 folha de louro
- 2 colheres de sopa de shoyo ou sal a gosto
- 3 colheres de sopa de azeite de oliva
- óleo e sal

Cozinhar o macarrão em água fervente, com óleo e sal, até estar macio. Escorrê-lo e passá-lo em água fria. Deixá-lo reservado.

Bater no liquidificador os tomates com um pouquinho de água e a abóbora crua, cortada em pedacinhos. Aquecer o azeite de oliva e nele dourar o aipo, o nabo seco e o louro. A seguir adicionar o creme do liquidificador e deixar tudo ferver por 20 minutos. Acrescentar o shoyo e provar o sal. Trata-se de um molho muito bom e de utilização bem ampla, portanto pode-se variar seu sabor apenas temperando ora com salsa fresca, ora com coentro ou ainda com orégano.

Arrumar o macarrão cozido em um pirex e regá-lo com o molho. Esquentá-lo no forno se for necessário.

Na hora de servir juntar as rodelas de pimentão e o coentro picado.

MACARRONADA COM TOMATE RECHEADO

- 1/2 pacote de macarrão tipo talharim
- 6 tomates inteiros
- 2 tomates bem picadinhos
- 1 abobrinha picada, mergulhada em água quente
- 10 azeitonas verdes bem picadinhas
- 6 cogumelos (*champignon, shiitake* ou *pleurotus*) grandes
- 1 pimentão verde picado
- 1/2 xícara de coentro picado
- 2 colheres de chá de orégano
- 1 colher de chá de manjerona
- 1 pitada de alecrim
- 1 colher de chá de urucum
- 1 colher de chá de louro em pó
- 1 colher de sopa de molho de mostarda
- 1/2 xícara de shoyo
- 1/2 xícara de azeite de oliva
- óleo e sal

Cozinhar o macarrão em água fervente, óleo e sal. Escorrê-lo e lavá-lo em água fria. Reservá-lo.

MOLHO

Levar ao fogo o azeite de oliva com o tomate picadinho, o louro, a manjerona, o alecrim, o shoyo, o coentro e o urucum e tampar a panela, deixando-a em fogo baixo por 15 minutos.

RECHEIO DOS TOMATES

Misturar as azeitonas com a abobrinha picada, o pimentão, o orégano, a mostarda, 1 pitada de sal, e mais 2 colheres de sopa de azeite de oliva.

Tirar a tampinha superior dos tomates e, com a ajuda de uma colher pequena, retirar-lhes as sementes e parte das polpas (colocá-la na panela do molho).

Rechear cada tomate, tampá-lo com um pedaço de cogumelo grande, e colocá-los cuidadosamente em pé dentro da panela de molho. Deixá-los ferver por 10 minutos.

Despejar água quente no macarrão, escorrê-lo novamente e arrumá-lo em uma travessa. Com uma escumadeira, retirar da panela delicadamente os 6 tomates recheados e arrumá-los em volta do macarrão, regando tudo com o molho.

MACARRONADA CROCANTE

- 1/2 pacote de macarrão tipo gravatinha grande de grano duro
- 8 batatas grandes, ou 2 pacotes de batata palha
- 8 azeitonas pretas sem os caroços
- 5 tomates maduros picados
- 1 pimentão verde picado
- 2 xícaras de coentro fresco picado
- 1 colher de chá de orégano
- 1 colher de chá de manjerona
- 2 folhas grandes de louro
- 1 colher de sopa de maisena
- sal
- 1/2 xícara de shoyo
- 2 colheres de sopa de azeite de oliva
- óleo para fritar, se não for usar a batata de pacote
- 1 xícara de água

Cozinhar o macarrão em água fervente, com óleo e sal. Escorrê-lo, lavá-lo em água fria e reservá-lo.

Descascar e lavar as batatas. Enxugá-las bem e passá-las por ralo grosso, se não houver um aparelho elétrico. Deixá-las de molho em uma tigela com água.

Enxugar porções de batata em um pano de prato limpo e mergulhá-las em uma frigideira com óleo bem quente. Espalhá-las com uma escumadeira e deixá-las fritar sem mexer mais.

Assim que um lado estiver dourado, virá-las com a escumadeira e deixá-las dourar do outro, sem desmanchar o amontoado de batatas. Escorrê-las em papel absorvente. Proceder da mesma forma com o restante das batatas.

Bater no liquidificador os tomates com o pimentão, as azeitonas, o coentro, o orégano, a manjerona, a água, o shoyo e a maisena.

Levar ao fogo o azeite de oliva em uma panela e fritar nele ligeiramente as folhas de louro. Adicionar então o molho do liquidificador e deixá-lo em fogo brando por uns 15 minutos, mexendo de vez em quando para não pegar no fundo da panela. Assim que o molho estiver grosso, despejar sobre ele o macarrão cozido, e misturá-lo bem. Virá-lo em uma travessa funda, cobri-lo com as batatas fritas, e servi-lo imediatamente. Se forem usadas batatas prontas, aquecê-las no forno por alguns minutos, em uma assadeira.

MACARRONADA DE BERINJELA E ERVILHA-TORTA

- 1/2 pacote de macarrão de conchinha
- 4 xícaras de berinjela em quadradinhos
- 4 xícaras de ervilha-torta sem as laterais fibrosas
- 1/2 xícara de azeitonas picadas
- 1/2 xícara de talo de aipo picado
- 1/2 xícara de tomate picado
- 2 colheres de sopa de coentro picado
- 12 folhas de hortelã
- 2 colheres de sobremesa de manjerona picada
- 1 colher de sobremesa de pimenta-do-reino verde amassada
- 1/2 colher de sobremesa de sal
- 4 colheres de sopa de shoyo
- 5 colheres de sopa de azeite de oliva

Cozinhar o macarrão em água fervente, com óleo e sal. Escorrê-lo, lavá-lo em água fria e reservá-lo. Esquentar o azeite de oliva em uma panela grande e nele refogar os cubinhos de berinjela, os talinhos de aipo, as azeitonas picadas, o tomate, o coentro, as folhas de hortelã, a pimenta amassada e por último o shoyo. Após 10 minutos, acrescentar as ervilhas já cozidas, a manjerona e por fim o macarrão cozido. Misturá-los mexendo a própria panela, pois, ao mexer com colher, podem-se desmanchar as conchinhas da massa. Virá-lo em travessa e servi-lo imediatamente. Pode-se servi-lo acompanhado de pão fresco e tomates secos temperados.

MACARRONADA DE BAVETTE COM BRÓCOLIS E CENOURA

- 1/2 pacote de macarrão tipo bavette
- 4 xícaras de brócolis picadinhos
- 3 xícaras de cenoura desfiada com um descascador manual
- 1 colher de sopa de alcaparras picadas
- 1/2 colher de sobremesa de sal
- 2 colheres de sopa de shoyo
- 7 colheres de sopa de azeite de oliva

Cozinhar o macarrão em uma panela com bastante água, um pouco de óleo e sal, até estar macio.

Esquentar o azeite de oliva em uma panela grande e refogar nele as alcaparras, as cenouras, os brócolis, o shoyo e o sal.

Assim que tudo estiver bem macio, provar o tempero e acrescentar o macarrão cozido.

Mexê-lo delicadamente até estar bem homogêneo e quente. Colocá-lo em uma travessa com orégano a gosto e servi-lo em seguida.

MACARRONADA DELICADA

- 1/2 pacote de macarrão tipo gravatinha, massa sem ovos
- 4 xícaras de shiitake frescos picados
- 1 xícara de azeitonas picadinhas
- 1/2 xícara de alcaparras
- 2 xícaras de tomates sem sementes picadinhos
- 1 xícara de pimentão bem picado
- 1 xícara de salsa e coentro picadinhos
- 1 colher de chá de orégano
- sal ou shoyo a gosto
- 1/2 xícara de azeite de oliva

Cozinhar o macarrão em água fervente, óleo e sal. Escorrê-lo e lavá-lo em água fria. Reservá-lo.

Separadamente, em uma panela grande, aquecer o azeite de oliva e nele refogar os cogumelos e as alcaparras com sal, por 10 minutos.

Acrescentar o pimentão, as azeitonas, os temperos frescos e o tomate.

Deixá-los refogar por 10 minutos. Adicionar orégano e sal ou shoyo a gosto.

Colocar na panela o macarrão cozido e mexer a própria panela para misturá-lo. Virá-lo em travessa e servi-lo.

NHOQUE DE ABÓBORA

- 1 xícara de abóbora cozida e amassada
- 1/2 xícara de farinha de trigo branca
- 1 xícara de farinha de trigo para trabalhar a massa
- 1 colher de sopa de sal para a água
- 1 pitada de sal
- 2 colheres de sopa de óleo
- 3 colheres de sopa de óleo para a água

Nhoque de abóbora
(continuação)

MOLHO OPCIONAL

- 1 xícara de purê de tomate
- 4 colheres de sopa de salsa fresca picadinha
- 4 colheres de sopa de coentro picadinho
- 1 pitada de sal
- 3 colheres de sopa de óleo

Cozinhar em água e sal um bom pedaço de abóbora descascada. Amassá-la, medi-la e colocá-la em uma tigela. Acrescentar o óleo e a farinha de trigo e amassar tudo com as mãos em uma mesa enfarinhada.

Fazer rolinhos com porções de massa e cortá-los em pequenos pedaços, formando os nhoques. Levar ao fogo uma panela grande com água e, assim que esta começar a ferver, adicionar sal e óleo. Esperar que volte a ferver, e então colocar as bolinhas na panela.

Quando começarem a subir, retirá-las com escumadeira e escorrê-las em um escorredor de macarrão ou peneira. Passá-las na água fria e arrumá-las em um pirex ou travessa refratária. Regá-las com azeite de oliva.

MOLHO PARA ACOMPANHAR

Refogar no óleo a salsa e o coentro e temperá-los com sal. Após aproximadamente 5 minutos, colocar o purê de tomate e deixá-lo ferver por 10 minutos.

Cobrir com o molho os nhoques já arrumados na travessa e aquecê-los em forno médio por 10 minutos, com a travessa protegida por papel alumínio.

NHOQUE DE BATATA

- 4 xícaras de purê de batata
- 4 xícaras de farinha de trigo
- farinha de trigo para trabalhar a massa
- 2 colheres de sobremesa de sal
- 5 colheres de sopa de óleo

MOLHO

- 6 xícaras de purê de tomate (colocar uma boa quantidade de tomates em uma panela, tampá-la e, assim que os tomates se desmancharem, batê-los no liquidificador e peneirá-los)
- 1/2 xícara de coentro
- 1 colher de sobremesa de louro em pó
- 2 colheres de sobremesa de sal
- 5 colheres de sopa de óleo

Dar uma leve fritada em óleo quente no coentro, louro em pó e sal. Adicionar o purê de tomate e deixá-los ferver por 30 minutos.

Aquecer água em uma panela grande com 1 colher de sobremesa de sal e 4 colheres de sopa de óleo.

Em outra panela, cozinhar algumas batatas e passá-las ainda quentes por um espremedor ou amassá-las com garfo.

Colocar 4 xícaras desse purê em uma tigela e adicionar os outros ingredientes, misturando-os bem em seguida.

Virar a mistura em uma superfície lisa, enfarinhada, e amassá-la. Fazer rolinhos finos com a massa e formar as bolinhas de nhoque. Mergulhá-las na água fervente e, assim que subirem à superfície, retirá-las com uma escumadeira e colocá-las em um escorredor de macarrão.

Passar água fria nas bolinhas cozidas e arrumá-las em uma travessa. Regá-las com molho e deixá-las no forno por 15 minutos antes de servir o nhoque.

Observação: Logo que a massa ficar pronta, fazer rapidamente os nhoques.

NHOQUE DE CARÁ

- 7 xícaras de cará cozido e amassado
- 1 xícara de farinha de trigo
- farinha de trigo para trabalhar a massa
- 1 colher de sobremesa de sal para a água
- 1/2 xícara de óleo
- 3 colheres de sopa de óleo para a água
- água

Após cozinhar e amassar o cará, colocar o purê em uma tigela e juntar-lhe os demais ingredientes.

Colocar a mistura em mesa enfarinhada e amassá-la até ficar macia. Formar cobrinhas com pequenas porções de massa e cortá-las em quadradinhos.

Levar ao fogo uma panela grande cheia de água e, assim que começar a ferver, adicionar o óleo e o sal. Mergulhar nela as bolinhas de nhoque e, à medida que forem subindo, tirá-las com uma escumadeira e escorrê-las em uma peneira ou escorredor de macarrão. Passá-las em água fria e arrumá-las em uma travessa ou pirex. Cobri-las com o molho de sua preferência e aquecer tudo por 20 minutos no forno, com a travessa coberta.

NHOQUE DE MANDIOCA

- 5 xícaras de mandioca cozida com sal e amassada
- 1 kg de farinha de trigo branca
- 1/2 xícara de óleo

Depois de espremer a mandioca em uma tigela (fica mais fácil logo após o cozimento), colocar a farinha de trigo e o óleo. Misturá-los com as mãos e, quando se tornarem uma massa consistente, virá-la em uma mesa enfarinhada e trabalhá-la até ficar lisa. Fazer cobrinhas com ela da largura de um dedo e cortar os nhoques. Mergulhar as bolinhas em uma panela com água fervente, óleo e sal e, assim que subirem, retirá-las com uma escumadeira. Colocá-las em um escorredor de macarrão e lavá-las com água fria.

Passar os nhoques para um pirex e servi-los com molho. Se não for consumido na hora, guardá-lo com o molho para a massa absorvê-lo.

PARAFUSO
COM MILHO

- ◆ 1/2 pacote de macarrão sem ovos tipo parafuso
- ◆ 2 xícaras ou 2 latinhas de milho verde cozido
- ◆ 2 colheres de sopa de passas sem sementes
- ◆ 2 colheres de sopa de nozes picadas
- ◆ 1 xícara de coentro fresco picado
- ◆ orégano
- ◆ 1 xícara de pão amanhecido picado em pequenos cubinhos
- ◆ sal a gosto
- ◆ 1/2 xícara de shoyo
- ◆ 1/2 xícara de azeite de oliva

Cozinhar o macarrão em água fervente, óleo e sal. Escorrê-lo e lavá-lo em água fria.

Colocar a metade do azeite de oliva para aquecer em uma panela grande e nele refogar o milho, o coentro, as passas e por último o shoyo. Fervê-los por 6 minutos aproximadamente, e então acrescentar as nozes picadas e o macarrão cozido.

Sacudir a panela para misturar os ingredientes, sem desmanchar a massa.

Levar ao fogo, em uma frigideira, o restante do azeite de oliva. Torrar aí os cubinhos de pão, salpicados de sal e orégano. Colocá-los sobre o macarrão e servi-lo imediatamente.

PARAFUSO
COM TOMATE

- ◆ 1 pacote de macarrão parafuso sem ovos
- ◆ 10 azeitonas pretas inteiras
- ◆ 3 colheres de sopa de alcaparras
- ◆ 10 tomates maduros
- ◆ 3 pimentões verdes picados
- ◆ 2 colheres de sopa de orégano
- ◆ 1/2 xícara de shoyo ou sal a gosto
- ◆ 1/2 xícara de azeite de oliva

Cozinhar o macarrão em água, óleo e sal e retirá-lo da panela antes do ponto. Escorrê-lo e lavá-lo em água fria. Arrumá-lo em um pirex e espalhar sobre ele os pimentões, os tomates cortados em rodelas grossas e as alcaparras. Regar tudo com azeite de oliva e shoyo. Espalhar um pouco de orégano por cima e enfeitar o prato com azeitonas. Cobrir o macarrão com papel alumínio e deixá-lo em forno médio por 15 minutos. Servi-lo quente.

SPAGHETTI COM ERVILHA-TORTA

- 1 pacote de spaghetti sem ovos, de sêmola ou grano duro, ou integral
- 8 xícaras de ervilhas-tortas sem as pontas e as laterais fibrosas
- 1 xícara de tomate picado sem sementes
- 1 xícara de salsa fresca picada
- 2 colheres de chá de açafrão em pó
- 1 colher de café de sementes de endro
- pimenta-do-reino verde amassada
- 1/2 colher de sobremesa de sal
- 6 colheres de sopa de azeite de oliva
- 2 colheres de sopa de óleo

Cozinhar o macarrão em água fervente junto com o sal, o óleo e o açafrão em pó durante o tempo indicado na embalagem. Escorrê-lo e lavá-lo ligeiramente com água fria.

Esquentar o azeite de oliva em uma panela grande e refogar nele a salsa, o endro e a pimenta-do-reino amassada. Acrescentar as ervilhas inteiras, mexê-las bem e tampar a panela. Assim que estiverem macias, adicionar o macarrão cozido e misturar tudo bem. Arrumar essa mistura em uma travessa e enfeitá-la com o tomate picado. Servir o spaghetti quente.

SPAGHETTI COM MOLHO DE TOMATE SIMPLES, PENEIRADO

- 1 pacote de spaghetti sem ovos
- 5 xícaras de tomate bem maduro picadinho
- 1 1/2 xícara de purê de tomate
- 1 xícara de salsa fresca picada para decorar
- 1 xícara de coentro picado
- 1 colher de sobremesa de sal
- 2 colheres de sopa de açúcar mascavo
- 1/2 xícara de água

Cozinhar o macarrão seguindo as instruções da embalagem. Dispô-lo em uma travessa ou pirex.

Levar ao fogo uma panela com os tomates, o açúcar, o sal e o coentro.

Refogá-los por aproximadamente 10 minutos, e então colocar o purê de tomate e a água. Mexê-los bem com colher de pau e deixá-los ferver, em fogo brando, por 30 minutos.

Passar o molho por uma peneira e regar com ele o macarrão cozido. Decorá-lo com salsinha e servi-lo acompanhado de pão fresco e salada.

SPAGHETTI COM MOLHO VERDE

- 1/2 pacote de spaghetti sem ovos
- 2 maços de espinafre cru
- 1/2 xícara de tomatinho-rubi cortado ao meio
- 1 colher de sopa de alcaparras
- 1 colher de sopa de manjericão
- 2 colheres de sopa de maisena diluída em 1/2 xícara de água fria
- 1 colher de sobremesa de sal
- 8 colheres de sopa de azeite de oliva

Levar ao fogo uma panela grande com água. Quando ferver, colocar sal e azeite e esperar que levante fervura novamente.

Adicionar o macarrão, mexendo-o sempre para que os fio da massa não grudem uns nos outros. Quando faltarem 5 minutos para o macarrão ficar pronto (seguir as instruções da embalagem), juntar à panela o espinafre, já lavado, escaldado e cortado em pedaços médios.

Escorrer o macarrão com espinafre, colocando o escorredor dentro de uma vasilha para poder reservar a água. Temperar a água escorrida com as alcaparras e o manjericão e levá-la novamente ao fogo. Assim que começar a ferver, colocar a maisena diluída na água e não parar de mexer a panela até que o caldo engrosse.

Arrumar o macarrão cozido em uma bonita travessa, enfeitá-lo com o molho verde, e cobri-lo com tomatinhos.

Caso seja necessário esquentar o macarrão antes de servi-lo, ou reaquecê-lo, cobrir a travessa com papel alumínio e levá-la ao forno.

SPAGHETTI COM PROTEÍNA DE SOJA E ALCAPARRAS

- 1/2 pacote de spaghetti sem ovos, cozidos em água, óleo e sal
- 3 xícaras de proteína de soja grande
- 1/3 de xícara de azeitonas picadas

Spaghetti com
proteína de soja
e alcaparras
(continuação)

- 3 colheres de sopa de alcaparras
- 1/2 xícara de coentro fresco picado
- 1/2 colher de sobremesa rasa de sal
- 5 colheres de sopa de shoyo
- 4 colheres de sopa de azeite de oliva ou óleo comum

Deixar a proteína de molho por 20 minutos em uma tigela com água e uma colher de chá de sal. Escorrer a água e deixar a proteína de soja reservada.

Esquentar o azeite ou o óleo em uma panela grande e fritar nele o coentro com as alcaparras, as azeitonas e o sal. Após aproximadamente 6 minutos, adicionar a soja escorrida e o shoyo. Deixá-los em fogo alto por 20 minutos e então adicionar o macarrão cozido. Misturá-lo com uma colher de pau até ficar homogêneo, colocá-lo em uma travessa e servi-lo quente.

SPAGHETTI COM RODELAS DE BERINJELA

- 1/2 pacote de spaghetti sem ovos
- 3 berinjelas cortadas em rodelinhas finas
- 10 azeitonas pretas, sem os caroços e picadas
- 2 tomates sem sementes picadinhos
- 1 pimentão bem picado
- 2 colheres de chá de manjerona
- 1 colher de chá de pimenta-da-jamaica
- 1/2 colher de chá de curry
- 1 xícara de farinha de trigo
- sal a gosto
- 1/2 xícara de shoyo
- 1/2 xícara de azeite de oliva
- bastante óleo para fritar as berinjelas

Cozinhar o macarrão em água fervente com óleo e sal. Escorrê-lo e lavá-lo em água fria. Reservá-lo.

Esquentar bastante óleo em uma frigideira. Colocar o shoyo em um prato de sopa e em outro, a farinha de trigo. Passar as rodelas de berinjela no shoyo, depois na farinha de trigo, e em seguida mergulhá-las no óleo quente. Assim que os dois lados estiverem dourados, retirá-las com uma escumadeira e escorrê-las em papel absorvente.

Levar ao fogo uma panela grande com o azeite de oliva, o pimentão, o tomate e os temperos. Fritá-los ligeiramente por uns 5 minutos.

Acrescentar o spaghetti cozido, misturá-lo cuidadosamente e arrumá-lo em uma travessa. Cobri-lo com as rodelas de berinjela crocantes e servi-lo em seguida.

227

TALHARIM COM MOLHO DE TOMATE E BERINJELA

- 1 pacote de talharim sem ovos
- 2 berinjelas picadas
- 1/2 xícara de azeitonas pretas picadas
- 2 latas de tomates sem pele, inteiros (800 g)
- 4 xícaras de purê de tomate ou 2 caixinhas de 520 g
- salsa a gosto
- 1/2 colher de sobremesa de pimenta-do-reino moída
- casca de 1 limão
- 1/2 colher de sobremesa de sal
- 1 colher de sobremesa de açúcar
- 4 colheres de sopa de azeite de oliva
- 5 colheres de sopa de óleo

Cozinhar o talharim em água fervente com óleo e sal, respeitando os minutos recomendados na embalagem. Escorrê-lo, lavá-lo em água fria e arrumá-lo em uma travessa ou pirex. Reservá-lo.

Levar ao fogo o óleo e o azeite de oliva e fritar neles as berinjelas. Acrescentar as azeitonas picadas e o sal, fritá-las mais um pouquinho e juntar os demais ingredientes. Deixá-los em fogo brando por 30 minutos.

Provar o tempero, corrigi-lo se necessário e regar o talharim com bastante molho.

Enfeitá-lo com salsa a gosto e aquecê-lo levemente no forno, com o pirex coberto com papel alumínio.

Pastas e Patês

Pasta árabe com tofu 231
Pasta de abacate para salada 231
Pasta de berinjela e tahine 231
Pasta de cenoura e azeitona 232
Pasta de pimentão 232
Pasta de raiz-forte 232
Pasta de tofu chilena 233
Pasta de tofu com coentro 233
Pasta de tofu com mostarda 233
Pasta de tofu com tahine e salsa 234
Pasta de tofu e tahine 234
Pasta de tofu verdinha 234
Pasta de tomate para sanduíches 235
Pasta vermelha para sanduíches 235
Pasta de abacate 235
Pasta de abóbora 236
Pasta de berinjela 236
Pasta de brócolis 236
Pasta de cenoura 237
Pasta de tahine e couve 237
Pasta de tahine e folhas de mostarda 237
Pasta de tahine e pimenta-do-reino verde 237
Patê de tofu cremoso português 238
Tofu 238

PASTA ÁRABE COM TOFU

- 1 xícara de tofu
- 1 1/2 colher de sopa de zattar (tempero sírio encontrado em empórios árabes)
- 1/2 colher de sobremesa de sal
- 8 colheres de sopa de azeite de oliva

Amassar o tofu com um garfo e acrescente o sal, o zattar e o azeite. Misturar tudo muito bem e conservar em geladeira até a hora de consumir.

PASTA DE ABACATE PARA SALADA

- 1/2 abacate médio
- temperos a gosto se necessário
- 5 colheres de sopa de caldo de limão
- 2 colheres de sopa de missô
- 2 colheres de sopa de azeite de oliva
- 5 colheres de sopa de água (só o suficiente para o liquidificador conseguir bater)

Bater no liquidificador os temperos com a água, o limão e o azeite.

Acrescentar o abacate de uma só vez e bater o liquidificador até se obter um creme. Se for preciso, colocar um pouquinho mais de água para facilitar o funcionamento do aparelho.

Cuidado para não tirar a cremosidade da pasta, pois, além de temperar saladas, também fica ótima sobre fatias de pão.

PASTA DE BERINJELA E TAHINE

- 1 berinjela média
- 1 colher de sobremesa de orégano
- 1 colher de sopa de mostarda
- 1 xícara de tahine diluído em água
- 1/2 colher de sobremesa de sal
- 3 colheres de sopa de azeite de oliva
- 1 colher de sobremesa de mel (para quebrar a acidez)

Assar a berinjela até que fique murcha. Descascá-la e picá-la.

Batê-la no liquidificador com o azeite, o sal, o tahine, o mel e o orégano, com intervalos para mexer tudo com um pão-duro ou colher de pau.

Não deixar a pasta ficar aguada e mantê-la em geladeira até a hora de servir.

PASTA DE CENOURA E AZEITONA

- 3 cenouras grandes cozidas
- 3 colheres de sopa de azeitonas chilenas bem picadas (pretas e graúdas)
- 1/2 xícara de pimentão picado em tiras fininhas
- 2 colheres de sopa de talos de aipo bem picadinhos
- 1 pitada de pimenta-calabresa
- 1/2 colher de sobremesa de sal
- 5 colheres de sopa de azeite de oliva

Após cozinhar as cenouras, batê-las no liquidificador ainda quentes, com as 5 colheres de sopa de azeite de oliva e 1/2 colher de sobremesa de sal. Misturar essa pasta em uma tigela com os demais ingredientes e arrumá-la em um pote. Cobri-la com azeite de oliva e deixá-la em geladeira até a hora de servir.

PASTA DE PIMENTÃO

- 1/2 pimentão verde
- 1/2 xícara de grão-de-bico bem cozido
- 1 colher de sopa de molho de mostarda sem condimentos
- 2 colheres de sopa de tahine concentrado
- 1/2 colher de sobremesa de missô ou a mesma quantidade de sal
- 1/3 de xícara da água do cozimento dos grãos

Bater os ingredientes no liquidificador até tornarem-se uma pasta cremosa. Colocá-la em um pote e deixá-la na geladeira até a hora de ser consumida. Usá-la em torradas e sanduíches.

PASTA DE RAIZ-FORTE

- 1 colher de sobremesa de raiz-forte em pasta (encontrada em empórios japoneses ou outros)
- 1/2 xícara de grão-de-bico bem cozido

Pasta de raiz-forte
(continuação)

- ♦ 2 colheres de sopa de tahine concentrado
- ♦ 3 azeitonas chilenas
- ♦ 12 colheres de sopa da água quente do cozimento do grão-de-bico
- ♦ 1/2 colher de sobremesa de sal

Bater no liquidificador todos os ingredientes até tornarem-se uma pasta cremosa.

Guardá-la em geladeira até a hora de ser consumida.

Fica muito bem com torradinhas, pão fresco ou sanduíches.

PASTA DE TOFU CHILENA

- ♦ 1 xícara de tofu
- ♦ 1 xícara de azeitonas chilenas picadas (pretas grandes)
- ♦ 1 colher de sobremesa de sal
- ♦ 6 colheres de sopa de azeite de oliva

Colocar todos os ingredientes em um prato e amassá-los bem com o auxílio de um garfo.

Manter a pasta em geladeira, com um pouco de azeite.

PASTA DE TOFU COM COENTRO

- ♦ 1 xícara de tofu
- ♦ 1 xícara de coentro bem picado
- ♦ 1 colher de café de curry
- ♦ 1/2 colher de sobremesa de sal
- ♦ 5 colheres de sopa de azeite de oliva

Amassar bem o tofu com um garfo e ir colocando o azeite. Adicionar o sal, o coentro e o curry e, após estar uma pasta bem homogênea, mantê-la em geladeira, com um pouco de azeite de oliva por cima.

PASTA DE TOFU COM MOSTARDA

- ♦ 1 xícara de tofu
- ♦ 1 colher de sopa de mostarda-de-dijon
- ♦ 3 colheres de sopa de coentro bem picado
- ♦ 1 colher de café de pimenta-do-reino-verde amassada
- ♦ 1/2 colher de sobremesa de sal
- ♦ 5 colheres de sopa de azeite de oliva

Amassar bem o tofu com um garfo e ir colocando o azeite. Adicionar os demais ingredientes e misturá-los bem.

Manter a pasta na geladeira até a hora de servi-la.

PASTA DE TOFU COM TAHINE E SALSA

+ 1 xícara de tofu
+ 1 xícara de salsa bem picadinha
+ 4 colheres de sopa de tahine diluído em água
+ 1 colher de sobremesa de sal

Amassar o tofu com um garfo e adicionar-lhe os demais ingredientes. Mexer tudo e arrumar a pasta em um pote.

Cobri-la com um pouquinho de azeite de oliva e salsa fresca e mantê-la em geladeira até a hora de servir. Fica bem com torradinhas, chapatis ou pão fresco.

PASTA DE TOFU E TAHINE

+ 1 xícara de tofu
+ 3 ou 4 colheres de sopa de tahine concentrado
+ 1/2 xícara de salsa
+ 1 folha de couve com o talo para reforçar
+ 2 colheres de sopa de missô ou sal a gosto
+ um pouco de água morna para não forçar o liquidificador

Bater no liquidificador todos os ingredientes, tomando cuidado para não deixar a pasta muito rala. Colocá-la em geladeira até a hora de servir.

PASTA DE TOFU VERDINHA

+ 1 xícara de tofu
+ 1 pimentão verde
+ 1 xícara de coentro
+ 1 colher de sopa de manjericão seco
+ 1 colher de chá de sal
+ 5 colheres de sopa de azeite de oliva
+ 2 ou mais colheres de sopa de água morna

Bater no liquidificador todos os ingredientes até tornarem-se uma pasta cremosa.

Colocar mais água se for necessário. Provar o tempero antes de servi-la.

É ótima com pães frescos, sanduíches ou torradinhas.

PASTA DE TOMATE PARA SANDUÍCHES

- 1 tomate médio inteiro
- 1/2 xícara de grão-de-bico bem cozido em panela de pressão
- 1 colher de sopa de orégano
- 3 colheres de sopa de tahine concentrado
- 1/2 colher de sobremesa de sal
- 2 colheres de sopa de azeite de oliva
- 1/3 de xícara da água do cozimento do grão-de-bico

Bater no liquidificador todos os ingredientes até tornarem-se uma pasta macia e cremosa.

Guardá-la em geladeira e, na hora de servir salpicar-lhe orégano para enfeitá-la.

PASTA VERMELHA PARA SANDUÍCHES

- 1/2 xícara de grão-de-bico cozido
- 1/2 beterraba crua
- 2 colheres de sopa de tahine concentrado
- 1/2 colher de sobremesa de missô, ou a mesma quantidade de sal
- 2 colheres de sopa de azeite de oliva
- 2 colheres de sopa de água

Bater no liquidificador todos os ingredientes até tornarem-se uma pasta cremosa.

Deixá-la em geladeira até a hora de ser consumida.

PASTA DE ABACATE

- 1/2 xícara de abacate
- 5 azeitonas chilenas (pretas, graúdas)
- 1/2 colher de sobremesa de sal
- 3 colheres de sopa de azeite de oliva
- 3 colheres de sopa de água

Bater o abacate no liquidificador e acrescentar os demais ingredientes (retirar os caroços das azeitonas).

Colocá-la em um potinho e mantê-la em geladeira até a hora de servir.

É ótima com torradinhas ou em sanduíches e também para acompanhar saladas.

PASTA DE ABÓBORA

- 2 pedaços de abóbora japonesa (kambutiá)
- 3 colheres de sopa de azeitona verde picada
- 2 colheres de sopa de suco de limão
- 2 colheres de sopa de tahine sem diluir
- 1 colher de café de sal
- 1 colher de sopa de água

Cozinhar a abóbora até ficar bem macia, amassá-la e colocá-la em uma tigela. Acrescentar o tahine e mexê-los energicamente; em seguida adicionar o suco de limão, o sal, a água, as azeitonas picadas e, por fim, o azeite de oliva. Mexer a pasta com uma colher de pau para ficar bem consistente. Conservá-la em geladeira e servi-la com pães, torradas ou, se preferir, usá-la em sanduíches.

PASTA DE BERINJELA

- 2 berinjelas
- 1 pimentão grande vermelho ou amarelo
- 1 xícara de azeitonas
- 1/2 xícara de salsinha picada
- 1/2 xícara de coentro picado
- 1 xícara de molho de tomates
- 1 limão
- 1 colher de chá de gengibre ralado
- 1/2 xícara de tahine ao natural, sem diluir

Assar as berinjelas no forno e retirar-lhes as cascas com cuidado.

Juntar a elas o molho de tomate e todos os temperos; colocá-los em uma tábua e batê-los bem com uma faca. Misturá-los em uma tigela e adicionar-lhes o tahine, e, por último, o suco de limão. Servi-la com torradas ou pão fresco.

PASTA DE BRÓCOLIS

- 2 xícaras de brócolis bem picadinhos
- 4 colheres de sopa de molho de mostarda
- 1 colher de chá de sal
- 4 colheres de sopa de azeite de oliva

Colocar os brócolis em uma panela junto com o azeite de oliva e o sal. Deixá-los em fogo alto, com a panela tampada, de 5 a 8 minutos e, assim que estiverem cozidos, colocá-los no liquidificador.

Adicionar a mostarda e bater a mistura até ficar com uma consistência de pasta. Mantê-la em geladeira. Servi-la com torradinhas ou em sanduíches.

PASTA DE CENOURA

- 4 cenouras grandes
- 1 xícara de coentro picado
- 1 xícara de salsa picada
- 1 colher de sobremesa de orégano
- 4 folhas de saião
- 1 colher de sopa de fubá fino para dar consistência
- 3 colheres de sopa de missô
- 1 colher de chá de sal
- 5 colheres de sopa de azeite de oliva

Bater todos os ingredientes no liquidificador. Manter a pasta na geladeira até a hora de servi-la com pães frescos e torradas.

PASTA DE TAHINE E COUVE

- 1 xícara de tahine diluído em água
- 3 folhas grandes de couve crua moída
- 1/2 colher de sobremesa de sal
- 4 colheres de sopa de azeite de oliva

Colocar o tahine, o sal, o azeite e a couve moída em uma tigela. Mexê-los bem com uma colher de pau até ficar com consistência de pasta. Conservá-la em geladeira, para ficar mais grossa e mais fresca, até a hora de servir.

PASTA DE TAHINE E FOLHAS DE MOSTARDA

- 1 xícara de tahine diluído em água
- 6 folhas grandes de mostarda
- 1 colher de café de alecrim
- 1/2 colher de sobremesa de sal
- 4 colheres de sopa de azeite de oliva

Levar ao fogo, em uma frigideira, o azeite, a couve em tiras, o alecrim e o sal. Mexer bem as folhas até amaciarem. Adicionar o tahine e apagar o fogo.

Bater tudo no liquidificador e levar a pasta à geladeira até a hora de servi-la.

PASTA DE TAHINE E PIMENTA-DO-REINO VERDE

- 5 colheres de sopa de tahine sem diluir
- 1 colher de sobremesa de pimenta-do-reino verde
- 1 colher de café de raiz-forte em pó
- 1 colher de café de sal
- 1/2 xícara de água

Bater todos os ingredientes no liquidificador.

Colocar a pasta em um pote e mantê-la em geladeira até a hora de servi-la.

PATÊ DE TOFU CREMOSO PORTUGUÊS

+ 1 xícara de tofu
+ 15 azeitonas portuguesas sem os caroços
+ 1 colher de sopa de orégano
+ 1/2 colher de sobremesa de sal
+ 5 colheres de sopa de azeite de oliva
+ 7 colheres de sopa de água

Bater todos os ingredientes no liquidificador; fazê-lo aos poucos, mexendo os ingredientes com uma colher toda vez que o liquidificador emperrar. Não colocar muita água, pois é uma pasta para o pão. Conservá-la em geladeira.

TOFU

+ 5 xícaras de soja crua (que equivale a mais ou menos 13 xícaras de soja inchada)
+ 26 xícaras de água quente

COALHOS

+ 1/2 xícara de limão diluído em 1/2 xícara de água ou
+ 1/2 xícara de vinagre comum em 1/2 xícara de água ou
+ 8 colheres de sopa de sal amargo também diluído em 1/2 xícara de água

Deixar a soja de molho por oito horas. Jogar fora a água e bater a soja no liquidificador. Para cada xícara de soja inchada usar duas xícaras de água quente.

Depois de batida, passar a soja por peneira e em seguida por um saco de tule, pano de prato ou outro pano ralo. Ferver o leite deixando-o cozinhar em fogo baixo por quinze minutos após a fervura. Desligar o fogo e colocar um dos coalhos acima, já diluído.

Esperar mais quinze minutos e passar o leite pelo mesmo saco de tule usado anteriormente. Pendurar o saquinho, e tirar o tofu quando estiver na consistência desejada; quanto mais tempo ficar no saquinho mais duro se tornará. Usar o saco de tule na falta de uma forminha especial para os queijos. Após o tofu esfriar, conservá-lo em geladeira.

PÃES

Bisnagas integrais 241
Broa de fubá 241
Pãezinhos integrais sem fermento 242
Pãezinhos com nozes e passas 243
Pãezinhos com recheio salgado 243
Pãezinhos com temperos verdes 244
Pãezinhos de triguilho 245
Pãezinhos em nó 245
Pãezinhos parafusos de gergelim 246
Pãezinhos sem fermento recheados de banana 247
Panettone 247
Pão com castanha e banana passa 248
Pão com centeio e gergelim 248
Pão com centeio e doce de banana 249
Pão com chocolate 249
Pão com doce de banana marmelo 250
Pão com farinha de trigo integral simples 250
Pão com legumes coloridos 251
Pão com tomates secos 252
Pão de abóbora 252
Pão de aveia em flocos 253
Pão de banana 253
Pão de batata-doce 254
Pão de centeio 255
Pão de farinha de arroz integral 255
Pão de forma com fubá 256
Pão de fubá e glúten 256

Pão de gergelim	257
Pão de glúten	257
Pão de grãos	257
Pão de mandioca	258
Pão de milho verde	259
Pão de quatro cereais	259
Pão de triguilho	260
Pão doce	260
Pão doce com nozes e tâmaras	261
Pão fofo com mandioca	262
Pão integral básico	262
Pão integral com flocos de centeio	263
Pão integral com fubá e extrato de soja	264
Pão integral de germe de trigo e flocos de centeio	264
Pão integral fácil	265
Pão misto	265
Pão no vapor	266
Pão para sanduíches	266
Pão recheado com bananas	267
Pão recheado com missô	267
Pão recheado para lanche	268
Pão redondo	269
Pão refeição	269
Pão-torta com sobras de legumes e verduras	270
Pãozinho integral adocicado	271
Pãozinho integral para sanduíches	272
Pãozinho tipo francês	272
Receita para 4 pães grandes	273
Receita para 2 pães	273
Trança doce de coco	274

BISNAGAS INTEGRAIS

- 1 kg de farinha de trigo comum (1 pacote)
- 3 colheres de sopa de farinha de trigo integral
- 1 xícara de farinha de trigo para trabalhar a massa
- 1/2 xícara de extrato de soja em pó
- 3 colheres de sopa de germe de trigo
- 1 colher de sopa de fermento biológico
- gergelim (opcional)
- 1 colher de sobremesa de sal
- 1/2 xícara de óleo
- 2 xícaras de água morna, quase quente

Colocar em uma tigela todos os ingredientes secos e misturá-los bem.

Colocar em outra tigela o óleo, a água e o fermento biológico. Juntar as duas misturas e mexê-las bastante, com colher de pau, até tornarem-se uma massa homogênea. Virá-la em uma superfície lisa, polvilhada com 1/2 xícara de farinha de trigo, e amassá-la bastante até deixar de estar pegajosa. Devolvê-la à tigela, tampá-la e cobri-la. Deixá-la crescer por 2 horas.

Abrir a massa com rolo (não deixá-la fina!) e, com uma faca grande, dividi-la em retângulos iguais.

Arrumar todos os retângulos em uma assadeira grande, untada com óleo e polvilhada de farinha de trigo integral.

Deixá-los descansar dentro do forno apagado por 20 minutos. Assá-los em temperatura média por 50 minutos, ou até estarem com o fundo escuro.

Pode-se, antes de deixá-los crescer pela segunda vez, passar água morna na parte superior de cada pão e em seguida polvilhá-los de gergelim descascado.

BROA DE FUBÁ

CREME DE FUBÁ
- 5 xícaras de água
- 1 xícara de fubá mimoso

MASSA
- 3 xícaras de farinha de trigo comum

Broa de fubá
(continuação)

- 2 xícaras de creme de fubá ainda morno
- 1 colher de sopa de fermento para pão
- 1 colher de sopa de sementes de erva-doce
- 1 colher de sobremesa de sal
- 1/2 xícara de açúcar
- 1/2 xícara de óleo
- 1/2 xícara de água morna

Diluir o fubá na água e levá-lo ao fogo em uma panela, mexendo-o sempre, até tornar-se um creme. Esperar ficar morno.

Dissolver o fermento na água morna e misturá-lo com a farinha, o creme de fubá, o óleo, o sal, o açúcar e a erva-doce.

Amassar essa mistura com as mãos, em superfície polvilhada com farinha de trigo, até tornar-se bem lisa, macia e elástica. Usar mais farinha de trigo se for necessário. É uma massa muito flexível.

Deixá-la crescer por 3 horas, bem coberta e protegida do frio e das correntes de ar.

Após o crescimento, formar as broas, todas iguais, com as mãos ligeiramente polvilhadas de fubá, e colocá-las em forminhas untadas ou em uma assadeira untada. Podem também ser colocadas em forma de pão comum, nunca se esquecendo de untá-la com óleo e polvilhá-la de fubá.

Deixá-las descansar por 30 minutos dentro do forno apagado, e então assá-las por 50 minutos, em fogo médio.

Arrumá-las em cestos ou em travessa forrada com toalhinha.

Servi-las quentes.

PÃEZINHOS INTEGRAIS SEM FERMENTO

- 6 xícaras de farinha de trigo integral peneirada
- sal a gosto
- 1/2 xícara de óleo de milho
- 1/2 xícara de leite de soja morno (diluir 2 colheres de sopa de extrato de soja em 1 xícara de água) ou água morna
- 1/2 xícara de água

Misturar todos os ingredientes em uma tigela e amassá-los bem. Fazer pãezinhos com 2 colheres de sopa de massa e arrumá-los em uma assadeira untada com óleo. Deixá-los no forno médio por 45 minutos ou até o fundo estar indicando estarem assados. Borrifá-los com água fria e enrolá-los em um pano limpo. Deixá-los esfriar no pano para ficarem mais macios.

Servi-los com pastas salgadas, como sanduíches, com conservas ou mesmo com geléias e doces.

PÃEZINHOS COM NOZES E PASSAS

- 3 xícaras de farinha de trigo branca
- 1 xícara de farinha de trigo integral
- 1 1/2 colher de sopa de fermento biológico para pães
- 1 xícara de nozes picadas
- 1 xícara de passinhas sem sementes
- 1/2 xícara de leite de soja em pó
- 1/2 colher de sobremesa de sal
- 1 xícara de açúcar mascavo
- 1/2 xícara de óleo
- 2 xícaras de água morna/quente

Dissolver o fermento na água morna e colocá-lo em uma tigela. Acrescentar as passinhas, as nozes, o óleo, o açúcar, as farinhas, o sal e o leite de soja em pó e mexer tudo bem com uma colher de pau grande.

Amassar essa mistura com as mãos, sobre uma mesa polvilhada de farinha de trigo, colocar a massa em uma tigela, tampá-la e cobri-la bem, protegendo-a do frio.

Deixá-la crescer por três horas aproximadamente.

Virar a massa em uma mesa levemente polvilhada de farinha de trigo e formar pãezinhos iguais, sem achatá-los.

Colocá-los em uma assadeira grande untada com óleo e polvilhada de farinha de trigo e deixá-los no forno apagado por 30 minutos.

Acender o forno e deixá-lo em temperatura média durante 50 minutos ou até o fundo dos pães estar levemente dourado. Arrumá-los em um prato ou em cestos forrados com toalhinhas. Servi-los em lanches ou acompanhando refeições.

PÃEZINHOS COM RECHEIO SALGADO

MASSA
- 4 xícaras de farinha de trigo branca
- 1 colher de sopa de fermento biológico
- 1 colher de sobremesa rasa de sal
- 4 colheres de sopa de açúcar demerara
- 1/2 xícara de óleo
- 2 xícaras de leite de soja quente (diluir 2 colheres de sopa de extrato de soja em 1 xícara de água)

Pãezinhos com recheio salgado
(continuação)

RECHEIO

♦ 1 1/2 xícara de berinjela picada em pedaços bem pequeninos
♦ 1 1/2 xícara de purê de batata
♦ 1/2 xícara de pimentão bem picadinho
♦ 3 colheres de sopa de coentro fresco picadinho
♦ 1 colher de sopa de manjericão fresco
♦ 1 colher de chá de cominho
♦ 1/2 colher de sobremesa de sal
♦ 4 colheres de sopa de azeite de oliva

Colocar os ingredientes da massa em uma tigela e misturá-los bem com uma colher de pau. Passá-los para uma mesa enfarinhada e amassá-los com as mãos até tornarem-se uma massa lisa e macia.

Devolvê-la à tigela e agasalhá-la muito bem. Deixá-la em lugar quentinho por 2 horas.

Descascar e cozinhar as batatas. Espremê-las ou amassá-las com o garfo, medir o purê e reservá-lo.

Esquentar o azeite de oliva em uma panela e fritar o coentro, o manjericão, o cominho e os pimentões por 5 minutos. Acrescentar as berinjelas e o sal, mexendo sempre a panela, até que as berinjelas fiquem macias. Adicionar então o purê de batata e mexer tudo bem.

Abrir a massa crescida em superfície enfarinhada, até ficar bem fina. Com a boca de um pote redondo, cortar a massa em discos iguais e pôr o recheio morno dentro de cada disco. Enrolá-los ligeiramente e peneirar farinha de trigo por cima dos rolinhos.

Arrumá-los em assadeira untada com óleo e polvilhada de farinha de trigo, deixá-los crescer dentro do forno apagado por 20 minutos, e então assá-los em forno médio por 45 minutos.

Servi-los quentes ou frios, com azeite de oliva e missô a gosto.

PÃEZINHOS COM TEMPEROS VERDES

♦ 2 xícaras de farinha de trigo
♦ 1/2 xícara de farinha de trigo para trabalhar a massa
♦ 1 colher de sopa de fermento biológico
♦ 1/2 xícara de salsa fresca picada
♦ 1/2 xícara de coentro fresco picado
♦ 2 colheres de sopa de orégano
♦ 1 colher de sobremesa de sal
♦ 6 colheres de sopa de óleo
♦ 1/2 xícara de água

Colocar todos os ingredientes em uma tigela e, após misturá-los, virá-los em uma superfície lisa, polvilhada com 1/2 xícara de farinha.

Trabalhar a massa até tornar-se macia. Retorná-la a uma tigela untada com óleo, tampá-la e cobri-la com um cobertor. Deixá-la crescer por uma hora e meia.

Formar bolinhas com a massa e arrumá-las em uma assadeira untada com óleo e polvilhada de farinha de trigo.

Deixá-la dentro do forno, apagado, por 25 minutos, e então assar os pãezinhos por 50 minutos em forno médio.

PÃEZINHOS DE TRIGUILHO

- 1 xícara de triguilho (trigo para quibe)
- 1 xícara de farinha de trigo integral
- 3 xícaras de farinha de trigo comum
- 1 colher de sopa de fermento para pão
- 2 colheres de sobremesa rasas de sal
- 1/2 xícara de óleo
- 2 xícaras de água morna, quase quente

Deixar o triguilho de molho por toda a noite.

Despejar o fermento diluído na água morna, quase quente, sobre as farinhas, que deverão estar já misturadas em uma tigela. Colocar o sal e o óleo, misturá-los muito bem com uma colher de pau, e em seguida trabalhar a mistura com as mãos até se transformar em uma massa lisa e homogênea. Deixá-la descansar na tigela coberta, em lugar protegido do frio, por três horas.

Untar uma assadeira grande com óleo e polvilhá-la de farinha de trigo.

Abrir a massa com rolo para que fique com aproximadamente 3 cm de espessura, cortá-la em retângulos com uma faca grande, formar pequenos rolinhos e arrumá-los na assadeira.

Assá-los em forno médio por uma hora aproximadamente.

Retirá-los assim que estiverem levemente dourados. Ficam crocantes.

PÃEZINHOS EM NÓ

- 4 xícaras de farinha de trigo branca
- 1 colher de sopa de fermento para pão
- 1 colher de sobremesa rasa de sal
- 1/2 xícara de açúcar
- 1/2 xícara de óleo
- 2 xícaras de água morna

Peneirar em uma tigela a farinha de trigo com o sal e o açúcar.

Bater rapidamente no liquidificador a água com o óleo e o fermento e juntá-los à farinha da tigela, mexendo tudo bem com uma colher de pau.

Polvilhar uma superfície de farinha de trigo e colocar nela a massa. Trabalhá-la bastante até tornar-se lisa, macia e elástica.

Devolvê-la à tigela, tampá-la, cobri-la com um pano grande ou cobertor e dei xá-la crescer por 2 ou 3 horas.

Formar então, com pouca massa, pequenos charutinhos, dando-lhes em seguida um nó frouxo.

Arrumar todos os nózinhos em uma assadeira grande, deixando apenas 2 dedos de espaço entre eles para que, ao assarem, encostem-se uns aos outros, o que evita que endureçam.

Deixá-los crescer na assadeira por 30 minutos e levá-los ao forno médio por 1 hora aproximadamente. Servi-los quentinhos, com mel ou pasta salgada.

PÃEZINHOS PARAFUSOS DE GERGELIM

- 4 xícaras de farinha de trigo comum
- 1 colher de sopa de fermento para pão
- 2 xícaras de gergelim descascado
- 1 colher de sobremesa de sal
- 1/2 xícara de óleo
- 2 xícaras de água morna, quase quente

Dissolver o fermento na água quente.

Misturar em uma tigela todos os ingredientes, menos o gergelim, e amassá-los bem com as mãos, até que se tornem uma massa lisa, macia e elástica.

Deixá-la em repouso por 3 horas em lugar protegido.

Colocar o gergelim em uma bandeja e a água morna em uma prato.

Em superfície enfarinhada, fazer pequenos rolinhos com a massa, da grossura de uma cenoura média. Passar todos os rolinhos pela água morna e em seguida pelo gergelim. Torcer cada um para dar-lhes aspecto parecido com o da rosca de um parafuso.

Arrumá-los em uma assadeira grande, untada com óleo e polvilhada de farinha de trigo, deixá-los descansar durante 20 minutos e assá-los em forno médio por 45 minutos ou até o fundo deles estar levemente dourado. Arrumá-los em prato decorativo ou em cestinhos de palha forrados com toalhinha.

Observação: Não é preciso deixar muito espaço entre eles na assadeira.

PÃEZINHOS SEM FERMENTO RECHEADOS DE BANANA

- 3 xícaras de farinha de trigo integral
- 4 bananas da terra divididas ao meio
- 1 colher de sobremesa de sal
- 1 1/2 xícara de água

Fazer em uma tigela uma massa com a farinha de trigo, o sal e a água.

Abri-la com um rolo até ficar bem fininha, e envolver nela cada meia banana.

Arrumar os pãezinhos em uma assadeira untada com óleo e polvilhá-la de farinha de trigo e levá-los ao forno médio por 50 minutos.

Depois de frios, se envoltos em papel plástico, tornam-se mais macios.

PANETTONE

- 4 xícaras de farinha de trigo comum
- 2 colheres de sopa de fermento para pão
- 1 xícara de nozes picadas
- 1 xícara de frutas cristalizadas
- 1 xícara de passinhas escuras sem os caroços
- 2 colheres de sopa de casca de laranja ralada
- 1/2 colher de sobremesa de sal
- 1 xícara de açúcar mascavo
- 1 xícara de melado
- 1/2 xícara de óleo
- 1/2 xícara de água fria
- 1 1/2 xícara de água quente

Misturar em uma tigela grande a farinha de trigo, as frutas cristalizadas, as passas, as nozes, a casca de laranja e o sal.

Bater o óleo no liquidificador. Assim que começar a ficar esbranquiçado, acrescentar a água fria aos poucos, depois o açúcar, o melado e, por último, mais 1/2 xícara de água bem quente.

Diluir o fermento em 1 xícara de água quente e adicioná-lo à tigela das farinhas junto com a mistura do liquidificador. Mexer tudo com uma colher de pau e, quando a farinha tiver absorvido toda a água, virar a massa em uma superfície polvilhada de farinha de trigo.

Trabalhá-la com as mãos até tornar-se uma massa macia e elástica. Pôr mais farinha de trigo na mesa sempre que a massa começar a grudar nas mãos. Tampá-la, cobri-la com um cobertor e deixá-la protegida, de preferência sob o sol, por 3 horas.

Colocar a massa em uma forma redonda e funda (assadeira de pudim ou pirex redondo, etc.), untada com óleo e polvilhada de farinha de trigo. Pincelar melado por cima da massa e deixá-la dentro do forno apagado por 30 minutos. Assá-la em fogo médio por uma hora e quinze minutos ou até as laterais estarem levemente douradas. Regar o panettone com melado assim que sair do forno, ainda quente. Esperar esfriar dentro da forma, para então desenformá-lo e servi-lo.

PÃO COM CASTANHA E BANANA PASSA

- 2 xícaras de farinha de trigo comum
- 2 xícaras de farinha de trigo integral
- farinha de trigo para trabalhar a massa
- 1 1/2 colher de sopa de fermento biológico para pães
- 1 xícara de banana passa picada
- 1/3 de xícara de castanha-do-pará picada
- 1 colher de sobremesa de sal
- 5 colheres de sopa de óleo
- 1 1/2 xícara de água

Misturar em uma tigela todos os ingredientes secos e adicionar à mistura o óleo e a água. Mexer tudo com colher de pau e em seguida virar a massa em uma superfície lisa, polvilhada de farinha de trigo. Trabalhá-la muito bem com as mãos, até tornar-se bem lisa e macia.

Transferi-la para uma tigela untada de óleo, tampá-la e agasalhá-la. Esperar que cresça por 2 horas e então colocá-la em formas de pão untadas com óleo. Deixar os pães no forno apagado por 20 minutos; assá-los por 50 minutos, em temperatura média, ou até estarem com as laterais escuras.

Esperar que esfriem fora da forma.

PÃO COM CENTEIO E GERGELIM

- 2 1/2 xícaras de farinha de trigo integral
- 2 1/2 xícaras de farinha de trigo comum
- 2 colheres de farinha de centeio
- 1 colher de sopa de fermento biológico
- 2 colheres de sopa de gergelim
- 1 colher de sobremesa cheia de sal
- 4 colheres de sopa de açúcar
- 6 colheres de sopa de óleo
- 2 1/4 xícaras de água quente

Misturar muito bem todos os ingredientes secos em uma tigela.

Adicionar a água e o óleo e misturar tudo com uma colher de pau. Virar a massa em uma mesa enfarinhada e trabalhá-la bastante até tornar-se macia e elástica, usando se necessário mais farinha de trigo. Deixá-la crescer por 2 horas e então arrumá-la em formas de pão untadas com óleo.

Pode-se usar pirex, para o formato desejado, ou assadeiras para fazer pãezinhos. Deixá-los crescer por 20 minutos dentro do forno apagado e em seguida assá-los por 1 hora no forno em temperatura média.

Retirá-los assim que estiverem com as laterais douradas.

PÃO COM CENTEIO E DOCE DE BANANA

- 1 xícara de farinha de centeio
- 2 xícaras de farinha de trigo integral para trabalhar a massa
- 2 xícaras de farinha de trigo integral
- 1 colher de sopa de fermento biológico
- doce de banana ou de outra fruta a gosto
- 1/2 colher de sobremesa de sal
- 5 colheres de sopa de óleo
- 2 xícaras de água quente

Misturar os ingredientes secos da massa em uma tigela e em seguida adicionar o óleo e a água quente. Após mexer tudo com uma colher de pau, virar a massa em uma mesa com 2 xícaras de farinha de trigo. Trabalhá-la bastante com as mãos até tornar-se lisinha e macia.

Deixá-la dentro de uma tigela untada com óleo, tampada e coberta, por 2 horas. Abri-la com rolo e espalhar doce por toda a massa. Enrolá-la e colocá-la em formas de pão untadas com óleo. Deixar os pães 20 minutos dentro do forno apagado e então assá-los por 1 hora, em temperatura média. Retirá-los assim que estiverem com as laterais levemente escuras.

PÃO COM CHOCOLATE

- 1 pacote de farinha de trigo
- 1 colher de sopa de fermento biológico para pães
- 1 barra de chocolate amargo, sem leite
- 2 colheres de sopa de cacau sem leite e sem aroma de baunilha
- 1 colher de sobremesa de sal
- 1 colher de sopa de açúcar mascavo
- 4 colheres de sopa de óleo
- 2 xícaras de água quente
- 4 colheres de sopa de água

Misturar os ingredientes da massa e deixá-la crescer por 2 horas, dentro de uma tigela coberta.

Derreter o chocolate em fogo baixo com o açúcar mascavo, o cacau e a água. Abrir a massa com rolo e dividi-la em duas partes iguais. Colocar uma delas em uma assadeira untada com óleo, passar sobre ela o chocolate derretido e cobri-lo com a outra parte de massa.

Deixar o pão dentro do forno apagado por 20 minutos e assá-lo durante 1 hora em forno médio.

Pode-se usar pirex e formas de alumínio diferentes, para variar.

Rechear o pão com cerejas picadas, castanhas, nozes e avelãs quando quiser deixá-lo diferente.

PÃO COM DOCE DE BANANA-MARMELO

- 10 xícaras de farinha de trigo
- 2 colheres de sopa de fermento biológico para pães
- doce de banana-marmelo
- 1/2 xícara de castanhas-do-pará picadas
- 4 colheres de sobremesa rasas de sal
- 1/2 rapadura
- 1/2 xícara de óleo
- 4 xícaras de água morna/quente

Misturar os ingredientes, exceto as castanhas, a rapadura e o doce de banana, e trabalhar a massa bastante até tornar-se lisa. Colocar mais farinha de trigo se necessário. Deixá-la em lugar protegido por uma hora e meia.

Abrir com um rolo pequenas porções de massa, recheá-las com doce de banana e fazer com elas pequenos rolinhos.

Arrumar todos, bem próximos uns aos outros, em uma assadeira redonda, untada com óleo, ou em um pirex redondo, com a lateral em que aparece o recheio para cima. Espalhar as castanhas sobre o pão e deixá-lo dentro do forno apagado por 20 minutos. Assá-lo então por uma hora. Derreter a rapadura e derramá-la sobre o pão assim que sair do forno. Esperar que esfrie para o desenformar e servir.

PÃO COM FARINHA DE TRIGO INTEGRAL SIMPLES

- 2 xícaras de farinha de trigo integral
- 3 xícaras de farinha de trigo comum
- 1 colher de sopa de fermento para pão
- 1 colher de sobremesa de sal
- 1/2 xícara de óleo
- 2 xícaras de água quente

Misturar as duas farinhas e o sal em uma tigela.

Acrescentar o óleo e o fermento diluído na água quente. Misturar tudo bem com uma colher de pau e em seguida trabalhar a massa com as mãos, em superfície polvilhada de farinha de trigo comum. Esse é um momento muito agradável e importante, pois podemos adicionar a esse pão uma carinhosa energia que, sem duvida, colaborará no sabor e na leveza da massa.

Quando estiver bem trabalhada e macia, devolvê-la à tigela, cobri-la com um pano e deixá-la quieta por 2 horas em lugar protegido. Após esse descanso a massa deverá ter dobrado de volume. Manuseá-la rapidamente; formar os pães e colocá-los em duas formas untadas com óleo e polvilhadas de farinha de trigo integral.

Deixá-los crescer dentro da forma por mais 30 minutos e então levá-los ao forno médio por 1 hora ou até o fundo e as laterais estarem dourados.

PÃO COM LEGUMES COLORIDOS

- 2 xícaras de farinha de trigo comum
- 1 colher de sopa de fermento de pão
- 1/2 xícara de beterraba crua ralada
- 1/2 xícara de cenoura crua ralada
- 1/2 xícara de chuchu cru ralado
- 1 colher de chá de orégano seco
- 1 colher de sobremesa rasa de sal
- 1/2 xícara de azeite de oliva
- 3 colheres de sopa de óleo
- 1 xícara de água morna

Misturar em uma tigela grande os três legumes com o orégano, o azeite de oliva, o óleo e o sal.

Em outra tigela, misturar o fermento com a água morna e a farinha de trigo. Assim que estiverem bem misturados, juntá-los ao conteúdo da outra tigela, mexendo tudo em seguida com uma colher de pau grande.

Polvilhar uma superfície lisa de farinha de trigo comum e nela trabalhar bastante a massa, até tornar-se bem lisa, macia e elástica. Devolvê-la à tigela, cobri-la com um cobertor e, se possível, levá-la ao sol, deixando-a crescer durante 2 horas ou até o seu volume dobrar.

Colocar a massa em formas de pão untadas ou em pirex, ou fazer bolinhas com ela. Nesse último caso, arrumá-las em assadeira untada com óleo e polvilhada de farinha de trigo.

Deixar os pães crescer durante 20 minutos, e então assá-los em forno médio por 1 hora se forem grandes, ou por 45 minutos se forem pequenos.

PÃO COM TOMATES SECOS

- 2 xícaras de farinha de trigo integral
- 2 xícaras de farinha de trigo comum
- 1 xícara de farinha comum para trabalhar a massa
- 1/2 xícara de extrato de soja em pó
- 1 1/2 colher de sopa de fermento biológico
- 2 xícaras de tomates secos picados e previamente temperados a gosto
- 1 colher de sopa de orégano
- 1/2 colher de sopa de cominho
- 1/2 colher de sopa de alecrim
- 1 colher de sobremesa de sal
- 2 colheres de sopa de açúcar mascavo
- 1/2 xícara de óleo
- 3 colheres de sopa de azeite de oliva
- 2 xícaras de água quente (suportável para os dedos)

Peneirar as farinhas junto com o extrato de soja, o açúcar e o sal. Misturar-lhes os tomates secos e os temperos.

Colocar a água, o azeite e o óleo em uma tigela. Acrescentar o fermento e misturá-los bem. Juntar as farinhas e continuar a misturá-los.

Polvilhar uma superfície lisa de farinha de trigo comum e nela trabalhar a massa bastante, até tornar-se macia.

Passar azeite de oliva por toda a massa e deixá-la em uma tigela grande, coberta, em lugar quente (sob o sol, dentro de uma caixa térmica, etc.) por 2 horas.

Abrir a massa com rolo e cortar os pãezinhos com a boca de um copo grande. Arrumá-los em assadeira untada com óleo e polvilhada de farinha de trigo integral e deixá-los crescer por mais 15 minutos com o forno apagado.

Assar os pães por 50 minutos em temperatura média.

PÃO DE ABÓBORA

- 3 xícaras de farinha de trigo branca
- 1 colher de sopa de fermento para pão
- 2 xícaras de abóbora ainda quente, cozida e amassada
- 1 colher de sobremesa de sal
- 3 colheres de sopa de açúcar mascavo
- 1/2 xícara de óleo
- 1 xícara da água quente do cozimento da abóbora

Peneirar em uma tigela a farinha de trigo, o sal e o açúcar mascavo.

Bater no liquidificador a abóbora amassada, a água, o fermento e o óleo.

Juntar as duas misturas e mexer tudo bem com uma colher de pau.

Virar a massa em superfície polvilhada de farinha de trigo e amassá-la com as mãos até que fique bem lisa, macia e elástica. Colocar mais farinha de trigo na mesa sempre que a massa começar a grudar nas mãos. Devolvê-la à tigela, tampá-la e cobri-la. Se possível, levá-la ao sol para crescer durante mais ou menos 2 horas.

Cortá-la em tamanhos proporcionais às formas, que deverão estar untadas com óleo e polvilhadas de farinha de trigo, deixá-la descansar por 20 minutos, e então assá-la em forno médio, por uma hora e quinze minutos aproximadamente.

Esfriar os pães fora da forma.

PÃO DE AVEIA EM FLOCOS

- 2 xícaras de aveia em flocos
- 1/2 xícara de farinha de trigo integral
- 3 xícaras de farinha de trigo comum
- 2 xícaras de farinha de trigo comum para trabalhar a massa
- 1 1/2 colher de sopa de fermento
- 1 colher de sobremesa de sal
- 1/2 xícara de açúcar mascavo
- 2/3 de xícara de óleo
- 2 xícaras de água morna/quente

Misturar todos os ingredientes em uma tigela grande, devendo o fermento ser diluído antes na água morna. Virar a massa em uma superfície lisa e polvilhada de farinha de trigo e trabalhá-la delicadamente até se tornar lisa e uniforme.

Devolvê-la à tigela e colocá-la em lugar quentinho para crescer por 2 horas. Voltar a massa para a mesa enfarinhada, dividi-la em duas porções e colocá-las em formas próprias para pão, untadas com óleo.

Pincelar o topo de cada pão com água e polvilhá-los de flocos de aveia. A água irá ajudar a aveia a aderir à massa.

Deixar os pães no forno apagado por 30 minutos. Assá-los então em forno médio por 1 hora e, ao retirá-los do forno, esperar que esfriem em cima de alguma grade para que não fiquem úmidos.

PÃO DE BANANA

- 1 1/2 xícara de farinha de trigo comum
- 5 colheres de sopa de germe de trigo
- 2 colheres de sobremesa de fermento químico para bolos

Pão de banana
(continuação)

- 1 xícara de banana-prata madura amassada
- 2 colheres de chá de canela em pó
- 1 colher de chá de sal
- 1/3 de xícara de açúcar mascavo
- 1/3 de xícara de óleo

Peneirar em uma tigela a farinha de trigo com o fermento, o sal, o açúcar e a canela e acrescentar o germe de trigo, misturando-os bem.

Adicionar a banana amassada e o óleo e misturar tudo até tornar-se uma massa consistente.

Colocá-la em forma de pão untada com óleo e polvilhada de farinha de trigo e assar o pão em forno médio, por 50 minutos, ou até as laterais estarem douradas.

PÃO DE BATATA-DOCE

- 2 xícaras de farinha de trigo comum
- farinha de trigo para trabalhar a massa
- 1 xícara de germe de trigo
- 1 colher de sopa de fermento para pão
- 2 xícaras de batata-doce cozida e amassada
- 1 colher de sobremesa de sal
- 2 colheres de sopa de açúcar
- 1/2 xícara de óleo
- 1 xícara de água quente

Cozinhar algumas batatas-doces e amassá-las com um garfo.

Colocar esse purê em uma tigela e misturá-lo com a água, o óleo, o sal e o açúcar. Em outra vasilha misturar a farinha de trigo com o fermento e o germe de trigo.

Juntar então as duas misturas e mexê-las com uma colher de pau até dar liga. Em seguida virar essa massa em mesa polvilhada de farinha de trigo e trabalhá-la até ficar elástica e lisa.

Pôr mais farinha sempre que a massa começar a grudar nas mãos. Dividi-la em duas partes e amassar cada uma por 5 minutos no mínimo. Devolvê-las à tigela e deixá-las crescer em lugar protegido por 2 horas.

Untar duas formas grandes, próprias para pão. Dividir novamente a massa em duas partes, enrolá-las para ficarem com um bom formato, fazer-lhes leves riscos para modelá-las e deixá-las no forno apagado por 20 minutos.

Acender o forno e assar os pães em temperatura média por 1 hora. Ao retirá-los do forno, desenformá-los imediatamente para não suarem.

Ficam bons quando servidos com mel.

PÃO DE CENTEIO

- 2 xícaras de farinha de centeio
- 3 xícaras de farinha de trigo comum
- 1/2 xícara de farinha de trigo para trabalhar a massa
- 1 colher de sopa de fermento biológico para pães
- 1 colher de sobremesa de sal
- 8 colheres de sopa de óleo
- 2 xícaras de água quente

Misturar em uma tigela todos os ingredientes secos e no final colocar o óleo e a água. Mexê-los com colher de pau e depois virar a massa em uma superfície lisa, polvilhada de 1/2 xícara de farinha de trigo. Amassá-la bastante com as mãos até se tornar macia. Deixá-la crescer, em uma tigela untada com óleo, tampada e agasalhada, por 2 horas.

Colocar essa massa em formas de pão untadas e deixá-las crescer dentro do forno apagado por mais 25 minutos. Assá-las em temperatura média por 50 minutos ou até as laterais estarem douradas. Servir os pães quentes, com mel, ou frios, com pastas, ou ainda em forma de sanduíches, com tomate, alface, azeitonas e mostarda.

PÃO DE FARINHA DE ARROZ INTEGRAL

- 1 xícara de farinha de arroz integral peneirada
- 1 xícara de farinha de glúten
- 3 xícaras de farinha de trigo comum
- 1/2 xícara de leite de soja em pó
- 1 1/2 colher de sopa de fermento para pão
- 1 colher de sobremesa de sal
- 1/2 xícara de açúcar
- 1/2 xícara de óleo
- 2 xícaras de água morna/quente

Dissolver o fermento na água morna e despejá-la sobre os outros ingredientes, que deverão estar já em uma tigela, bem misturados. Amassá-los com as mãos em superfície lisa e polvilhada de farinha de trigo comum.

Assim que se tornarem uma massa macia e leve, devolvê-la à tigela. Deixá-la quieta, em lugar protegido de vento, por no mínimo 2 horas, coberta e agasalhada.

Dividir a massa em dois pães grandes ou em três médios, colocá-los em formas próprias, untadas com óleo (usar um pincel), e deixá-los crescer dentro do forno desligado por 30 minutos. Ligar o forno e assar os pães em temperatura média por aproximadamente 1 hora.

PÃO DE FORMA COM FUBÁ

- 3 xícaras de farinha de trigo integral
- 1 xícara de farinha integral para trabalhar a massa
- 1 xícara de farinha de trigo branca
- 1 xícara de fubá
- 2 colheres de sopa de fermento biológico
- 1/2 colher de sobremesa de sal
- 1/2 xícara de óleo
- 2 xícaras de água quente

Misturar em uma tigela as farinhas de trigo, o fubá e o sal.

Diluir em outra tigela, pequena, o fermento com o óleo e a água quente e juntá-los à tigela das farinhas.

Misturá-los bem com uma colher de pau.

Espalhar farinha em uma superfície lisa, colocar a massa por cima e trabalhá-la bastante com as mãos.

Assim que estiver lisa, devolvê-la à tigela e deixá-la crescer por 2 horas.

Arrumar os pães em formas próprias para eles, untadas com óleo, e deixá-los dentro do forno apagado por 30 minutos.

Acender o forno e assá-los durante 50 minutos, em temperatura média/baixa.

Retirá-los do forno quando estiverem com as laterais douradas.

PÃO DE FUBÁ E GLÚTEN

- 1/2 xícara de fubá mimoso
- 1 xícara de farinha de glúten
- 3 xícaras de farinha de trigo comum
- 1 colher de sopa de fermento para pão
- 1 colher de sobremesa de sal
- 1/2 xícara de óleo
- 2 xícaras de água quente

Dissolver o fermento na água quente e colocá-la sobre os demais ingredientes que já deverão estar misturados em uma tigela.

Amassá-los bastante com as mãos até tornarem-se uma massa bem macia e leve.

Deixá-la crescer, protegida do frio, por 2 horas.

Formar os pães e colocá-los em formas próprias, untadas com óleo.

Deixá-los no forno apagado por 30 minutos e então assá-los em forno médio por 1 hora aproximadamente, ou até o fundo dos pães ficarem dourados.

PÃO DE GERGELIM

- 2 kg de farinha de trigo comum
- 3/4 de xícara de óleo
- 3 colheres de sobremesa de sal
- 2 colheres de sopa de fermento biológico
- 1/2 xícara de gergelim
- 3 1/2 xícaras de água quente

Misturar os ingredientes em uma vasilha, na ordem acima descrita. Amassar a mistura com as mãos até tornar-se uma massa bem elástica. Usar mais um punhado de farinha de trigo para que a massa não grude nas mãos. Deixá-la crescer, bem coberta, de 2 a 3 horas.

Dividi-la e colocá-la em formas para pão, untadas.

Assar os pães em forno médio por 1 hora e retirá-los da forma assim que ficarem com as laterais douradas.

Servi-los com mel e geléias.

PÃO DE GLÚTEN

- 2 xícaras de farinha de glúten
- 3 xícaras de farinha de trigo branca
- 1/2 xícara de leite de soja em pó
- 1 colher de sopa de fermento para pão
- 1 colher de sobremesa de sal
- 1/2 xícara de óleo
- 2 xícaras de água quente

Peneirar em uma tigela todos os ingredientes secos.

Bater no liquidificador os ingredientes restantes e adicioná-los à tigela, mexendo tudo em seguida com uma colher de pau.

Polvilhar uma superfície lisa de farinha de trigo comum e amassar nela a mistura com as mãos até tornar-se uma massa lisa e macia.

Deixá-la tampada em lugar protegido, por 2 horas.

Retorná-la então à mesa enfarinhada, cortá-la em duas partes e, sem amassá-las muito, colocá-las em formas de pão untadas. Deixá-las crescer por 20 minutos e depois levá-las ao forno médio. Assar os pães por 1 hora ou até as laterais estarem douradas.

PÃO DE GRÃOS

- 1 xícara de farinha de trigo integral
- 1 xícara de glúten
- 3 xícaras de farinha de trigo comum

Pão de grãos
(continuação)

- 3 colheres de sopa de trigo mourisco em grãos
- 2 colheres de sopa de semente de linhaça
- 2 colheres de sopa de gergelim
- 3 colheres de sopa de sementes de girassol descascadas
- 2 colheres de sopa de fermento para pão
- 3 colheres de sobremesa de sal
- 1/2 xícara de açúcar mascavo
- 1/2 xícara de óleo
- 2 xícaras de água morna, quase quente

Dissolver o fermento na água morna/quente e misturá-la com todos os demais ingredientes em uma tigela. Amassá-los com as mãos, sobre uma superfície lisa e enfarinhada, até adquirirem consistência macia e elástica. Deixar a massa crescer em lugar protegido, por aproximadamente 3 horas.

Formar os pães e colocá-los em formas próprias, untadas com óleo. Deixá-los crescer por 30 minutos e então assá-los por 1 hora, em temperatura média. Esfriá-los fora da forma.

PÃO DE MANDIOCA

- 3 xícaras de farinha de trigo comum
- 1 colher de sopa de fermento para pão
- 2 xícaras de mandioca crua ralada
- 1 colher de sobremesa de sal
- 1 xícara de água morna/quente

Colocar em uma tigela a farinha de trigo, o sal, a mandioca ralada e o fermento de pão diluído na água morna.

Virar a massa em uma mesa polvilhada com farinha de trigo e trabalhá-la bastante, até que se torne lisa e macia (no mínimo dez minutos para se obter um bom pão).

Pôr mais farinha de trigo na mesa caso a massa comece a grudar demais nas mãos.

Devolver a massa à tigela, cobri-la e deixá-la em lugar protegido, por duas horas, ou até ter dobrado de tamanho.

Virar rapidamente a massa em mesa levemente polvilhada de farinha de trigo, cortá-la em duas partes iguais e dispô-las em formas de pão untadas com óleo.

Deixar os pães 30 minutos dentro do forno desligado e depois assá-los por uma hora em fogo médio.

Assim que as laterais estiverem levemente douradas, retirá-los das formas e deixar que esfriem em cima de uma grade (por exemplo, as do fogão).

PÃO DE MILHO VERDE

- 1 lata de 200 g de milho verde
- 5 xícaras de farinha de trigo comum
- 1 colher de sopa de fermento biológico para pães
- 1 colher de sobremesa de sal
- 2 colheres de sopa de açúcar
- 3 colheres de sopa de óleo
- 1 xícara de água quente

Misturar em uma bacia o fermento com a farinha de trigo.

Bater no liquidificador os ingredientes restantes e juntá-los à farinha. Mexer tudo com uma colher de pau e em seguida amassar a mistura com as mãos até que se torne uma massa bem macia e elástica.

Colocá-la em uma tigela untada com óleo e deixá-la 2 horas em lugar quente para que cresça.

Untar formas de pão, dispor nelas os pães e deixá-los crescer dentro do forno apagado por 30 minutos. Assá-los então por 1 hora, em forno médio, ou até estarem dourados.

Servi-los com pastas doces ou salgadas.

PÃO DE QUATRO CEREAIS

- 1/2 xícara de farinha de centeio
- 1/2 xícara de farinha de trigo integral
- 1/2 xícara de fubá
- 1/2 xícara de farinha de arroz integral
- 2 xícaras de farinha de trigo comum
- 2 colheres de sopa de fermento de pão
- 1 colher de sobremesa de sal
- 1 colher de sopa de missô
- 1/2 xícara de óleo
- 1 1/2 xícara de leite de soja quente (diluir 2 colheres de sopa de extrato de soja em 1 xícara de água)
- 1/2 xícara de água fria

Misturar em uma tigela grande as farinhas e o sal.

Bater no liquidificador o óleo puro até ficar esbranquiçado. Ir pingando nele lentamente, com o liquidificador ligado, água fria e depois missô. Despejar esse creme sobre as farinhas, e misturar tudo com uma colher de pau grande.

Diluir o fermento no leite de soja quentinho e acrescentá-lo à massa, misturando-a agora com as mãos.

Amassá-la em uma mesa polvilhada de farinha de trigo até tornar-se lisa, macia e elástica. Deixá-la crescer coberta e protegida, se possível sob o sol, por 3 horas.

Montar então os pães, arrumando-os em formas próprias untadas com óleo.

Salpicar-lhes um pouco de gergelim, se desejar, e levá-los ao forno médio por uma hora aproximadamente. Retirá-los da forma para que esfriem.

PÃO DE TRIGUILHO

- 1 xícara de trigo para quibe
- 4 xícaras de farinha de trigo comum
- 2 colheres de sopa de fermento para pão
- 1 colher de sobremesa de sal
- 1/2 xícara de óleo
- 2 xícaras de leite de soja morno/quente

Deixar o triguilho de molho por duas horas ou por uma noite inteira. Dobrará de volume. Espremê-lo com as mãos e misturá-lo com a farinha de trigo, o sal, o óleo e o fermento diluído no leite de soja morno ou na água morna.

Mexer tudo com uma colher de pau, e em seguida colocar a massa em uma superfície lisa enfarinhada. Manuseá-la delicadamente por uns 15 minutos, pondo mais farinha de trigo quando a massa começar a grudar nas mãos. Deixá-la crescer na tigela, tampada e coberta, por três horas.

Untar formas de pão e dispor a massa dentro delas, não esquecendo que no forno ela deverá crescer mais. Assar os pães por uma hora no forno médio ou até as laterais estarem douradas.

PÃO DOCE

- 4 xícaras de farinha de trigo comum
- 2 colheres de sopa de fermento para pão
- 2 xícaras de ameixas secas, sem caroços
- 2 xícaras de passinhas sem sementes
- 1 xícara de nozes frescas picadas
- 1 xícara de castanhas-do-pará picadas
- 2 pedaços de casca de laranja
- 2 pedaços de pau de canela
- 1 cravo
- 1/2 colher de sobremesa de sal
- 1 xícara de melado
- 3 xícaras de açúcar mascavo
- 1/2 xícara de óleo
- 1 1/2 xícara de água morna
- 2 copos de suco de laranja

Colocar em uma panela as ameixas, a canela, o cravo, as cascas de laranja, o suco de laranja e 2 xícaras de açúcar mascavo e levá-la ao fogo, mexendo-a sempre, até as ameixas estarem bem macias. Retirar a canela e o cravo da panela e bater tudo no liquidificador, ainda quente. Quando esfriar ficará com consistência de geléia. Reservá-la.

Misturar muito bem a farinha de trigo, o óleo, o sal e 1 xícara de açúcar mascavo. Diluir o fermento na água e adicioná-lo à mistura. Mexê-la com colher de pau e em seguida colocar a massa em mesa enfarinhada, adicionando-lhe mais água se estiver muito seca. Amassá-la com as mãos por bastante tempo, até tornar-se bem macia. Tampá-la e protegê-la do frio. Deixá-la crescer por 3 horas.

Depois de crescida, untar uma forma redonda, sem furo no meio, e arrumar nela a massa da seguinte forma: cortá-la em várias partes iguais, tamanho semelhante ao de maçãs, e abrir cada pedaço com rolo de macarrão. Não deixá-los muito finos, formar tiras retangulares, com cerca de 8 cm de largura.

Recheá-las com a geléia de ameixa e salpicar-lhes nozes, castanhas e passas. Enrolar cada pedaço de massa como um pequeno rocambole.

Arrumar todos os rolinhos na forma, de modo que a parte em que aparece o recheio fique para cima. Colocá-los grudados uns aos outros. Despejar melado por cima e enfeitar o pão com o restante das nozes. Assá-lo em forno médio por 1 hora.

Os rolinhos se interligarão dando um lindo formato ao pão doce.

Observação: Este pão cresce bastante; cuidado para não deixar a massa transbordar da forma ao assar.

PÃO DOCE COM NOZES E TÂMARAS

+ 2 1/2 xícaras de farinha de trigo comum
+ 1 xícara de farinha de trigo para trabalhar a massa
+ 1 xícara de tâmaras secas picadas
+ 1 xícara de nozes picadas
+ 1 colher de sobremesa de sal
+ 1/2 xícara de açúcar
+ 10 colheres de sopa de óleo
+ 1 xícara de água morna/quente

Após misturar muito bem todos os ingredientes secos em uma tigela, adicionar o óleo e a água quente. Mexer tudo com uma colher de pau e em seguida virar a massa em uma mesa polvilhada com 1 xícara de farinha de trigo. Trabalhá-la até tornar-se macia e deixá-la dentro de uma tigela untada, tampada e protegida por 2 horas.

Cortar a massa em três tiras iguais, fazer com elas uma trança e arrumá-la em uma assadeira untada com óleo. Pincelar melado por cima e deixá-la 20 minutos dentro do forno apagado. Assar o pão por 1 hora em temperatura média e, assim que as laterais estiverem douradas, retirá-lo.

PÃO FOFO COM MANDIOCA

- 3 xícaras de farinha de trigo comum
- 1 colher de sopa de fermento para pães
- 2 xícaras de purê de mandioca
- 1 colher de sobremesa de sal
- 1 colher de sopa de açúcar
- 1/2 xícara de óleo
- 1 xícara da água ainda quente do cozimento das mandiocas

Cozinhar as mandiocas e, quando estiverem macias, retirá-las do fogo e amassá-las bem com um garfo, formando assim um purê.

Colocar duas xícaras do purê ainda quente em uma tigela e misturá-lo com a farinha de trigo, o sal, o óleo, o fermento diluído na água e o açúcar.

Iniciar o trabalho de manuseio da massa em superfície polvilhada de farinha de trigo. Usar mais água quente se for preciso amaciá-la, ou mais farinha se estiver pegajosa. Essa massa é mais mole do que as que não contêm legumes.

Retorná-la à tigela e deixá-la bem agasalhada e resguardada de vento por duas horas e meia, ou até dobrar de volume.

Abrir a massa e formar dois pães. Colocá-los em formas próprias para pão, untadas com óleo e polvilhadas de farinha de trigo. Deixá-los no forno apagado por 30 minutos para que cresçam outra vez. Ligar então o forno em temperatura média e assar os pães por 1 hora. Tirá-los da forma tão logo estejam prontos para que não fiquem com os fundos úmidos.

PÃO INTEGRAL BÁSICO

- 6 1/2 xícaras de farinha de trigo integral
- 3 colheres de sopa de fermento para pão
- 2 colheres de sopa de açúcar mascavo
- 1 colher de sobremesa de sal
- 5 colheres de sopa de óleo
- 1/4 de xícara de água morna para diluir o fermento
- 2 xícaras de leite de soja morno, quase quente (diluir 2 colheres de sopa de extrato de soja em 1 xícara de água)

Diluir o fermento biológico na água morna, colocá-lo em uma tigela e acrescentar o açúcar, o sal, o óleo, o leite de soja e por último a farinha de trigo integral. Mexer tudo com uma colher de pau, e em seguida trabalhar a massa com as mãos até tornar-se bem lisa e elástica.

Usar mais farinha de trigo se a massa grudar nas mãos. Deixá-la crescer por 2 horas. Cortá-la em pedaços iguais e colocá-los em formas de pão untadas com óleo e polvilhadas de farinha de trigo integral.

Esperar os pães crescer por mais 20 minutos e então assá-los em forno médio por 50 minutos ou até o fundo deles estar levemente escuro.

Deixá-los esfriar fora da forma, para não acumularem umidade no fundo.

Podem ser colocadas em um pirex untado com azeite fatias de pão cobertas de tahine (ou alguma pasta), tomates em rodelas, orégano e azeitonas pretas e levar o pirex ao forno por uns 20 minutos.

PÃO INTEGRAL COM FLOCOS DE CENTEIO

- 1/2 xícara de flocos de centeio deixados de molho por 30 minutos
- 1 xícara de farinha de trigo integral
- 3 xícaras de farinha de trigo comum
- 1 colher de sopa de fermento para pão
- 1/2 xícara de leite de soja em pó
- 1 colher de sobremesa de sal
- 4 colheres de sopa de mel
- 4 colheres de sopa de óleo
- 2 xícaras de água quente

Espremer os flocos que estavam de molho e colocá-los em uma tigela grande. Adicionar as farinhas, a soja em pó e o sal. Misturar o óleo com a água quente, o fermento e o mel. Juntar a mistura à tigela e mexer tudo com uma colher de pau.

Começar então a trabalhar essa massa com as mãos, sobre uma superfície lisa, polvilhada de farinha de trigo.

Usar um pouco mais de água morna sempre que for necessário amaciar a massa, porém sem deixá-la pegajosa.

Quando estiver bem homogênea e leve, devolvê-la à tigela, cobri-la com pano ou cobertor e deixá-la crescer em lugar protegido por 2 horas.

Untar formas para pão e dividir a massa. Não é necessário amassá-la mais, basta colocá-la nas formas, deixá-la crescer mais 30 minutos dentro do forno apagado e depois assar os pães por 1 hora em fogo médio.

Para não ficarem úmidos por baixo, deixá-los esfriar fora da forma. Pode-se servi-los quentes, com abacate amassado com mel.

PÃO INTEGRAL COM FUBÁ E EXTRATO DE SOJA

- 1/2 xícara de fubá mimoso
- 2 xícaras de farinha de trigo integral
- 1 1/2 xícara de farinha de trigo comum
- 1 xícara de farinha de trigo para trabalhar a massa
- 1/2 xícara de germe de trigo
- 2 colheres de sopa de fermento biológico
- 1/2 xícara de extrato de soja em pó, ou leite de soja em pó
- 1/2 xícara de gergelim integral
- 1 colher de sobremesa de sal
- 5 colheres de sopa de óleo
- 2 xícaras de água quente

Misturar em uma tigela todos os ingredientes secos, e em outra, o óleo com a água e o fermento. Juntar as misturas e mexê-las bem com uma colher de pau.

Virar a massa em uma mesa enfarinhada e trabalhá-la bastante, até se tornar lisa e bem macia. Colocar mais farinha de trigo na mesa se necessário. Devolvê-la à tigela, tampá-la e cobri-la bem. Deixá-la crescer por 2 horas e meia.

Cortar a massa em duas partes e arrumá-las em formas de pão untadas com óleo e polvilhadas de farinha de trigo integral.

Deixar os pães crescer dentro do forno apagado por 35 minutos, e então assá-los durante 1 hora em fogo médio/baixo.

Retirá-los das formas assim que ficarem prontos.

PÃO INTEGRAL DE GERME DE TRIGO E FLOCOS DE CENTEIO

- 1 xícara de germe de trigo
- 1 xícara de flocos de centeio
- 1 xícara de farinha de trigo integral
- 2 xícaras de farinha de trigo comum
- 1 xícara de farinha de trigo para trabalhar a massa
- 1 1/2 colher de sopa de fermento biológico
- 1 colher de sobremesa de sal
- 3/4 de xícara de açúcar mascavo
- 4 colheres de sopa de óleo
- 2 xícaras de água quente

Misturar em uma tigela os ingredientes secos e, em outra, o óleo, o fermento e a água morna/quente.

Juntar as duas misturas em uma tigela só e mexê-las bem com colher de pau. Pôr farinha de trigo em uma superfície lisa, e sobre ela a massa da tigela. Trabalhá-la bastante com as mãos até tornar-se bem macia e não pegajosa. Colocar mais farinha se necessário.

Devolver a massa à tigela, tampá-la e cobri-la. Deixá-la crescer em lugar protegido por 2 horas ou até dobrar de volume. Retorná-la à mesa enfarinhada, dar-lhe o formato desejado e deixá-la dentro do forno apagado por 20 minutos, em forma untada com óleo e polvilhada de farinha de trigo integral.

Assar os pães em temperatura média por 1 hora, ou até estarem dourados. Conservá-los em sacos plásticos, depois de frios, se quiser que fiquem mais macios.

PÃO INTEGRAL FÁCIL

- 2 xícaras de farinha de trigo integral
- 1 kg de farinha de trigo comum
- 3 colheres de sopa de farinha de centeio
- 2 colheres de sopa de fermento biológico
- 1 colher de sobremesa de sal
- 1 xícara de rapadura ralada
- 1/2 xícara de óleo
- 2 1/2 xícaras de água quente

Reservar uma xícara de farinha branca.

Misturar os ingredientes na ordem em que foram apresentados e mexê-los bem com uma colher de pau.

Colocar a farinha reservada em uma superfície lisa, e por cima a massa. Trabalhá-la com as mãos até tornar-se lisa e bem macia. Devolvê-la à tigela. Tampá-la e deixá-la protegida por 2 horas em lugar quentinho.

Dividir a massa e colocar as partes em formas próprias para pão untadas com óleo. Peneirar um pouco de farinha de trigo integral por cima dos pães e deixá-los 15 minutos dentro do forno apagado. Assá-los por 1 hora em temperatura média.

PÃO MISTO

- 2 xícaras de farinha de trigo integral
- 2 xícaras de farinha de trigo comum
- 1 xícara de farinha de trigo para trabalhar a massa
- 2 colheres de sopa de fermento biológico
- 1/2 xícara de extrato de soja em pó
- 1 1/2 colher de sobremesa de sal
- 4 colheres de sopa de açúcar mascavo
- 1 /2 xícara de óleo
- 2 xícaras de água morna

Colocar em uma tigela as farinhas de trigo, o extrato de soja, o açúcar e o sal. Misturá-los bem.

Diluir separadamente o fermento com o óleo e a água.

Misturar tudo com colher de pau e trabalhar a massa em uma mesa enfarinhada. Assim que estiver macia e elástica, devolvê-la à tigela. Tampá-la e cobri-la. Deixá-la em lugar protegido por 2 horas. Dividir a massa em duas porções e colocá-las em formas próprias para pão, untadas com óleo e polvilhadas de farinha de trigo integral. Deixar os pães dentro do forno apagado por 25 minutos e então assá-los em temperatura média/baixa por 50 minutos, ou até as laterais estarem douradas.

PÃO NO VAPOR

- 4 xícaras de farinha de trigo
- 1 colher de sopa de fermento para pão
- 1 colher de sobremesa de sal
- 1/2 xícara de açúcar
- 1/2 xícara de óleo
- 2 xícaras de leite de soja morno (diluir 2 colheres de sopa de extrato de soja em 1 xícara de água)

Dissolver o fermento no leite e misturá-lo aos demais ingredientes. Manusear a massa em superfície enfarinhada até tornar-se lisa e macia. Deixá-la crescer, com a tigela tampada e em lugar protegido, por 3 horas. Formar pães redondos e arrumá-los em panelas próprias (cuscuzeira ou banho-maria), untadas com óleo.

O formato vai depender do tipo da panela usada: poderá ser um pão só, ocupando toda a panela ou vários, menores.

Esperar que cresçam com a panela bem tampada e colocar um pano de prato limpo sob a tampa. Esperar mais uns 20 minutos e então cozinhá-los em fogo alto por 1 hora e meia ou até estarem bem cozidos. São pães bem macios, pois não formam casca.

PÃO PARA SANDUÍCHES

- 3 xícaras de farinha de trigo comum
- 1 xícara de farinha de glúten
- 1 colher de sopa de fermento para pão
- 1/2 copo de gergelim descascado
- 2 colheres de sobremesa de sal
- 1/2 xícara de açúcar
- 1/2 xícara de óleo
- 2 xícaras de água quente

Deixar o gergelim reservado e misturar todos os ingredientes secos.

Acrescentar o fermento diluído na água morna. Trabalhar a massa bastante com as mãos, em superfície enfarinhada, até ficar bem macia. Cobri-la bem e deixá-la em lugar protegido de vento e de frio, por 3 horas. Abrir a massa em superfície polvilhada de farinha de trigo. Deixá-la com 2 ou 3 dedos de grossura e cortá-la com a borda de um copo grande, formando pãezinhos.

Colocar em um prato fundo a água morna, e em outro o gergelim descascado. Umedecer com água morna a superfície de cada pãozinho e passá-lo em seguida no gergelim, de modo que este grude bem.

Arrumar os pães em assadeira untada com óleo e polvilhada de farinha de trigo e deixá-los dentro do forno apagado por 30 minutos. Assá-los em forno médio por 1 hora. Costumam dobrar de tamanho e ficam mais macios se forem colocados bem juntos, pois ao assarem tendem a grudar um no outro, e assim as laterais não ficam torradas. Depois de assados desgrudam facilmente.

PÃO RECHEADO COM BANANAS

- 1 xícara de farinha de trigo integral
- 2 xícaras de farinha de trigo comum
- 1 colher de sopa de fermento para pães
- 6 bananas-d'água (nanicas)
- 1 xícara de geléia de qualquer sabor
- 1 colher de sopa de canela em pó
- 1 colher de sobremesa de sal
- 1/2 xícara de açúcar
- 1/2 xícara de óleo
- 2/3 de xícara de água morna

Dissolver o fermento na água morna e juntá-lo às farinhas, ao sal, ao açúcar e ao óleo e amassar tudo bastante, até se tornar uma massa lisa e bem macia. Deixá-la crescer por 3 horas aproximadamente, e então cortá-la em dois pedaços iguais.

Misturar as bananas cortadas em rodelinhas com a geléia e a canela em pó e colocar essa mistura dentro das massas abertas.

Enrolá-las delicadamente, fechar bem as bordas, decorar os pães com bananas em rodelas a gosto e colocá-los em formas de pão untadas com óleo e polvilhadas de farinha de trigo. Assá-los por uma hora em forno médio.

Observação: Não colocar muito recheio, pois a massa poderá ficar pesada.

PÃO RECHEADO COM MISSÔ

- 1 xícara de farinha de trigo integral
- 3 xícaras de farinha de trigo comum
- 1 colher de sopa de fermento biológico para

Pão recheado com missô
(continuação)

pão

- 1/2 colher de sobremesa de sal
- 1 xícara de missô
- 2 colheres de sopa de azeite de oliva
- 1/2 xícara de óleo
- 2 xícaras de água morna/quente

Dissolver o fermento na água morna e misturá-lo com os demais ingredientes, menos o missô e o azeite de oliva.

Amassar tudo bastante em superfície polvilhada de farinha de trigo, até que se torne uma massa bem macia e elástica. Deixá-la crescer por aproximadamente 3 horas em lugar protegido, e então voltá-la para a mesa enfarinhada.

Separar a massa em dois pães grandes ou em três médios. Abrir essas porções com um rolo, ou mesmo com uma garrafa, e espalhar sobre elas o azeite de oliva e o missô. Enrolá-las feito um rocambole, fechando bem as laterais, e colocá-las em formas de pão untadas com óleo. Deixar os pães dentro do forno apagado por 25 minutos e assá-los em fogo médio por 1 hora. Servi-los em fatias.

PÃO RECHEADO PARA LANCHE

MASSA

- 3 xícaras de farinha de trigo branca
- 1 xícara de farinha de trigo integral
- 1 colher de sopa de fermento biológico para pão
- 1 colher de sobremesa de sal
- 1/2 xícara de óleo
- 2 xícaras de água quente

RECHEIO

- 2 tomates sem sementes picados
- 1 pimentão bem picadinho
- 10 azeitonas picadinhas
- 3 colheres de sopa de orégano ou manjericão
- 1/2 colher de sobremesa de sal
- 3 colheres de sopa de azeite de oliva

Dissolver o fermento na água quente e juntá-lo aos demais ingredientes da massa, misturando-os bem com as mãos, em mesa polvilhada com farinha de trigo, até tornarem-se uma massa bem macia e lisa. Deixá-la bem agasalhada, e se possível sob o sol, durante 2 ou 3 horas.

Dividir a massa em três porções e abri-las com rolo. Sobre cada retângulo colocar 1 colher de sopa de azeite de oliva e espalhar 1 colher de sopa de orégano.

Misturar bem os ingredientes do recheio em uma tigela e distribuí-lo sobre as massas abertas. Fechá-las como rocambole, apertando bem as pontas.

Assar os pães em três formas de pão, untadas com óleo e polvilhadas de farinha de trigo, em forno médio, durante 1 hora ou até o fundo e as laterais estarem levemente dourados.

PÃO REDONDO

- 1 pacote de farinha de trigo comum
- 1 colher de sopa de fermento para pão
- 2 colheres de sobremesa de sal
- 4 colheres de sopa de óleo
- 2 xícaras de água quente

Peneirar em uma tigela a farinha de trigo com o sal.

Bater rapidamente no liquidificador o fermento com o óleo e a água.

Fazer uma abertura na farinha e nela despejar a água toda. Misturar tudo com uma colher de pau e, assim que tiver dado liga, virar a massa em uma superfície polvilhada com farinha de trigo. Amassá-la muito bem com as mãos, adicionando mais farinha à mesa quando a massa começar a grudar nas mãos. Assim que estiver macia e lisa, dividi-la em duas porções.

Amassar cada uma individualmente e devolvê-la à tigela, tampá-la e cobri-la bem, deixando-a protegida de correntes de vento. Deixá-la crescer por 2 horas ou até o seu volume dobrar. Untar duas assadeiras médias com óleo, enfarinhá-las e ligar o forno. Virar a massa em superfície levemente polvilhada de farinha de trigo e dividi-la em duas partes, dando-lhes um formato bem redondo. Pôr todas as pontas para dentro, até a parte de cima estar bem lisa.

Colocar cada uma em uma assadeira e deixá-las em forno médio por 1 hora.

Retirar os pães da assadeira para que esfriem e servi-los com pasta salgada, tomate seco, berinjela temperada ou como pizzinhas e sanduíches.

PÃO REFEIÇÃO

MASSA
- 3 xícara de farinha de trigo comum
- 1 colher de sopa de fermento de pão
- 1 colher de sobremesa de sal
- 4 colheres de sopa de óleo
- 4 colheres de sopa de azeite de oliva
- 1 xícara de água morna

RECHEIO
- 1/2 xícara de broto de feijão

Pão refeição
(continuação)

- ◆ 1/2 xícara de milho verde cozido
- ◆ 1/2 xícara de ervilha verde cozida
- ◆ 1/2 xícara de azeitonas verdes picadas
- ◆ 1/2 xícara de pimentão verde picado
- ◆ 1 xícara de tomate sem sementes picado
- ◆ 4 colheres de sopa de salsa fresca picada
- ◆ 4 colheres de sopa de coentro fresco picado
- ◆ 1 colher de chá de alecrim seco
- ◆ 1 colher de chá de manjerona seca
- ◆ 1 xícara de missô
- ◆ 2 colheres de sopa de azeite de oliva

Misturar muito bem em uma tigela todos os ingredientes do recheio. Conservá-los em geladeira.

Colocar em outra tigela a farinha de trigo, o sal e o óleo.

Dissolver o fermento de pão na água morna e juntá-lo à farinha. Misturá-los bem com uma colher de pau e em seguida virar a massa em uma superfície enfarinhada. Amassá-la energicamente com as mãos até tornar-se lisa e macia. Deixá-la crescer, bem protegida, por 3 horas. Abri-la então com um rolo e formar um quadrado grande, com uns 2 dedos de grossura. Espalhar o recheio por cima e delicadamente enrolar a massa, fechando bem as laterais. Colocá-la em uma forma, assadeira ou pirex e deixar que cresça por mais 20 minutos. Assá-la em forno médio por uma hora e meia ou até o pão estar corado. Servi-lo quente ou frio, temperado com pastas, limão, mostarda, ou com conservas e saladas.

PÃO-TORTA COM SOBRAS DE LEGUMES E VERDURAS

MASSA
- ◆ 3 xícaras de farinha de trigo branca
- ◆ 1 colher de sopa de fermento para pão
- ◆ 1 colher de sopa de orégano
- ◆ 1 colher de sobremesa de sal
- ◆ 1/2 xícara de óleo
- ◆ 1/2 xícara de água

RECHEIO
- ◆ 3 xícaras de legumes cozidos (podem ser sobras de abobrinha, chuchu, cenoura, berinjela, ervilha, etc.)
- ◆ 2 xícaras de verduras cozidas (rúcula, espinafre, brócolis, escarola, ou o que houver disponível)
- ◆ 3 tomates cortados em rodelas
- ◆ 1 xícara de azeitonas picadas
- ◆ 2 colheres de sopa de orégano seco

**Pão-torta com sobras
de legumes e verduras
(continuação)**

- 1 colher de sobremesa de sal
- 1 colher de sopa de missô
- 1/2 xícara de azeite de oliva

Misturar todos os ingredientes do recheio em uma tigela e deixá-lo reservado.

Dissolver o fermento na água morna, quase quente, e adicionar os demais ingredientes, mexendo tudo em seguida com uma colher de pau. Manusear a massa, em superfície polvilhada de farinha de trigo, até ficar bem macia. Usar mais farinha se a massa começar a grudar nas mãos, e mais água se estiver muito ressecada.

Colocar a massa em uma tigela, cobri-la com um pano grosso e deixá-la crescer por 3 horas, ou até que dobre de volume. Dividir a massa em duas partes. Abrir cada porção com rolo, no tamanho e formato da assadeira a ser usada, de preferencia redonda. Untar a assadeira e forrá-la com uma das partes da massa. Pôr todo o recheio sobre ela, arrumar as rodelas de tomate por cima, salpicar orégano, regar com azeite de oliva e cobrir tudo com a outra metade da massa.

Fechar bem as bordas e assar o pão em forno médio por uma hora e quinze minutos aproximadamente ou até estar levemente dourado. Servi-lo quente ou frio.

PÃOZINHO INTEGRAL ADOCICADO

- 2 xícaras de farinha de trigo integral
- 2 xícaras de farinha de trigo branca
- 2 colheres de sopa de fermento para pão
- 1 colher de sobremesa de sal
- 4 colheres de sopa de açúcar mascavo
- melado
- 4 colheres de sopa de óleo
- 1 1/2 xícara de água quente

Misturar todos ingredientes secos em uma tigela, e em outra misturar a água, o óleo e o fermento. Em seguida juntar as duas misturas e mexer tudo com uma colher de pau. Virar a massa em uma superfície polvilhada de farinha de trigo e amassá-la com as mãos até ficar bem lisa.

Colocar mais farinha de trigo na mesa se a massa grudar nas mãos. Dividi-la em três partes iguais e amassar cada uma individualmente até ficar bem elástica. Retornar as três porções à tigela, cobri-la com um cobertor e, se possível, deixá-la ao sol por 2 horas. Abrir a massa com um rolo, mas não deixá-la muito fina (no mínimo com 3,5 cm de altura). Com a boca de um copo (do tamanho desejado para os pães) cortar a massa e ir colocando as bolinhas bem próximas umas das outras. Aproveitar as rebarbas, amassando-as novamente. Assar os pães em forno médio por 50 minutos e pincelar-lhes melado assim que saírem do forno e estiverem bem quentes.

PÃOZINHO INTEGRAL PARA SANDUÍCHES

- 2 xícaras de farinha de trigo integral
- 2 xícaras de farinha de trigo comum
- 1/2 xícara de farinha de trigo comum para trabalhar a massa
- 1/2 xícara de germe de trigo
- 1 1/2 colher de sopa de fermento
- 2 colheres de sobremesa de sal
- 1/2 xícara de açúcar mascavo
- 5 colheres de sopa de óleo
- 1 1/2 xícara de água quente

Dissolver o fermento na água quente e no óleo. Juntar os demais ingredientes e misturá-los bem com uma colher de pau.

Colocar 1/2 xícara de farinha em uma superfície lisa e nela trabalhar bastante a massa até tornar-se lisa e macia. Devolvê-la à tigela e tampá-la. Deixá-la protegida do frio por 2 horas. Abrir a massa com rolo e cortar os pães com a boca de um copo grande e redondo. Colocá-los em uma assadeira grande, untada com óleo e polvilhada de farinha de trigo integral, e deixá-los dentro do forno apagado por 25 minutos. Acender o forno e assar os pães por 50 minutos em temperatura média. Deixá-los esfriar fora da forma.

Pode-se variar o tamanho dos pães: basta fazê-los com copos maiores ou menores. Podem ser feitos minipãezinhos, que são bem apreciados quando recheados com pastas salgadas, tomate e orégano.

PÃOZINHO TIPO FRANCÊS

- 1 1/3 de xícara de farinha de trigo comum
- 2 colheres de sobremesa de fermento biológico
- 1/2 colher de sobremesa de sal
- 1 colher de chá de açúcar
- 1 colher de sopa de óleo
- 1/2 xícara de leite de soja morno (diluir 2 colheres de sopa de extrato de soja em 1 xícara de água)

Amornar o leite, juntar-lhe o açúcar e salpicar o fermento por cima. Deixá-lo 15 minutos, sem mexer, em lugar protegido do frio.

Misturar a farinha com o sal e o óleo e despejá-los por cima do fermento. Mexer tudo com colher de pau e trabalhar a massa até tornar-se bem macia e lisa. Deixá-la coberta e protegida do frio até dobrar de tamanho. Após crescida, sová-la rapidamente, dividi-la em 4 partes e formar 4 pãezinhos de bom tamanho. Colocá-los em uma assadeira untada com óleo e fazer uns cortes superficiais, em diagonal, na parte superior de cada pão. Assá-los em forno médio, preaquecido, por 45 minutos. Servi-los quentes ou frios, com pasta, em sanduíches, com mel ou geléias ou como acompanhamento de macarronadas e sopas.

RECEITA PARA 4 PÃES GRANDES

- 2 pacotes de farinha de trigo comum
- 4 colheres de sopa de açúcar mascavo
- 4 colheres de sobremesa de sal
- 2 colheres de sopa de fermento biológico
- 1/2 xícara de óleo
- 4 xícaras de água quente
- 2 xícaras de farinha comum para trabalhar a massa

Colocar os ingredientes na ordem descrita em uma tigela e mexê-los com uma colher de pau. Polvilhar uma mesa com 2 xícaras de farinha de trigo e virar a massa sobre ela. Amassá-la com as mãos até ficar elástica e macia. Deixá-la crescer por 2 horas dentro da tigela tampada e coberta.

Dividir a massa em 4 partes iguais e colocá-las em 4 formas de pão grandes, untadas com óleo. Deixar os pães dentro do forno apagado por 25 minutos. Após esse tempo, acender o forno, deixá-lo em temperatura média e assar os pães por 1 hora ou até estarem levemente dourados. Retirá-los das formas para não ficarem úmidos no fundo.

RECEITA PARA 2 PÃES

- 3 xícaras de farinha de trigo comum
- 2 xícaras de farinha de trigo integral
- 1 xícara de farinha de trigo para trabalhar a massa
- 1 colher de sopa de fermento biológico para pães
- 1 colher de sobremesa de sal
- 2 colheres de sopa de açúcar mascavo
- 5 colheres de sopa de óleo
- 2 xícaras de água morna

Misturar muito bem todos os ingredientes secos em uma tigela.

Misturar o óleo e a água e juntá-los à tigela. Mexer tudo com uma colher de pau, e em seguida virar a massa em uma superfície enfarinhada.

Amassá-la até tornar-se bem lisa e macia. Colocá-la em uma tigela untada com óleo e deixá-la crescer por uma hora e meia.

Dividir a massa em duas partes e colocá-las em duas formas grandes untadas com óleo. Deixá-las crescer por 15 minutos dentro do forno apagado e então assar os pães por 50 minutos em forno médio.

Retirá-los assim que estiverem com as laterais douradas.

TRANÇA DOCE DE COCO

- 3 xícaras de farinha de trigo
- 1 colher de sopa de maisena
- 2 colheres de sopa de fermento para pão
- 1 xícara de ameixas secas picadas
- 1 xícara de coco ralado para o recheio
- 1 xícara de coco ralado para cobrir
- 2 cravos da índia
- 1 colher de chá de sal
- 1 xícara de melado
- 3 xícaras de açúcar mascavo
- 1/2 xícara de óleo
- 2 vidros de leite de coco
- 2 xícaras de água fria
- 1 xícara de água quente para dissolver o fermento

Colocar 1 xícara de coco ralado, 2 xícaras de açúcar mascavo, o leite de coco, as ameixas, os cravos, a água fria e a maisena em uma panela e levá-la ao fogo, mexendo-a sempre, até a mistura ficar com consistência de geléia. Reservá-la.

Dissolver separadamente o fermento biológico (fermento para pães) na água quente e adicionar-lhe a farinha de trigo, o sal, o açúcar e o óleo. Misturar e amassar tudo bastante, em superfície enfarinhada. Cobrir a massa e deixá-la crescer por 3 horas em lugar protegido do frio.

Untar uma assadeira grande com óleo e polvilhá-la de farinha de trigo.

Separar a massa já crescida em três partes iguais. Abrir com rolo cada tira, para que fiquem 3 retângulos compridos.

Rechear cada retângulo com pouca geléia e enrolá-los, com muito jeito, como um rocambole bem comprido.

Fazer uma trança com as 3 tiras recheadas. Regar a trança com melado e salpicá-la de coco ralado. Deixá-la crescer por 30 minutos, dentro do forno apagado, e depois assá-la por 1 hora em temperatura média. Esfriá-la fora da forma.

MASSAS DOCES

Tortas

Apfel strudel 277
Banana com massa folhada 277
Torta de banana 278
Torta de banana e passas 278
Torta de banana-nanica com massa podre 279
Torta de farinha de pão e banana 279
Torta de maçã 280
Torta de maçã e frutas secas 280
Torta de morangos 281
Torta de pão com banana-d'água 282
Tortinhas de maçã 282

Biscoitos

Biscoito de aveia e passas 283
Biscoito de batata-doce 283
Biscoito de castanha de caju 284
Biscoito de chocolate 284
Biscoito de gergelim e aveia 284
Biscoito de farinha de trigo integral 285
Biscoito doce integral 285
Biscoito de abóbora 286
Biscoito de aveia e nozes 286
Biscoito de fubá 287
Biscoito de germe de trigo e mel 287
Biscoito de polvilho 287

Bolachas 288
Bolachas de aveia com coco 288
Bolachas de castanha-do-pará 288
Bolachas de chocolate e avelãs 289
Chapatis fritos 289
Pastel de maçã 290
Roscas de chocolate fritas 290

Granolas, panquecas e waffles

Granola com mel 291
Granola de nozes e castanhas 292
Granola para salada de frutas 292
Granola simples 292
Granolas simples de nozes 293
Granolas simples de coco 293
Massa branca para waffle 293
Massa de aveia para panquecas ou waffles 294
Massa integral para waffle 294
Massa para panquecas de frutas ou para waffles 295
Massa para waffle com fubá 295
Panqueca de banana-prata, mel e canela 296
Panquecão de banana 296
Panquecas fininhas recheadas com doce de banana 297

Bolinhos, sonhos e pastéis doces

Bolinhos de chocolate e cerejas 299
Bolinhos doces de banana 299
Minibolinhos doces de abóbora 300
Pastel assado de maçã 300
Pastel de banana 301
Pastelzinho assado de amoras 302
Sonhos 302
Sonhos com castanha-do-pará e maçã 303

TORTAS

APFEL STRUDEL

- 1 pacote de massa folhada
- 5 maçãs grandes
- 1/2 xícara de passinhas sem sementes
- 1/2 xícara de nozes picadas
- 3 colheres de sopa de açúcar mascavo

Cortar as maçãs em cubinhos e misturá-los em uma tigela com o açúcar mascavo, as nozes e as passinhas.

Dividir a massa em duas partes e abrir ambas com rolo.

Separar o recheio de maçã em duas porções, e colocar uma porção sobre cada uma das partes de massa. Enrolá-las feito um rocambole e dispô-las em assadeira ou pirex untado. Deixá-las na geladeira por 20 minutos, e então colocá-las no forno já bem quente. Assá-las em temperatura média, por 1 hora ou até estarem douradas, e servi-las quentes com mel a gosto.

BANANA COM MASSA FOLHADA

- 1 pacote de massa folhada
- 9 bananas-pratas grandes em rodelas
- 5 bananas-pratas cortadas ao comprido e fritas
- 3 colheres de sopa de passinhas
- 1/2 xícara de castanha-do-pará
- 1 pitada de sal
- 3 colheres de sopa de açúcar mascavo
- 2 colheres de sopa de óleo

Colocar as rodelas de banana em uma panela e acrescentar o óleo, o açúcar mascavo, as passinhas e o sal. Triturar as castanhas no liquidificador seco, e juntá-las à panela. Deixar a panela em fogo alto e tampada. Assim que as bananas estiverem bem cozidas, acrescentar as bananas fritas picadas.

Dividir a massa folhada em duas partes iguais e abri-las com rolo. Espalhar o recheio dentro de cada uma e fechá-las cuidadosamente. Colocá-las em uma assadeira untada com óleo e deixá-las na geladeira por 20 minutos. Aquecer o forno e, quando estiver bem quente, assar as tortas. Deixá-las por 50 minutos em forno médio. Servi-las com mel e canela a gosto.

TORTA DE BANANA

MASSA
- 2 1/2 xícaras de farinha de trigo
- 1/2 xícara de óleo
- 1/2 colher de café de sal

RECHEIO
- 12 bananas-d'água
- 3 colheres de sopa de açúcar mascavo
- 2 colheres de sopa de maisena
- 1/2 xícara de água
- 10 bananas-pratas cortadas ao comprido e fritas em óleo quente
- canela em pó a gosto

Misturar os ingredientes da massa em uma tigela e, assim que ela ficar semelhante a uma farofa, colocá-la em uma forma para torta com fundo móvel. Achatá-la bem com as mãos até forrar completamente a forma.

Colocar as bananas-d'água em uma panela, levá-la ao fogo tampada e esperar que junte água. Acrescentar então o açúcar mascavo e mexer bem as bananas para que se desmanchem. Quando ficarem avermelhadas, colocá-las dentro da forma, sobre a massa, e cobri-las com as bananas fritas.

Polvilhar canela em pó sobre a torta e levá-la ao forno por 30 ou 40 minutos. Esperar que esfrie um pouco para desenformá-la. Servi-la morna ou fria.

TORTA DE BANANA E PASSAS

- 1 xícara de farinha de trigo
- 1 xícara de maisena
- 1 colher de sobremesa rasa de bicarbonato de sódio
- 1 dúzia de bananas-nanicas (grandes)
- 1/2 xícara de uvas-passas
- canela em pó
- 1 xícara de açúcar mascavo
- 2/3 de xícara de óleo
- 1 1/2 xícara de leite de soja (diluir 2 colheres de sopa de extrato de soja em 1 xícara de água) ou água

Misturar em uma tigela as farinhas com o bicarbonato, o açúcar e o óleo. Untar uma forma ou um pirex retangular e nele colocar uma camada da massa sequinha. Em seguida, colocar fatias de bananas cortadas ao comprido e passinhas. Polvilhar canela e regar com o leite ou água.

Proceder assim sucessivamente, deixando para o fim uma camada da mistura de farinhas. Levar a torta ao forno médio por aproximadamente 25 minutos.

TORTA DE BANANA-NANICA COM MASSA PODRE

MASSA

- 3 1/2 xícaras de farinha de trigo branca ou integral
- 1 colher de sobremesa de sal
- 1 xícara de óleo

RECHEIO

- 1 dúzia de bananas-nanicas grandes e maduras
- 1/2 xícara de passinhas
- 1/2 xícara de castanhas-do-pará bem picadas
- 1 colher de sopa de canela em pó
- 1/3 de colher de sobremesa de sal
- 6 colheres de sopa de açúcar mascavo

Cortar as bananas em 3 partes e levá-las ao fogo junto com o açúcar, a canela, as passinhas, as castanhas e o sal. Deixá-las cozinhar por mais ou menos 15 minutos ou até estarem bem cozidas.

MASSA PODRE

Colocar os ingredientes da massa em uma tigela, e misturá-los bem com as mãos até tornarem-se uma farofa que fique firme quando pressionada.

Pôr a massa em uma forma com fundo falso ou em um pirex e reservar um pouco dela para cobrir a torta. Apertá-la bem com os dedos contra o fundo e as paredes da forma, e em seguida espalhar sobre ela o recheio. Tampá-lo com a farofa reservada e dar umas leves batidinhas com as mãos na massa para uni-la.

Assar a torta em forno médio/alto, por mais ou menos 40 minutos, ou até estar dourada.

TORTA DE FARINHA DE PÃO E BANANA

- 2 1/2 xícaras de farinha de pão
- 6 bananas-nanicas grandes
- 3/4 de xícara de uvas-passas
- 3/4 de xícara de amêndoas picadas
- 3/4 de xícara de nozes picadas

Torta de farinha de pão
e banana
(continuação)

- canela a gosto
- mel, para depois de assada
- 1 xícara de suco de laranja

Juntar restos de pão, picá-los e torrá-los no forno.

Assim que estiverem bem torrados, mas não escuros, batê-los aos poucos no liquidificador até virarem farinha.

Colocá-la em um pirex untado com óleo, e por cima as amêndoas, as nozes e as passinhas. Arrumar sobre elas as bananas (deverão estar cortadas ao meio pelo comprimento) e regá-las com o suco.

Levar a torta ao forno médio. Quando as bananas estiverem bem assadas e o fundo do pirex estiver escuro, retirá-la do forno.

Salpicar-lhe canela e mel a gosto e colocá-la na geladeira depois de fria.

TORTA DE MAÇÃ

MASSA
- 2 1/2 xícaras de farinha de trigo
- 1/2 colher de café de sal
- 1/2 xícara de óleo

RECHEIO
- 10 maçãs maduras sem as sementes
- 3 colheres de sopa de suco de limão
- 2 colheres de sopa de maisena
- 4 colheres de sopa de açúcar mascavo
- 1 xícara de leite de coco
- 1/2 xícara de água

Descascar as maçãs e levá-las ao fogo com o açúcar e o leite de coco, deixando-as em fogo alto até amaciarem. Picá-las e então acrescentar a maisena diluída em 1/2 xícara de água e o suco de limão. Mexer a panela sem parar até o recheio engrossar.

Misturar os ingredientes da massa e transferi-la para um pirex ou forma. Pressioná-la bastante nas laterais e no fundo e colocar o recheio dentro, cobrindo-o com as maçãs restantes cortadas em rodelas fininhas. Assar a torta por 45 minutos em forno médio ou até as laterais estarem douradas. Esperar esfriar para servi-la.

TORTA DE MAÇÃ E FRUTAS SECAS

MASSA
- 1 1/2 xícara de farinha de trigo integral
- 1 1/2 xícara de farinha de trigo comum
- 1 colher de sobremesa de fermento químico
- 1 colher de sobremesa de sal

Torta de maçã e
frutas secas
(continuação)

- 1/2 xícara de óleo
- 1/2 xícara de água

RECHEIO

- 4 maçãs grandes sem sementes
- 1 xícara de damascos secos picados
- 1 xícara de tâmaras secas picadinhas
- 1 xícara de nozes frescas picadas
- 1 xícara de açúcar mascavo
- 1/2 xícara de água quente

Colocar os ingredientes do recheio, exceto as nozes, em uma panela de pressão e deixá-la em fogo alto. Assim que atingir pressão, abaixar o fogo e deixar o doce cozinhando por 30 minutos. Retirar a pressão e abrir a panela. Mexê-la com uma colher de pau para as maçãs se desmancharem e voltá-la ao fogo, agora destampada, até o doce ficar consistente.

Pôr os ingredientes da massa em uma tigela à parte e misturá-los até a massa ficar macia. Forrar com ela um pirex untado e reservar uma parte para cobrir a torta.

Colocar o recheio e cobri-la com a massa lisa ou com tirinhas formando um xadrez. Levá-la ao forno médio, preaquecido, e deixá-la assar por 1 hora ou até as laterais e a parte de cima estarem douradas. Esperar a torta esfriar para servi-la. Mantê-la em geladeira se preferir.

TORTA DE MORANGOS

MASSA

- 2 1/2 xícaras de farinha de trigo branca
- 1/2 colher de café de sal
- 1/2 xícara de óleo

RECHEIO

- 3 dúzias de morangos frescos
- 1 xícara de geléia de morango (vide receita)
- 3 colheres de sopa de maisena
- 8 colheres de sopa de açúcar mascavo
- 1 xícara de leite de coco
- 1 xícara de água quente

Após lavar os morangos, cortá-los ao meio e colocá-los em uma panela, junto com o açúcar e a água quente. Deixá-los cozinhar até ficarem macios.

Diluir então a maisena no leite de coco e colocá-lo na panela. Mexer o doce até engrossar. Desligar o fogo e deixar o doce reservado na panela.

Misturar a farinha de trigo com o sal e acrescentar o óleo. Mexer a massa até ficar semelhante a uma farofa. Arrumá-la em um pirex médio (não é necessário untá-lo) e colocar o recheio dentro.

Pingar colheradas de geléia de morango por cima e levar a torta ao forno, em temperatura média/alta, até o fundo e as laterais estarem dourados. Servi-la depois de fria e conservá-la em geladeira. Fazê-la em forminhas se quiser variar.

TORTA DE PÃO COM BANANA-D'ÁGUA

- **4 pratos grandes de pão picado**
- **4 bananas-d'água grandes ou 6 bananas médias ou 9 pequenas**
- **4 laranjas médias**
- **1/2 xícara de passinhas**
- **2 colheres de sopa de noz-moscada em pó**
- **2 colheres de sopa de açúcar mascavo**
- **1 xícara de água**

Molhar o pão com o suco das laranjas e a água. Colocar o açúcar mascavo e a noz-moscada. Untar uma forma média e ajeitar nela a massa com as mãos.

Cortar as bananas em rodelinhas e espalhá-las por cima da massa, achatando-a bem. Levar a torta para assar em forno médio/alto por 1 hora aproximadamente ou até que fique levemente dourada.

TORTINHAS DE MAÇÃ

MASSA
- **1 1/2 xícara de aveia em flocos finos**
- **1 1/2 xícara de farinha de trigo**
- **1 colher de sobremesa de fermento em pó**
- **1/2 xícara de açúcar mascavo**
- **5 colheres de sopa de óleo**

RECHEIO
- **2 maçãs descascadas e raladas**
- **1 colher de sopa de aveia em flocos**
- **1 colher de café de canela em pó**
- **2 colheres de sopa de açúcar mascavo**

Misturar os ingredientes da massa e reservar 1 xícara e meia dela para cobrir a torta. Com o restante, forrar o fundo de uma forma quadrada, pressionando-a bem.

Misturar todos os ingredientes do recheio e colocá-lo sobre a massa. Distribuir, com uniformidade, a massa reservada sobre o recheio como uma farofa. Assar a torta em forno médio preaquecido por aproximadamente 40 minutos. Cortá-la em quadradinhos depois de fria.

BISCOITOS

BISCOITO DE AVEIA E PASSAS

- 1 xícara de aveia em flocos
- 1 xícara de passinhas
- 1 1/2 xícara de farinha de trigo integral
- 1 colher de sopa de fermento químico em pó
- 1 pitada de sal
- 6 colheres de sopa de açúcar mascavo
- 4 colheres de sopa de óleo
- 1/2 xícara de água

Misturar em uma tigela a farinha de trigo com a aveia, as passinhas, o sal, o açúcar e o fermento em pó. Mexer tudo bem, fazer pequenas bolinhas com as mãos e achatá-las em seguida.

Levar os biscoitos ao forno preaquecido e assá-los em forno médio por 30 minutos aproximadamente ou até estarem dourados. Deixá-los esfriar antes de colocá-los em um recipiente bem vedado.

BISCOITO DE BATATA-DOCE

- 2 xícaras de batata-doce amassada
- 2 colheres de sopa de passinhas sem caroços
- 1 xícara de nozes picadas
- 600 g de maisena
- 2 xícaras de açúcar mascavo
- 400 g de óleo

Esmagar as batatas recém-cozidas na peneira e colocá-las em uma tigela. Juntar o óleo, o açúcar, as nozes, as passinhas e a maisena.

Formar biscoitinhos e assá-los em uma assadeira untada com óleo e polvilhada de farinha de trigo, em forno médio, por 50 minutos ou até estarem levemente dourados. Deixá-los esfriar e conservá-los em latas.

BISCOITO DE CASTANHA DE CAJU

- 1 xícara de farinha de trigo integral
- 1/2 xícara de maisena
- 1 xícara de castanha de caju
- 4 colheres de sopa de açúcar mascavo
- 1 colher de sopa de fermento para bolos
- 1/3 de xícara de óleo
- 1 pitada de sal
- 1/2 xícara de água

Bater as castanhas no liquidificador bem seco para que fiquem trituradas. Colocar em uma tigela 1/2 xícara de farinha de trigo, a maisena, a castanha tritura-da, o açúcar mascavo, o fermento e o sal. Misturá-los muito bem, adicionar o óleo e a água e mexer tudo delicadamente, acrescentando mais 1/2 xícara de farinha de trigo para terminar de dar o ponto na massa. Formar biscoitinhos, sempre com as mãos enfarinhadas para a massa não grudar nelas, o que dificulta o trabalho, e ar-rumá-los em assadeira untada e polvilhada de farinha de trigo. Assá-los em forno médio por 45 minutos aproximadamente.

BISCOITO DE CHOCOLATE

- 1 barra de chocolate sem leite
- 2 colheres de sopa de cacau em pó
- 1/2 xícara de passinhas deixadas de molho por 1 hora
- 1 xícara de maisena
- 2 xícaras de farinha de trigo comum
- 1 colher de sopa de fermento em pó
- 1/2 xícara de açúcar mascavo
- 1/2 xícara de óleo

Derreter o chocolate em uma panela com o cacau e o açúcar. Colocar em uma tigela todos os demais ingredientes e mexê-los muito bem com uma colher grande. Adicionar o chocolate à tigela e misturar tudo com as mãos até que a massa se faça. Pegar pequenas porções de massa com uma colher de sopa, fazer com elas bolinhas iguais e achatá-las para ficarem com formato de biscoito. Arrumar os bis-coitos em forma untada com óleo e polvilhada de farinha de trigo e assá-los em for-no médio por 30 minutos ou até estarem totalmente secos e crocantes.

BISCOITO DE GERGELIM E AVEIA

- 1 xícara de gergelim descascado
- 1 xícara de aveia em flocos grossos
- 1 xícara de aveia em flocos finos
- 1/2 xícara de passinhas sem sementes
- 1/2 xícara de farinha de trigo integral

Biscoito de gergelim
e aveia (continuação)

- 1 colher de chá de fermento químico para bolos
- 1/2 xícara de açúcar mascavo

Em uma tigela misturar o gergelim com o açúcar, a farinha de trigo, as passinhas e o fermento em pó; adicionar a água e mexer tudo bem com uma colher de pau. Assim que a massa estiver homogênea, acrescentar os dois tipos de aveia e misturá-los bem. Aos poucos, com uma colher de sopa, pegar porções de massa e formar os biscoitos com as mãos. Arrumá-los em assadeira untada e assá-los por aproximadamente 20 minutos. Virar os biscoitos e deixá-los por mais 10 ou 15 minutos. Após esfriarem, conservá-los em latas ou potes bem tampados, pois do contrário poderão murchar.

BISCOITO DE FARINHA DE TRIGO INTEGRAL

- 6 xícaras de farinha de trigo integral
- 3 bananas-d'água amassadas
- 1/2 xícara de passinhas sem sementes
- 1/2 xícara de gergelim
- 1 colher de café de sal
- 1 xícara de mel
- 3/4 de xícara de óleo

Misturar a farinha de trigo com o sal. Acrescentar o mel, o óleo, as bananas, as passinhas e o gergelim. Misturar tudo muito bem e colocar a massa às colheradas em uma forma untada com óleo e polvilhada de farinha de trigo. Assar os biscoitos em forno médio por 50 minutos aproximadamente ou até estarem com o fundo levemente dourado.

BISCOITO DOCE INTEGRAL

- 1/2 xícara de aveia em flocos grossos
- 1/2 xícara de aveia em flocos finos
- 1/2 xícara de farinha de trigo integral
- farinha de trigo integral para polvilhar as mãos
- 1 xícara de passinhas sem sementes
- 1/2 xícara de castanhas-do-pará inteiras
- 1/2 xícara de amêndoas inteiras
- 1/2 xícara de castanhas de caju inteiras
- 1 colher de sopa de bicarbonato de sódio
- 1 pitada de sal
- 5 colheres de sopa de açúcar mascavo
- 6 colheres de sopa de óleo
- 1/2 xícara de água

Bater no liquidificador as castanhas e as amêndoas sem água para que fiquem trituradas. Colocá-las em uma tigela e acrescentar os demais ingredientes. Mexer tudo muito bem com colher de pau e depois com as mãos. Untar uma assadeira grande com óleo e polvilhá-la de farinha de trigo integral. Com as mãos polvilhadas de farinha de trigo, pegar pequenas porções de massa e formar biscoitinhos. Não deixá-los muito grossos. Arrumá-los na assadeira, levá-los ao forno médio preaquecido e assá-los por 30 minutos ou até estarem levemente dourados e crocantes. Esperar que esfriem para guardá-los em recipiente bem vedado.

BISCOITO DE ABÓBORA

- 1/2 xícara de abóbora japonesa cozida e amassada
- 3 colheres de sopa de gergelim
- 1 colher de sopa de raspa de limão
- 1 xícara de farinha de trigo integral
- farinha de trigo para untar a superfície
- 2 colheres de sopa de açúcar mascavo
- 2 colheres de sopa de óleo

Após cozinhar e amassar a abóbora, colocá-la em uma tigela. Misturá-la com os outros ingredientes e amassar tudo com as mãos. Abrir a massa com rolo e cortar os biscoitos com a boca de um copo pequeno. Arrumá-los em uma assadeira untada com óleo e polvilhada de farinha de trigo e assá-los por 30 minutos, em forno médio.

BISCOITO DE AVEIA E NOZES

- 1/2 xícara de aveia em flocos finos
- 1 xícara de nozes frescas picadas
- 1/3 de xícara de passinhas
- 1/3 de xícara de maisena
- 1/3 de xícara de farinha de trigo integral
- 1 colher de sopa de fermento químico para bolos
- 1 pitada de sal
- 3 colheres de sopa de açúcar mascavo
- 4 colheres de sopa de óleo
- 1/3 de xícara de água

Misturar em uma tigela todos os ingredientes secos, incluído o fermento em pó. Acrescentar o óleo e a água e misturá-los bem. Amassar tudo com as mãos, fazer pequenas bolinhas e arrumá-las em assadeira untada com óleo e polvilhada de farinha. Com um garfo, com os dedos, ou mesmo com o fundo de uma colher, achatar todas as bolinhas da assadeira, dando-lhes um formato de biscoito. Assar os biscoitos em forno médio por 40 minutos ou até o fundo estar levemente escuro. Guardá-los em recipiente vedado para permanecerem crocantes.

BISCOITO DE FUBÁ

- 1 1/2 xícara de fubá
- fubá para enfarinhar a mesa
- 1/2 xícara de farinha de trigo integral
- 3 colheres de sopa de farinha de trigo comum
- 1 colher de sobremesa de sal
- 5 colheres de sopa de óleo
- 1 xícara de água morna

Misturar todos os ingredientes em uma tigela e trabalhá-los com as mãos até tornarem-se uma massa bem macia. Enfarinhar uma mesa com fubá e nela trabalhar a massa mais um pouco. Abri-la com rolo e, com a boca de um copo, fazer os biscoitos (tipo bolachas). Quanto mais finos melhor. Arrumá-los em assadeira untada com óleo e polvilhada de fubá, ou mesmo de farinha de trigo, e levá-los ao forno em temperatura média. Deixá-los por 50 minutos ou até estarem dourados. Esperar que esfriem na assadeira e conservá-los em latas. Servi-los com pastas salgadas ou geléias de frutas.

BISCOITO DE GERME DE TRIGO E MEL

- 1 xícara de germe de trigo
- 1/2 xícara de mel
- 1 1/2 xícara de farinha de trigo integral
- farinha de trigo para polvilhar a assadeira
- 1 colher de sementes de linhaça
- 1 colher de café de canela em pó
- 1/2 colher de sopa de casca de limão ralada
- 1/2 colher de sobremesa de sal
- 3 colheres de sopa de açúcar mascavo
- 1/3 de xícara de óleo
- 1/2 xícara de suco de laranja
- 1/3 de xícara de água

Misturar todos os ingredientes em uma tigela, sem batê-los. Adicionar mais farinha se a massa ficar muito mole. Untar uma assadeira com óleo e polvilhá-la de farinha de trigo. Formar biscoitinhos com as mãos enfarinhadas, e arrumá-los na assadeira. Deixá-los em forno médio até estarem sequinhos.

BISCOITO DE POLVILHO

- 1 xícara de polvilho azedo
- 1 colher de sobremesa rasa de sal

Biscoito de polvilho
(continuação)

- 1 colher de sobremesa de óleo
- 1/2 xícara de água fervente

Misturar o polvilho com o sal em uma tigela e esquentar a água com o óleo em uma panela. Assim que a água ferver, despejá-la na tigela e mexer tudo com um garfo. Dar aos biscoitos o formato desejado (fininhos ficam crocantes) e arrumá-los em uma assadeira grande, deixando bastante espaço entre eles. Assá-los em forno já quente até estarem dourados.

BOLACHAS

- 3 colheres de sopa de extrato de soja (leite de soja em pó)
- 4 colheres de sopa de germe de trigo
- 1/2 xícara de farinha de trigo integral
- 1 xícara de farinha de trigo comum
- farinha de trigo comum para polvilhar a mesa
- 1 colher de sobremesa de sal
- 2 colheres de sopa de óleo
- 1/2 xícara de água morna

Misturar em uma tigela o extrato de soja, o germe de trigo, as farinhas de trigo e o sal. Acrescentar depois o óleo e a água. Mexer tudo bem. Transferir a massa para uma mesa ou pia seca e enfarinhada e trabalhá-la bastante, até ficar lisinha. Abri-la o mais possível com um rolo e cortá-la com a boca de um copo. Arrumar as bolachas em uma assadeira grande, untada com óleo e polvilhada de farinha de trigo, e assá-las por 40 minutos. Servi-las com geléias doces ou pastas salgadas.

BOLACHAS DE AVEIA COM COCO

- 5 xícaras de aveia em flocos
- 2 1/2 xícaras de açúcar mascavo
- 2 1/2 xícaras de coco ralado
- casca de 1 limão ralada
- 1/2 colher de sobremesa de sal
- 5 colheres de sopa de água

Misturar todos os ingredientes em uma tigela. Formar bolachas, arrumá-las em forma untada com óleo e polvilhada de farinha de trigo e levá-las ao forno médio por 30 minutos aproximadamente ou até dourarem.

BOLACHAS DE CASTANHA-DO-PARÁ

- 1 xícara de castanha-do-pará moída no liquidificador
- 1 colher de sopa de orégano
- 1/2 xícara de aveia em flocos finos

Bolachas de castanha-do-pará (continuação)

- 1/2 xícara de farinha de trigo integral
- 1/2 colher de sopa de bicarbonato de sódio
- 1/2 colher de sobremesa de sal
- 3 colheres de sopa de óleo
- 7 colheres de sopa de água

Colocar todos os ingredientes em uma tigela e misturá-los bem. Fazer bolachas com as mãos. Ficarão mais crocantes se estiverem mais fininhas. Arrumá-las em assadeira untada com óleo e polvilhada de farinha de trigo e assá-las em forno de médio a alto, por 25 ou 30 minutos. Observar as bolachas e, assim que o fundo delas estiver levemente escuro, retirá-las do forno. Guardá-las em um recipiente bem tampado para que não murchem.

BOLACHAS DE CHOCOLATE E AVELÃS

- 1 barra de chocolate amargo, sem leite
- 1 xícara de avelãs descascadas e trituradas
- 1 xícara de cacau
- 1 xícara de farinha de trigo integral
- 5 colheres de sopa de açúcar mascavo
- 3 colheres de sopa de óleo
- 1 xícara de água morna

Misturar a farinha, as avelãs, o cacau e o açúcar. Acrescentar o óleo e a água e misturá-los bem. Enfarinhar uma mesa e nela abrir a massa com rolo. Usar mais farinha se precisar deixar a massa mais seca. Formar bolachinhas finas, cortadas com a boca de um copo pequeno, e assá-las em assadeira untada com óleo e polvilhada de farinha de trigo. Deixá-las em forno médio por 30 minutos ou até estarem com o fundo dourado. Derreter o chocolate em banho-maria. Passar as bolachas assadas no chocolate derretido e arrumá-las em um prato untado com óleo. Deixá-las na geladeira por 20 minutos. Servi-las em lanchinhos e desjejuns.

CHAPATIS FRITOS

- 1 1/2 xícara de farinha de trigo integral
- 1 1/2 xícara de farinha de trigo comum
- 1/2 colher de café de sal
- 3 colheres de sopa de óleo
- bastante óleo para fritar
- 1 xícara de água

Colocar todos os ingredientes em uma tigela e misturá-los bem. Virar a massa em mesa enfarinhada e trabalhá-la até ficar macia; acrescentar mais água se estiver muito seca. Formar uma bola com a massa e deixá-la descansar por 1/2 hora envolta em pano de prato úmido. Abri-la com rolo e fazer discos finos e iguais. Levar ao fogo uma panela ou frigideira grande com óleo e, assim que estiver bem quente, colocar nela os discos de massa. Virá-los para dourarem dos dois lados e escorrê-los em papel absorvente. Ficam prontos bem rapidamente; tomar cuidado para não queimá-los. Servi-los com pastas doces, salgadas ou com saladinhas.

PASTEL DE MAÇÃ

- 1 pacote de massa para pastéis
- 4 xícaras de maçãs em fatias finas
- 1 colher de sopa de passinhas sem sementes
- 2 colheres de sopa de nozes picadas
- 1 xícara de açúcar mascavo
- óleo para fritar

Cozinhar em uma panela as maçãs com o açúcar por 10 minutos. Assim que as maçãs esfriarem, misturá-las com as passinhas e as nozes. Rechear as massas de pastel, fechá-las com um garfo, mergulhá-las em óleo bem quente e, assim que os dois lados estiverem dourados, colocar os pastéis em uma travessa forrada de papel absorvente. Servi-los bem quentes. Pode-se variar o sabor acrescentando essências raspas de cascas de laranja, coco ralado adocicado, etc.

ROSCAS DE CHOCOLATE FRITAS

- 1 barra de chocolate amargo sem leite derretida em 6 colheres de sopa de água
- 3 e 3/4 xícaras de farinha de trigo
- 2 colheres de sobremesa de fermento químico em pó
- 1/2 colher de café de essência de baunilha
- 1/2 colher de sobremesa de sal
- 1 xícara de açúcar mascavo
- 6 colheres de sopa de óleo
- 2/3 de xícara de água

Misturar em uma tigela a farinha de trigo, o fermento e o sal. Bater no liquidificador o óleo, a água, o açúcar, a baunilha e o chocolate já derretido em 6 colheres de sopa de água. Juntar o creme do liquidificador com a mistura da tigela, virá-la em uma mesa enfarinhada e amassá-la com as mãos até ficar bem lisa. Retorná-la à tigela, cobri-la e deixá-la na geladeira por aproximadamente 3 horas. Abrir a massa, não muito fina, em mesa polvilhada de farinha de trigo. Deixá-la bem aberta e ir cortando rodelas com a boca de um copo grande e, com outro menor, tirar outra rodela no centro de cada uma, formando as roscas. Fritá-las em óleo bem quente e virá-las, para que os dois lados fiquem fritos. Nunca usar garfos, pois a massa não deverá ser furada. Retirar as roscas quando estiverem bem fritas e escorrê-las em papel absorvente. Servi-las ainda quentinhas e crocantes.

GRANOLAS, PANQUECAS E WAFFLES

GRANOLA COM MEL

- 1/2 xícara de aveia em flocos grossos
- 1/2 xícara de aveia em flocos finos
- 1/2 xícara de germe de trigo
- 1 xícara de flocos de milho
- 1 xícara de coco ralado
- 1/2 xícara de castanhas-do-pará picadas
- 1/2 xícara de castanhas de caju picadas
- 1/2 xícara de passinhas sem sementes
- 1 xícara de frutas secas, como maçã e banana, picadas
- 2 colheres de sopa de sementes de linhaça
- 1/2 colher de sobremesa de sal
- 1/2 xícara de mel
- 1/2 xícara de melado

Colocar todos os ingredientes em uma panela bem larga, exceto as passinhas, as frutas secas, o mel e o melado.

Deixá-la em fogo alto, mexendo-a sem parar, até tudo estar bem torrado, porém sem queimar.

Adicionar as passinhas e as frutas secas.

Misturar bem.

Acrescentar o mel e o melado, mexer com colher de pau e apagar o fogo.

Depois de misturá-la bem, espalhar a granola numa assadeira grande para esfriar.

Assim que estiver fria, mexê-la, desmanchar com as mãos as porções grudadas e guardá-la em lata ou vidro.

GRANOLA DE NOZES E CASTANHAS

- 1 xícara de nozes descascadas
- 1 xícara de castanhas-do-pará descascada
- 1 xícara de avelãs descascadas
- 1 xícara de passinhas sem sementes
- 1 xícara de aveia em flocos finos
- 1 xícara de germe de trigo
- 1 xícara de açúcar mascavo
- 1/2 colher de café de sal

Bater no liquidificador bem seco as castanhas, as nozes e as avelãs até triturá-las. Levá-las ao fogo em uma panela grande e acrescentar a aveia, o germe de trigo e o sal. Não parar de mexer com colher de pau até tudo ficar torradinho, porém sem queimar. Acrescentar então o açúcar mascavo e apagar o fogo.

Espalhar a granola em uma assadeira fria e esperar esfriar completamente.

Conservá-la em vidros ou latas bem fechadas e servi-la com frutas cortadas em grandes pedaços ou amassadas, ou ainda com iogurtes com mel e sorvetes.

GRANOLA PARA SALADA DE FRUTAS

- 1 xícara de castanha de caju crua
- 1 xícara de castanhas-do-pará cruas
- 1 xícara de amendoins descascados e crus
- 1/2 xícara de passinhas
- 1/2 xícara de germe de trigo
- 1/2 xícara de açúcar demerara

Colocar as castanhas e os amendoins dentro de um saquinho de pano ou embrulhados em um pano de prato limpo. Triturá-los com um martelinho, passá-los para uma panela grande e torrá-los com o germe de trigo, sem parar de mexer.

Assim que tudo estiver torrado por igual, acrescentar o açúcar e as passinhas.

Deixar a granola em uma assadeira até esfriar e guardá-la em vidros na geladeira. Usá-la com frutas frescas ou em calda.

GRANOLA SIMPLES

- 1/2 xícara de aveia em flocos
- 1/2 xícara de flocos de milho
- 1/2 xícara de castanhas-do-pará
- 1 xícara de coco fresco ralado
- 1/2 xícara de açúcar mascavo

Colocar as castanhas dentro de um pano de prato limpo e triturá-las com um martelinho. Levá-las ao fogo em uma panela grande junto com os flocos de milho, a aveia e o coco ralado grosso.

Assim que estiverem bem torradinhos, acrescentar o açúcar mascavo e misturar tudo bem. Desligar o fogo para que o açúcar não derreta. Não parar de mexer.

Passar a granola para uma assadeira até esfriar e guardá-la em latas ou potes bem vedados.

GRANOLAS SIMPLES DE NOZES

- 1 xícara de nozes trituradas
- 1 xícara de castanhas de caju trituradas
- 2 colheres de sopa de leite de soja em pó
- 1 colher de café de sal
- 1 xícara de açúcar

Colocar em uma panela as nozes e as castanhas e torrá-las levemente. Desligar o fogo, acrescentar os demais ingredientes da granola e misturá-los bem. Servi-la sobre sorvetes, iogurtes e frutas.

GRANOLAS SIMPLES DE COCO

- 1 xícara de coco queimado e adocicado
- 2 xícaras de farinha de milho torrada
- 6 colheres de sopa de aveia em flocos levemente torrada
- 8 colheres de sopa de passinhas
- 1/2 colher de café de sal

Misturar em uma tigela os ingredientes da granola e mantê-la em vidros.

MASSA BRANCA PARA WAFFLE

- 2 xícaras de farinha de trigo comum
- 2 colheres de sopa de fermento de bolo
- 1 colher de chá de sal
- 1/2 xícara de óleo
- óleo para untar o aparelho
- 2 xícaras de água

Untar o aparelho com um pincel banhado em óleo e ligá-lo para ir aquecendo. Bater no liquidificador todos os ingredientes, deixando por último o fermento.

Colocar a massa no aparelho já bem quente e retirar os waffles quando estiverem bem douradinhos e crocantes ou quando o aparelho avisar. Servi-los quentinhos com mel, geléia ou compotas de frutas.

MASSA DE AVEIA PARA PANQUECAS OU WAFFLES

- 1/2 xícara de aveia em flocos
- 1/2 xícara de farinha de trigo integral
- 1/2 xícara de farinha de trigo branca
- 1/2 colher de sopa de fermento em pó
- 2 colheres de sopa de gergelim
- 1 pitada de sal
- 3 colheres de sopa de óleo
- 1 1/2 xícara de água

Misturar todos os ingredientes em uma tigela e mexê-los bem com uma colher de pau até tornarem-se uma massa homogênea.

PANQUECAS

Levar ao fogo uma frigideira (se possível antiaderente) untada e, assim que estiver quente, colocar nela um pouco de massa e por cima as bananas em rodelas, maças fatiadas, passinhas, ameixas secas deixadas de molho, nozes e castanhas a gosto, e deixá-la em fogo baixo.

Quando estiver solta da frigideira, virá-la com uma espátula de borracha e, ainda em fogo baixo, deixar que cozinhe do outro lado até ficar bem solta.

Colocar mais óleo se grudar na frigideira. Servi-las quentes ou frias, com mel a gosto e polvilhadas de canela.

WAFFLES

Untar o aparelho de waffles e, quando estiver bem quente, colocar a massa. Assim que estiver douradinha e crocante, retirar o waffle e servi-lo com mel ou geléias a gosto.

Uma terceira idéia seria untar uma frigideira com óleo e fazer panquecas fininhas, para depois de frias serem consumidas com mel, compotas e geléias a gosto.

MASSA INTEGRAL PARA WAFFLE

- 2 xícaras de farinha de trigo integral
- 2 colheres de sobremesa de fermento de bolo
- 1/4 de xícara de castanhas de caju picadas
- 3 colheres de sopa de gergelim
- 1 colher de chá de sal
- 1/3 de xícara de óleo
- óleo para untar o aparelho
- 2 xícaras de água

Untar o aparelho e esperar que fique bem quente; enquanto isso, bater no liquidificador todos os ingredientes, deixando por último o fermento em pó.

Colocar aos poucos a massa no aparelho e tirar o waffle assim que estiver dourado ou quando o aparelho avisar.

Antes de usar novamente as chapas, pincelá-las com um pouquinho mais de óleo. Servir os waffles quentes, em lanches e desjejuns, com mel ou geléias a gosto, acompanhados de sucos e vitaminas.

MASSA PARA PANQUECAS DE FRUTAS OU PARA WAFFLES

- 1/2 xícara de farinha de arroz integral
- 1/2 xícara de farinha de trigo comum
- 2 colheres de sopa de fubá
- 1 colher de sobremesa de fermento químico
- 1 pitada de sal
- 3 colheres de sopa de óleo
- óleo para untar a frigideira
- 1 xícara de água

Misturar muito bem em uma tigela todos os ingredientes e mexê-los com uma colher de pau até tornarem-se uma massa homogênea.

Para panquecas, levar ao fogo uma frigideira pequena, untada, e colocar nela pouca quantidade de massa. Assim que um lado estiver solto, virar a panqueca com uma espátula e deixá-la ficar douradinha do outro lado. Servi-las com mel e geléias.

Para panquecas com frutas, colocar maior quantidade de massa em uma frigideira untada e sobre ela frutas picadas, castanhas, nozes, etc. Manter o fogo baixo até a panqueca ficar soltinha. Colocar um pouquinho mais de óleo e virá-la com uma espátula. Servi-la com mel ou melado e canela em pó a gosto.

Para waffles, após untar o aparelho, esperar estar bem quente e colocar a massa. Retirá-lo quando estiver dourado. Servi-lo com mel e geléias.

MASSA PARA WAFFLE COM FUBÁ

- 1 xícara de fubá mimoso
- 1 1/2 xícara de farinha de trigo branca
- 1 colher de sopa de fermento químico em pó
- 1/2 colher de sobremesa de sal
- óleo
- água

Bater no liquidificador a água, o óleo e o sal. Ir acrescentando a farinha de trigo e o fubá até a massa engrossar. Adicionar por último o fermento em pó.

Untar a chapa de waffle com óleo e, assim que estiver bem quente, derramar sobre ela um pouco de massa. Esperar o waffle ficar douradinho e crocante para retirá-lo e servi-lo com mel ou geléias a gosto.

Observação: Coloca-se mais massa para se obterem waffles mais macios, e menos para ficarem mais crocantes.

PANQUECA DE BANANA-PRATA, MEL E CANELA

- 6 bananas-pratas grandes e maduras
- 4 colheres de sopa de gergelim descascado
- 1 xícara de farinha de trigo comum
- 1 colher de sopa de fermento químico
- canela em pó
- 1 colher de chá de sal
- mel
- óleo para a massa
- óleo para untar a frigideira
- 1 xícara de água

Colocar em uma tigela a farinha de trigo, o fermento em pó, o sal, o gergelim, o óleo e a água. Misturar tudo com colher grande até ficar uma massa homogênea.

Untar uma frigideira pequena, antiaderente, com óleo e esquentá-la em fogo alto.

Colocar uma concha de massa na frigideira e por cima dela 2 bananas descascadas e cortadas em rodelas muito finas.

Manter o fogo baixo por 6 minutos.

Com o auxílio de uma espátula, virar a panqueca (as bananas ficarão em contato direto com a frigideira; colocar um pouquinho de óleo então). Deixar o fogo baixo por mais 8 minutos.

Verificar se os dois lados da panqueca estão dourados.

Proceder da mesma forma por mais duas vezes, pois a receita rende 3 panquecas.

Servi-las quentes ou frias, com mel e canela.

PANQUECÃO DE BANANA

- 12 bananas grandes
- 1 colher de sopa de gergelim
- canela
- 2 xícaras de farinha de trigo
- 1 colher de sopa de fermento químico em pó
- 1/2 colher de sobremesa de sal
- mel
- 1 colher de sobremesa de óleo para a massa
- óleo para untar a frigideira
- 2 xícaras de água

Bater no liquidificador a água, a farinha de trigo, o óleo, o sal, o gergelim e por último o fermento em pó.

Manter em fogo alto uma frigideira pequena, untada, caso queira fazer panquecas individuais, ou usar uma frigideira bem grande e cortar a panqueca depois em pedaços.

Colocar uma quantidade de massa suficiente para cobrir todo o fundo da frigideira, com 1 dedo de espessura.

Cortar as bananas em rodelas e arrumá-las por cima da massa, cobrindo-a totalmente. Abaixar o fogo.

Com uma espátula de plástico levantar uma ponta da panqueca para vê-la por baixo, pois, assim que estiver dourada, é hora de virá-la.

Virar a panqueca com a espátula e verificar se as bananas estão grudando no fundo, ou seja, se há necessidade de um pouquinho mais de óleo.

Deixar a panqueca em fogo baixo até estar totalmente cozida.

Transferi-la para um prato individual, se for pequena, ou para uma travessa para bolos se for grande. Polvilhá-la de canela a gosto e servi-la com mel.

PANQUECAS FININHAS RECHEADAS COM DOCE DE BANANA

MASSA
- 2 xícaras de farinha de trigo
- 1 colher de sopa de fermento químico em pó
- 1 colher de chá de sal
- 1/2 xícara de óleo
- 2 xícaras de água

RECHEIO
- 15 bananas-nanicas bem grandes (dobrar o numero se forem pequenas)
- 1 colher de chá de sal
- 5 colheres de sopa de açúcar mascavo

Bater os ingredientes da massa no liquidificador.

Esquentar em fogo alto uma frigideira antiaderente pequena, untada com pouquíssimo óleo e colocar nela um pouco de massa, diretamente do copo do liquidificador.

Certificar-se de que a massa cobriu o fundo da frigideira e derramar o excesso de volta ao liquidificador.

Manter o fogo alto e, quando um lado da panqueca estiver dourado, virá-la com uma espátula de plástico. A panqueca se solta facilmente após dourar.

Para as próximas não será mais necessário untar a frigideira.

Empilhá-las à medida que forem ficando prontas para que, com o calor, fiquem mais úmidas e macias.

RECHEIO

Colocar as bananas cortadas ao meio em uma panela de pressão com o sal e o açúcar, sem nenhuma água, e deixá-las no fogo por 35 minutos, contados do início da pressão.

Transcorrido esse tempo, retirar a pressão da panela, abri-la e continuar o cozimento, agora sem a tampa e em fogo alto, até não haver mais a água formada pela própria fruta.

Mexer a panela de vez em quando com uma colher de pau e, assim que começar a aparecer o fundo da panela, o doce estará pronto. Desligar o fogo e esperar o doce esfriar para rechear as panquecas.

BOLINHOS, SONHOS
E PASTÉIS DOCES

BOLINHOS DE CHOCOLATE E CEREJAS

- 2 xícaras de farinha de trigo integral
- 2 colheres de sopa de maisena
- 1 colher de sopa de germe de trigo
- 1 colher de sopa de bicarbonato de sódio
- 4 colheres de sopa de cacau em pó
- 1 vidro de cerejas em calda
- 1 xícara de mel
- 1/2 xícara de óleo
- 2 xícaras de água

Reservar as cerejas e colocar a água delas no liquidificador junto com os demais ingredientes do bolinho.

Bater o liquidificador.

Untar forminhas de alumínio com óleo, polvilhá-las de farinha de trigo, colocar uma cereja inteira ou picada dentro de cada uma e despejar sobre elas uma porção de massa.

Assar os bolinhos por 50 minutos em forno médio preaquecido, ou até estarem com o fundo levemente escuro.

Pode-se substituir as cerejas por ameixas secas deixadas de molho por uma noite, bananas ou alguma outra fruta.

BOLINHOS DOCES DE BANANA

- 4 colheres de sopa de aveia em flocos finos
- 5 colheres de sopa de farinha de trigo comum
- 1 colher de sobremesa de fermento químico
- 4 bananas-pratas amassadas

Bolinhos doces de banana (continuação)

- 2 colheres de sopa de açúcar mascavo
- bastante óleo para fritar

Misturar todos os ingredientes em uma tigela e mexê-los bem.

Esquentar bastante óleo em uma frigideira grande ou em uma panela e, quando estiver bem quente, colocar nele pequenas porções de massa com uma colher de sopa.

Virá-las com escumadeira (nunca espetar com garfo!) e, assim que os bolinhos estiverem dourados, escorrê-los em papel absorvente.

Polvilhá-los de canela em pó e açúcar mascavo.

Servir os bolinhos ainda quentes em pequenos lanches, acompanhados de sucos, iogurtes e vitaminas.

MINIBOLINHOS DOCES DE ABÓBORA

- 1 xícara de farinha de trigo integral
- 1 xícara de germe de trigo
- 1 colher de sobremesa de bicarbonato de sódio
- 2 xícaras de abóbora japonesa cozida
- 1 colher de sopa de açúcar mascavo
- 5 colheres de sopa de óleo

Após cozinhar um bom pedaço de abóbora, amassá-lo e colocar 2 xícaras do purê em uma tigela.

Acrescentar o óleo, mexer e em seguida misturar o açúcar mascavo.

Adicionar a farinha de trigo e o bicarbonato peneirados.

Misturar tudo bastante e colocar o germe de trigo.

Tornar a misturar tudo e acrescentar mais farinha, se necessário para dar forma aos bolinhos.

Colocar pequenas porções de massa em uma assadeira untada com óleo e polvilhada de farinha de trigo, ou em forminhas untadas.

Levar os bolinhos ao forno médio por 30 minutos ou até estarem com o fundo dourado.

Servi-los quentinhos, em lanches ou desjejuns.

PASTEL ASSADO DE MAÇÃ

MASSA
- 1/2 kg de farinha de trigo
- 1 colher de sopa de fermento biológico para pães

Pastel assado de maçã
(continuação)

- 1 colher de chá de sal
- 4 colheres de sopa de açúcar mascavo
- 3 colheres de sopa de óleo
- 1 copo de leite de soja morno

RECHEIO

- 4 maçãs grandes raladas
- 1 xícara de nozes descascadas e picadas
- 10 colheres de sopa de açúcar mascavo
- 1 colher de sopa de suco de limão

MASSA

Misturar a farinha de trigo com o sal, o açúcar e o fermento.

Bater no liquidificador o óleo com o leite de soja e juntá-los à massa, misturando tudo em seguida com colher de pau.

Colocar a massa em uma mesa enfarinhada e trabalhá-la até tornar-se lisa e macia.

Deixá-la crescer em lugar protegido por 40 minutos.

Abri-la com rolo de macarrão ou com uma garrafa e, com um copo de boca larga, fazer discos de massa.

Colocar 1 colher de recheio em cada disco e fechá-los com um garfo.

Arrumar os pastéis em assadeira untada com óleo e polvilhada de farinha de trigo e deixá-los descansar dentro do forno apagado por 25 minutos.

Assá-los em fogo médio por 50 minutos ou até estarem corados.

Polvilhá-los de canela assim que saírem do forno e servi-los em desjejuns ou lanches, quentes ou frios.

RECHEIO

Levar ao fogo uma panela com a maçã, o açúcar e o suco de limão, mexendo-a sempre até o recheio engrossar.

Desligar o fogo, colocar as nozes picadas e reservar o recheio.

PASTEL DE BANANA

- 1 pacote de massa para pastel
- 1/2 dúzia de bananas-nanicas amassadas
- 1/2 xícara de nozes picadas
- 2 colheres de sopa de uvas-passas sem sementes
- 2 colheres de sopa de açúcar mascavo
- óleo para fritar

Misturar as bananas amassadas com os demais ingredientes exceto a massa.

Rechear as massas e fechá-las com um garfo. Tomar cuidado para não fazer nenhum furo nelas.

Mergulhar os pastéis em uma frigideira com óleo bem quente. Virá-los com uma escumadeira para não perfurá-los e, assim que os dois lados estiverem dourados, retirá-los e escorrê-los em papel absorvente.

Servi-los quentinhos.

PASTELZINHO ASSADO DE AMORAS

MASSA
- 2 xícaras de farinha de trigo
- 1 colher de sobremesa de fermento em pó
- 1 colher de sobremesa de sal
- 3 colheres de sopa de óleo
- 1/2 vidro de leite de coco
- 1/4 de xícara de água

RECHEIO
- 5 xícaras de amoras frescas
- 1 1/2 xícara de açúcar mascavo
- 1 colher de sopa de casca de laranja ralada
- 5 colheres de sopa de pistaches picados

Levar ao fogo uma panela com as amoras, o açúcar e a casca da laranja até dar ponto.

Esperar o doce ficar morno e acrescentar os pistaches.

Misturar bem os ingredientes secos da massa e acrescentar por último o leite de coco misturado com a água.

Amassar a mistura e abri-la com um rolo.

Cortar a massa com a boca de um copo, colocar um pouco de doce dentro de cada disco e fechá-los com garfo, como pastel, ou com os dedos.

Assar os pastéis em forno médio por 40 minutos ou até estarem dourados.

SONHOS

- 3 1/3 xícaras de farinha de trigo
- 3 tabletes (ou 3 colheres de sopa de granulado) de fermento biológico
- 1 colher de sopa de casca de limão ralada
- canela em pó
- 1 pitada de sal
- 1/2 xícara de açúcar mascavo

Sonhos
(continuação)

- 4 colheres de sopa de óleo
- 1/2 xícara de leite de soja
- 1 vidro de leite de coco

Colocar em uma tigela grande a farinha de trigo, o fermento desmanchado no leite de soja e duas colheres de açúcar mascavo.

Misturá-los com as mãos até tornarem-se uma massa e deixá-la descansar em lugar protegido por 15 minutos.

Adicionar o leite de coco, o açúcar mascavo restante, o óleo, a casca de limão e o sal.

Misturar e amassar tudo em mesa polvilhada de farinha de trigo, até formar uma bola lisa.

Colocar a massa novamente na tigela e deixá-la crescer por mais 30 minutos.

Após esse período, formar pequenas bolinhas com as mãos, recheá-las se quiser e deixá-las crescer por mais 15 minutos.

Fritar os sonhos em óleo quente, virando-os para que dourem dos dois lados. Cuidado para não furá-los, pois ficarão encharcados com o óleo da fritura.

Escorrê-los em papel absorvente, polvilhá-los de canela em pó e servi-los.

Pode-se rechear o sonho com goiabada, banana-nanica, ameixa-preta sem caroço e deixada de molho por 1 noite ou com o que houver disponível.

SONHOS COM CASTANHA-DO-PARÁ E MAÇÃ

MASSA
- 1/2 kg de farinha de trigo comum
- 1 colher de sopa de fermento para pão
- 1/2 colher de sobremesa de sal
- 1 xícara de açúcar mascavo
- 1/2 xícara de óleo
- 1 xícara de leite de soja quente (diluir 2 colheres de sopa de extrato de soja em 1 xícara de água) ou água quente

RECHEIO
- 5 maçãs maduras
- 1/2 xícara de castanhas-do-pará picadas
- 2 colheres de sopa de suco de limão
- 1 colher de sopa de canela em pó
- 1 xícara de açúcar mascavo
- óleo para fritar os sonhos

Misturar os ingredientes da massa em uma tigela e trabalhá-los em mesa enfarinhada.

Assim que a massa ficar bem lisa e macia, devolvê-la à tigela limpa e untada com óleo. Tampá-la e deixá-la protegida por 1 hora.

Ralar as maçãs, sem as sementes, e colocá-las em uma panela com os demais ingredientes do recheio.

Rechear pequenas porções iguais de massa com a maçã e fritá-las em óleo quente.

Escorrer o óleo em papel absorvente e servir os sonhos, polvilhados de canela e açúcar, ainda quentinhos.

BOLOS

Bolo bicolor	307
Bolo branco de coco	308
Bolo de ameixa	308
Bolo de ameixa e coco	309
Bolo de aniversário	310
Bolo de banana	311
Bolo de banana com germe de trigo	311
Bolo de banana-d'água com açúcar mascavo derretido	312
Bolo de banana-marmelo	313
Bolo de banana-nanica	313
Bolo de banana no microondas	314
Bolo de bananas fritas	314
Bolo de cacau integral	315
Bolo de centeio	315
Bolo de chocolate	316
Bolo de chocolate com cerejas	316
Bolo de chocolate e coco	317
Bolo de chocolate e nozes	318
Bolo de coco	318
Bolo de coco e maçã	319
Bolo de flocos de milho	319
Bolo de frutas cristalizadas	320
Bolo de fubá com coco	321
Bolo de fubá e arroz	321
Bolo de laranja com cobertura	322
Bolo de laranja rápido	322
Bolo de maçã e aveia	323

Bolo de maçã tarte tatin 323
Bolo de maçãs com chocolate 324
Bolo de mandioca crua e coco 324
Bolo de mel 325
Bolo de milho verde 325
Bolo de nozes 326
Bolo de passas 326
Bolo de tâmaras, damasco e cacau 327
Bolo fofo 327
Bolo preto de cacau 328
Bolo simples com cobertura de chocolate 329
Bolo simples para o chá 329
Pão de mel 330
Pão de mel no microondas 331
Pão de mel tradicional 331

BOLO BICOLOR

MASSA 1
- 1 xícara de farinha de trigo branca
- 1 xícara de maisena
- 1 colher de sopa de fermento em pó
- 1/3 de xícara de açúcar
- 2 colheres de sopa de gordura vegetal
- 1 xícara de água

MASSA 2
- 1 xícara de farinha de trigo branca
- 1 xícara de maisena
- 2 colheres de sopa de fermento em pó
- 4 colheres de sopa de cacau em pó
- 1 xícara de açúcar mascavo
- 2 colheres de sopa de gordura vegetal
- 2 xícaras de água

COBERTURA
- 4 colheres de sopa de cacau em pó
- 1 colher de café de essência de baunilha
- 10 colheres de sopa de açúcar mascavo
- 1 colher de gordura vegetal
- 1 vidro de leite de coco

Bater os ingredientes da massa 1 no liquidificador, deixando o fermento para ser posto por último. Colocá-la em uma tigela e deixá-la reservada.

Bater os ingredientes da massa 2, sem deixá-la aguada.

Untar uma forma grande e alta com óleo, polvilhá-la de farinha de trigo e colocar nela as massas, alternando-as.

Assar o bolo em forno médio por uma hora aproximadamente ou até que, ao espetar um palito na massa, o palito saia seco. Cortar o bolo ainda quente e colocar a cobertura por cima. Esperar que esfrie para retirá-lo da forma e servi-lo.

COBERTURA
Levar ao fogo uma panela com todos os ingredientes.

Mexê-los bem para tudo se dissolver. Deixar o doce ferver por uns três minutos mais ou menos, e em seguida despejá-lo no bolo quente.

Forno muito alto poderá deixar o bolo queimado por fora e cru por dentro.

BOLO BRANCO DE COCO

- 2 xícaras de farinha de trigo
- 1 xícara de maisena
- 2 colheres de sopa de fermento químico em pó
- 1 pacote de coco ralado
- 1/2 colher de sobremesa de sal
- 1/2 xícara de açúcar mascavo
- 1/2 xícara de óleo
- 2 vidros de leite de coco
- 1/2 vidrinho cheio de água

Misturar a farinha de trigo com a maisena, o açúcar mascavo, o sal, o fermento e o coco ralado.

Bater no liquidificador o leite de coco com o óleo e a água e despejar o líquido sobre a mistura seca. Mexê-la bem até tornar-se uma massa homogênea.

Colocá-la em uma forma untada e polvilhada de farinha de trigo e levá-la ao forno médio por aproximadamente 1 hora ou até que, ao espetar um palito na massa, o palito saia seco.

Fermento velho faz com que o bolo fique pesado. Verifique-o antes de usar.

BOLO DE AMEIXA

MASSA
- 3 xícaras de farinha de trigo
- 1 xícara de germe de trigo
- 1 xícara de maisena
- 2 colheres de sopa de fermento em pó para bolos
- 1 colher de chá de sal
- 3 colheres de sopa de açúcar mascavo
- 1/4 de xícara de óleo
- 3 xícaras de água

RECHEIO E COBERTURA
- 1 pacote de 200 g de ameixas secas, deixadas de molho por um dia pelo menos
- 2 colheres de sopa de maisena
- 1 xícara de açúcar mascavo
- água

Misturar bem os ingredientes da massa em uma tigela, exceto a água.

Adicionar a água de uma vez até formar uma massa homogênea.

Colocar a metade da massa no fundo de uma forma grande, untada com óleo e polvilhada de farinha de trigo.

Dividir o recheio em três partes e espalhar uma sobre a massa.

Pôr o restante da massa por cima e levar o bolo para assar em forno já quente. Deixá-lo de 40 a 50 minutos em temperatura média, ou até que, ao espetar um palito na massa, o palito saia seco.

Desenformá-lo, colocá-lo num prato e estender o recheio restante por cima.

RECHEIO

Colocar as ameixas descaroçadas em uma panela com a água em que ficaram de molho e o açúcar. Levar a panela ao fogo alto, destampada.

Assim que as ameixas estiverem cozidas, adicionar a maisena diluída em 1/2 xícara de água. Mexer tudo bem até o recheio engrossar.

Observações: Fazer o bolo em forma redonda e grande, pois a massa irá crescer bem.

Abrir as sementes das ameixas com quebra-nozes e enfeitar o bolo com as amêndoas.

BOLO DE AMEIXA E COCO

- 1 1/2 xícara de farinha de trigo
- 1 1/2 colher de sopa de fermento em pó
- 1 pacote de ameixas pretas sem caroços deixadas de molho um dia antes
- 1 pacote de coco queimado
- 1 colher de chá de canela em pó
- 1 colher de chá de cravo em pó
- 1 colher de chá de noz-moscada em pó
- 1 colher de café de essência de baunilha
- 1 xícara de açúcar mascavo
- 1/3 de xícara de óleo
- 1/2 xícara de leite de soja
- 1/2 xícara da água em que a ameixa ficou de molho

Misturar a farinha de trigo com o fermento em pó e os temperos.

Bater no liquidificador as ameixas com o açúcar mascavo, o leite de soja, a água das ameixas e o óleo e juntar as duas misturas. Acrescentar o coco queimado e colocar a massa em uma forma de pão grande.

Após assá-la por aproximadamente 1 hora, deixar o bolo esfriar por uns 10 minutos antes de desenformá-lo. Esperar que esfrie completamente para servi-lo.

Muito fermento faz o bolo crescer e depois murchar e ficar pesado. Observar com atenção a quantidade usada.

BOLO DE ANIVERSÁRIO

MASSA
- 2 xícaras de farinha de trigo
- 2 colheres de sopa de bicarbonato de sódio
- 1 barra de chocolate amargo sem leite derretida
- 1 colher de café de essência de baunilha
- 1 3/4 xícara de açúcar mascavo
- 1/2 xícara de óleo
- 1 1/4 xícara de água

RECHEIO
- 3 colheres de sopa de cacau em pó
- 3 colheres de sopa de maisena
- 3 colheres de sopa de açúcar mascavo
- 1 xícara de leite de soja (diluir 2 colheres de sopa de extrato de soja em 1 xícara de água)

COBERTURA
- 1 barra de chocolate amargo sem leite
- 1 colher de café de essência de baunilha
- 1 colher de café de suco de limão
- 1/2 xícara de açúcar mascavo
- 2 colheres de sopa de gordura vegetal
- 1/2 xícara de leite de soja (diluir 2 colheres de sopa de extrato de soja em 1 xícara de água)

Misturar em uma tigela o bicarbonato de sódio com a farinha de trigo.

Bater no liquidificador o óleo, o açúcar mascavo, a essência, a água e o chocolate derretido, e colocar a mistura líquida na tigela da farinha.

Mexer a massa com uma colher de pau até ficar bem homogênea. Assá-la em duas formas pequenas e iguais, untadas com óleo e polvilhadas de farinha de trigo.

RECHEIO

Colocar todos os ingrediente em uma panela e levá-la ao fogo alto, mexendo-a sempre para não formarem bolinhas. Assim que o doce começar a engrossar, desligar o fogo.

COBERTURA

Derreter o chocolate com a gordura vegetal e batê-lo no liquidificador junto com os demais ingredientes da cobertura.

Assim que os bolos esfriarem nas formas, cortá-los na horizontal, formando assim quatro camadas finas.

Espalhar os recheios entre as camadas e cobrir o bolo com a cobertura de chocolate.

Forno com temperatura muito baixa pode deixar o bolo pesado, como se estivesse cru.

BOLO DE BANANA

MASSA
- 2 xícaras de farinha de trigo branca
- 2 colheres de sopa de fermento em pó
- 1 colher de sopa de canela em pó
- 1 colher de sobremesa de sal
- 1/2 xícara de açúcar mascavo
- 2 xícaras de água

RECHEIO
- 10 bananas-nanicas
- 1 1/2 xícara de açúcar mascavo
- 3 colheres de sopa de água

Derreter o açúcar em uma panela com as três colheres de água.

Assim que estiver totalmente derretido e mole, acrescentar as bananas cortadas em rodelinhas.

Mexer bem o doce com uma colher de pau e deixá-lo em fogo baixo por 5 minutos, com a panela destampada.

Apagar o fogo e reservar o doce.

Bater no liquidificador todos os ingredientes da massa até formarem um creme.

Untar uma forma grande e alta (pode ser redonda) e colocar o doce de banana no fundo. Despejar com cuidado a massa por cima e assar o bolo em forno médio por aproximadamente 1 hora.

Virá-lo em um prato de bolos e servi-lo.

Não colocar muito fermento na massa de bolo, pois poderá deixá-lo muito seco.

BOLO DE BANANA COM GERME DE TRIGO

- 2 xícaras de farinha de trigo
- 1 1/2 xícara de germe de trigo
- 1 colher de chá de sal
- 2 colheres de sopa de açúcar mascavo
- 1/3 de xícara de óleo
- 2 xícaras de água

Bolo de banana com germe de trigo (continuação)

- 2 colheres de sopa de fermento em pó para bolo
- 6 bananas-nanicas cortadas em rodelinhas
- canela em pó

Misturar todos os ingredientes pela ordem em uma tigela, exceto as bananas.

Colocar a massa numa forma pequena, untada com óleo e polvilhada de farinha de trigo, e arrumar as bananas por cima.

Levar o bolo ao forno médio e assá-lo por aproximadamente 1 hora ou até que as bordas estejam levemente douradas.

Tirá-lo do forno, polvilhá-lo de canela em pó a gosto e cortá-lo depois de frio em quadrados.

BOLO DE BANANA-D'ÁGUA COM AÇÚCAR MASCAVO DERRETIDO

- 2 1/2 xícaras de farinha de trigo integral
- 1 colher de sopa de araruta
- 1 colher de chá de fermento em pó
- 1 colher de chá de bicarbonato de sódio
- 12 bananas-d'água cortadas em rodelas
- nozes
- canela em pó a gosto
- 1/2 colher de sobremesa de sal
- 6 colheres de sopa de açúcar mascavo
- 2 1/2 xícaras de água
- 3 colheres de sopa de água

Untar uma forma grande e levá-la a uma boca do fogão. Colocar nela o açúcar mascavo com as 3 colheres de água e, assim que o açúcar estiver derretido, colocar as bananas para irem caramelizando.

No liquidificador, bater a farinha de trigo com a água, a araruta e o sal.

Quando se tornar um mingauzinho cremoso, acrescentar o fermento e o bicarbonato de sódio.

Colocar nozes a gosto na forma com as bananas e, após retirá-las do fogo, despejar a massa por cima.

Levar o bolo ao forno quente, abaixar o fogo e assá-lo em forno médio por 1 hora no mínimo.

Esperar uns 15 minutos antes de retirá-lo da forma.

Virá-lo em um prato e polvilhá-lo de canela antes de servi-lo.

Abrir o forno antes de decorridos 25 minutos de o bolo ter começado a assar poderá fazê-lo murchar.

BOLO DE BANANA-MARMELO

MASSA

- 2 xícaras de farinha de trigo
- 1/2 xícara de fubá (tipo creme de milho)
- 1 xícara de maisena
- 1 xícara de germe de trigo
- 1 colher de sopa de fermento em pó
- 1 colher de chá de canela em pó
- 1 colher de sobremesa de sal
- 1/2 xícara de açúcar mascavo
- água (o suficiente para dar liga à massa, sem deixá-la aguada)

RECHEIO

- 1 dúzia de banana-marmelo madura
- 3 colheres de sopa de gergelim
- 1 colher de café de canela em pó
- 1 colher de café de cravo em pó
- 1/2 colher de café de noz-moscada em pó
- 2 colheres de sopa de mel
- 1/2 xícara de açúcar mascavo
- 1/3 de xícara de água

MASSA

Colocar todos os ingredientes da massa em uma tigela e misturá-los bem, sem batê-los. Acrescentar a água até a massa ficar cremosa.

Untar uma forma grande com óleo, polvilhá-la de farinha de trigo e alternar por 2 vezes uma camada de massa com uma camada de recheio.

Deixar para o fim uma camada de massa e reservar uma porção de recheio para colocar por cima do bolo assim que sair do forno.

Assá-lo em forno com temperatura média por 1 hora aproximadamente ou até que, ao espetar um palito no bolo, o palito saia seco.

RECHEIO

Levar ao fogo uma panela com as bananas cortadas em rodelas e deixá-las cozinhar. Acrescentar os outros ingredientes e tampar a panela. Após 30 minutos, quando as bananas estiverem bem cozidas, desligar o fogo e deixar o recheio reservado.

BOLO DE BANANA-NANICA

- 2 xícaras de farinha de trigo
- 1 colher de sopa de araruta
- 1 colher de sobremesa de fermento em pó
- 1 colher de chá de bicarbonato de sódio

Bolo de banana-nanica
(continuação)

- 4 bananas-nanicas cortadas em rodelas
- 3 bananas-nanicas
- 1/3 de xícara de castanhas-do-pará picadas
- canela em pó
- 1/2 xícara de melado
- 1/4 de xícara de óleo
- 2 1/2 xícaras de água

Bater no liquidificador a água, o óleo e as bananas. Acrescentar, ainda baten-do, a farinha, a araruta, as castanhas, o bicarbonato de sódio e o fermento.

Colocar a massa em uma forma untada e enfarinhada e cobri-la com as ro-delas de banana, o melado e a canela.

Levar o bolo ao forno preaquecido, por mais ou menos 50 minutos.

Assim que esfriar, cortá-lo e arrumá-lo em um prato.

BOLO DE BANANA NO MICROONDAS

- 4 bananas-nanicas
- 1/2 xícara de óleo
- 1 xícara de açúcar mascavo
- 1/2 xícara de água
- 1 xícara de farinha de trigo comum
- 1 xícara de farinha de rosca
- 1 colher de chá de fermento químico para bolos

Bater os 4 primeiros ingredientes no liquidificador e misturá-los em uma tigela com os demais ingredientes.

Mexer tudo com uma colher de pau ou um pão-duro e colocar a massa em um pirex alto, untado, ou em uma forma de microondas untada com óleo e polvi-lhada de canela em pó. Deixá-la 15 minutos em potência 7. Esperar 5 minutos antes de desenformar o bolo e servi-lo após 5 minutos.

BOLO DE BANANAS FRITAS

- 2 1/2 xícaras de farinha de trigo integral
- 2 colheres de sopa de fermento em pó
- 12 bananas cortadas em rodelas
- 6 colheres de sopa de canela em pó
- 1/2 colher de sobremesa de sal
- 6 colheres de sopa de açúcar mascavo
- 1/4 de xícara de óleo
- óleo para fritar as bananas
- 2 1/2 xícaras de água

Fritar as bananas e colocá-las no fundo de uma forma untada e polvilhada de farinha de trigo. Usar de preferência uma forma grande e redonda.

Bater no liquidificador a água com a farinha de trigo integral, o óleo, o sal, 2 colheres de açúcar mascavo e o fermento em pó.

Misturar 4 colheres de açúcar mascavo com 6 de canela em pó e espalhar a mistura por cima das bananas fritas; em seguida colocar a massa batida.

Levar o bolo ao forno médio por aproximadamente 1 hora.

Virá-lo em uma prato, depois de frio, e servi-lo.

BOLO DE CACAU INTEGRAL

- 2 xícaras de farinha de trigo integral
- 1 colher de sopa de bicarbonato de sódio
- 4 colheres de sopa de cacau em pó
- 1 xícara de mel
- 1/2 xícara de óleo
- 2 xícaras de água

Bater no liquidificador a água com o mel e o óleo. Acrescentar a farinha de trigo, o cacau e o bicarbonato. Colocar a massa em forma untada com óleo e polvilhada de farinha de trigo ou, se quiser variar, com óleo e cacau em pó.

Assar o bolo em forno médio por 45 minutos ou até que suas bordas estejam levemente escuras. Esperar o bolo esfriar para cortá-lo, pois fica muito fofo.

Não colocar água nem açúcar demais em qualquer bolo, pois poderá deixá-lo pesado e com consistência de pudim.

BOLO DE CENTEIO

- 1 xícara de farinha de trigo branca
- 1 xícara de centeio
- 3 colheres de sobremesa de fermento químico em pó
- 1 1/2 colher de sopa de cacau em pó
- 1/2 xícara de castanha de caju picada
- 10 colheres de sopa de açúcar mascavo
- 1/2 xícara de óleo
- 3 xícaras de água

Bater todos os ingredientes no liquidificador, exceto a castanha de caju, colocando primeiro o óleo e a água e em seguida o açúcar, o cacau, o centeio, a farinha de trigo e, por último, o fermento.

Virar a massa em uma forma untada com óleo e polvilhada de farinha de trigo, arrumar as castanhas picadinhas por cima e assá-la em forno médio por 1 hora aproximadamente. Esperar que o bolo esfrie para cortá-lo.

BOLO DE CHOCOLATE

MASSA
- 3 xícaras de farinha de trigo
- 1 xícara de maisena
- 1 colher de sobremesa de bicarbonato de sódio
- 2 colheres de sobremesa de fermento químico em pó
- 1 colher de sopa de leite de soja (pó)
- 2 1/2 colheres de sopa de cacau
- 1 colher de chá de missô
- 1 xícara de açúcar mascavo
- 1/2 xícara de óleo
- 2 xícaras de água

CALDA
- 2 colheres de sopa de cacau
- 2 colheres de sopa de maisena
- 2 colheres de sopa de gordura vegetal
- 1 xícara de água

Misturar em uma tigela a farinha de trigo e a maisena. Bater no liquidificador o leite de soja, o cacau, o óleo, o açúcar mascavo, a água e o missô.

Mexê-los bem e acrescentar por último o bicarbonato e o fermento. Colocar a massa em uma forma grande, untada, e levá-la ao forno preaquecido.

Assá-la por aproximadamente 1 hora.

Levar os ingredientes da calda ao fogo e, mexendo-os sempre, esperar que a calda engrosse.

Despejá-la quente sobre o bolo ainda quente.

BOLO DE CHOCOLATE COM CEREJAS

- 2 xícaras de farinha de trigo
- 2 colheres de sopa de fermento para bolo
- 1 vidrinho de cerejas
- 1 xícara de cacau em pó
- 1/2 xícara de açúcar mascavo
- 1 1/2 xícara de água

Bater no liquidificador a água, o açúcar mascavo e o cacau em pó.

Adicionar metade das cerejas e a água delas e bater mais um pouco o liquidificador. Acrescentar então a farinha de trigo e por último o fermento em pó.

Untar uma forma com óleo e polvilhá-la de cacau em pó; arrumar nela a outra metade das cerejas, que deverão estar bem picadinhas, colocar a massa por cima e levar o bolo ao forno médio por aproximadamente 1 hora, ou até que, ao espetar um palito na massa, ele saia seco.

Esperar que esfrie para cortá-lo em quadrados e servi-los.

BOLO DE CHOCOLATE E COCO

MASSA
- 2 xícaras de farinha de trigo
- 1 xícara de maisena
- 2 colheres de sobremesa de fermento químico em pó
- 2 colheres de sopa de cacau em pó
- 1 xícara de rapadura ou melado de cana
- 1/2 xícara de óleo
- 1 copo de leite de coco (extraído de 1 coco médio)

CALDA
- 2 xícaras de coco ralado
- 2 colheres de cacau em pó
- 1 1/2 xícara de rapadura ou melado
- 1/3 de xícara de água quente

Furar um coco e virá-lo em um copo para retirar-lhe a água, que não será usada no bolo, mas poderá ser consumida imediatamente, ao natural, pois trata-se de alimento muito rico, além de saboroso.

Em seguida queimar o coco na boca do fogão e quebrá-lo. Extrair-lhe a polpa. Bater no liquidificador a polpa picadinha com 1 copo de água quente e em seguida passar a massa por um pano. Espremê-la bem para extrair o leite. Reservar o coco moído.

Voltar o leite para o liquidificador, acrescentar a rapadura, o óleo e o cacau e batê-lo. Colocar a mistura em uma tigela e adicionar a ela a farinha de trigo, a maisena e o fermento em pó. Mexer tudo bem até encorpar, colocar a massa em uma assadeira média untada com óleo e polvilhada de farinha de trigo e assá-la em forno médio por aproximadamente 1 hora ou até que, ao espetar um palito no bolo, o palito sair seco.

CALDA

Levar ao fogo a rapadura com o cacau e a água. Mexê-los bem e, assim que a calda estiver fervendo, adicionar o coco ralado e tornar a mexê-la bem.

Quando o bolo sair do forno, cortá-lo ao meio. Colocar uma metade em prato apropriado e espalhar a calda por cima. Tampá-la com a outra metade e cobrir o bolo com o recheio restante. Polvilhar bastante coco ralado por cima.

O bolo pode ser decorado com confeitos coloridos, cerejas, etc.

BOLO DE CHOCOLATE E NOZES

MASSA
* 2 xícaras de farinha de trigo
* 1 xícara de maisena
* 1 xícara de germe de trigo
* 1 colher de sopa de fermento em pó
* 1 xícara de nozes picadas
* 3 colheres de sopa de cacau
* 1 xícara de açúcar mascavo
* 1/2 xícara de óleo
* 1 xícara de água

CALDA OPCIONAL
* 4 colheres de sopa de cacau em pó
* 1 xícara de rapadura ralada
* 1 colher de sopa de gordura vegetal
* 1 xícara de leite de soja

Misturar bem todos os ingredientes da massa em uma tigela.

Colocar a água e mexer a massa, verificando se não vai ficar muito grossa nem muito rala.

Despejar a massa em uma forma média untada e polvilhada de farinha de trigo. Assá-la em forno previamente aquecido e deixá-la por mais ou menos 35 ou 40 minutos.

Levar ao fogo alto os ingredientes da calda e deixá-la cozinhar por uns 6 minutos.

Ao retirar o bolo do forno, cortá-lo imediatamente, espalhar toda a calda por cima dele e esperar que esfrie na forma.

Arrumar as fatias do bolo em um prato, retirando-as da forma com uma espátula de plástico.

Observação: A calda deve ser posta no bolo assim que sair do fogo e pode-se enfeitá-lo com nozes inteiras.

BOLO DE COCO

* 2 xícaras de farinha de trigo branca
* 1 xícara de maisena
* 2 colheres de sopa de fermento em pó

Bolo de coco
(continuação)

- 6 ameixas secas deixadas de molho por pelo menos 5 horas
- 1 pacote de coco ralado
- 1/2 colher de sobremesa de sal
- 1/2 xícara de açúcar mascavo
- 1/2 xícara de óleo
- 2 vidros de leite de coco
- 1/2 vidro de leite de coco cheio de água

Misturar em uma tigela a farinha de trigo, a maisena, o açúcar, o sal, o fermento em pó e o coco ralado. Acrescentar à tigela uma mistura do óleo, da água e do leite de coco e mexer a massa muito bem com colher de pau ou pão-duro até que se torne homogênea. Colocá-la em uma assadeira untada com óleo e polvilhada de farinha de trigo e levá-la ao forno em temperatura média.

Assar o bolo por 1 hora e servi-lo enfeitado com as ameixas inchadas.

BOLO DE COCO E MAÇÃ

- 1/2 xícara de chá de farinha de trigo
- 2 colheres de sopa de fermento em pó
- 100 g de coco fresco ralado ou 1 pacote
- 4 xícaras de maçãs descascadas e cortadas em cubinhos
- 1 colher de café de essência de baunilha
- 1 colher de sopa de óleo
- 1 xícara de açúcar mascavo
- pouca água, só para dar liga

Misturar bem todos os ingredientes em uma tigela funda, sem batê-los. Despejar a massa em uma forma retangular untada.

Assá-la em forno médio por cerca de 40 minutos ou até que a superfície esteja ligeiramente dourada.

Deixar o bolo esfriar na forma e cortá-lo em quadrados.

Retirá-los da assadeira com uma espátula, com cuidado para não quebrá-los.

Nunca manter o forno em temperatura alta para os bolos, pois eles podem ficar com a parte superior toda ressecada e se desmanchando.

BOLO DE FLOCOS DE MILHO

- 2 xícaras de flocos de milho
- 3 colheres de sopa de farinha de trigo comum
- 2 colheres de sopa de maisena
- 2 colheres de sopa de fermento

Bolo de flocos de milho
(continuação)

- 1/3 de xícara de banana passa picada
- 2 colheres de chá de sal
- 1 xícara de açúcar mascavo
- 18 colheres de sopa de óleo
- 1 vidro de leite de coco
- 1 1/2 xícara de leite de soja

Misturar em uma tigela a farinha de trigo, os flocos de milho, o sal, o fermento e a maisena.

Bater no liquidificador o leite de coco, o de soja, o açúcar e o óleo. Misturar tudo e acrescentar as bananas passas.

Colocar a massa em uma forma média untada com óleo. Assar o bolo por 50 minutos e esperar que esfrie para cortá-lo e servi-lo.

BOLO DE FRUTAS CRISTALIZADAS

- 2 xícaras de farinha de trigo comum
- 1 colher de sopa de fermento em pó
- 1 xícara de frutas cristalizadas
- 1/3 de xícara de amêndoas picadas
- 1 laranja pequena, com casca, bem lavada
- 1 colher de chá de canela em pó
- 1 colher de chá de noz-moscada em pó
- 1 pitada de sal
- 1/2 xícara de açúcar mascavo
- 1/2 xícara de óleo
- 1 xícara de água

Peneirar os ingredientes secos em uma tigela, e em seguida misturá-los com as frutinhas.

Bater a laranja no liquidificador com 1/2 xícara de água e peneirá-la.

Devolvê-la ao liquidificador e adicionar mais 1/2 xícara de água e o óleo. Batê-lo novamente e colocar o líquido na tigela das misturas secas.

Mexer tudo com uma colher de pau, até que se torne uma massa bem homogênea.

Untar uma forma alta, de furo central, com óleo, polvilhá-la de farinha de trigo e nela derramar toda a massa.

Levá-la ao forno e assar o bolo por 1 hora em temperatura média ou até estar levemente dourado.

Esperar que esfrie para desenformá-lo, colocando-o em um prato.

Servi-lo em lanches, acompanhado de sucos leves ou de chá gelado.

Às vezes, pouco óleo poderá deixar o bolo muito seco.

BOLO DE FUBÁ COM COCO

+ 2 xícaras de farinha de trigo
+ 2 xícaras de fubá mimoso
+ 2 colheres de sopa de fermento químico em pó
+ 1 pacote de coco seco ralado (podem-se usar os flocos de coco)
+ 1 colher de chá de sementes de erva-doce
+ 1 colher de chá de sal
+ 1 xícara mal cheia de açúcar mascavo
+ 1/2 xícara de óleo
+ 1 vidrinho de leite de coco
+ 1 xícara de leite de soja (diluir 2 colheres de sopa de extrato de soja em 1 xícara de água)

Misturar em uma tigela os cinco primeiros ingredientes.

Bater no liquidificador o óleo, o leite de soja, o leite de coco, o coco ralado e o açúcar mascavo e juntá-los à mistura da tigela.

Mexer tudo energicamente com uma colher de pau, até se tornar uma massa bem homogênea. Colocá-la em uma forma com furo central, untada com óleo e polvilhada de fubá.

Assar o bolo em forno médio por aproximadamente 50 minutos ou até que, ao espetar um palito no centro do bolo, o palito sair seco. Servi-lo em fatias em desjejuns e lanches, acompanhado de sucos, vitaminas ou iogurtes leves.

BOLO DE FUBÁ E ARROZ

+ 1 xícara de farinha de arroz
+ 3 xícaras de fubá
+ 1 colher de sopa de bicarbonato de sódio
+ 3 xícaras de arroz cozido
+ 1/2 xícara de uva-passa
+ 1/2 xícara de castanhas ou amêndoas
+ 1 colher de sopa de canela em pó
+ 1 colher de sobremesa de sal
+ 1/2 xícara de melado de cana
+ 1/4 de xícara de açúcar mascavo
+ 1/3 de xícara de óleo
+ 1 xícara de leite de soja
+ 1 xícara de água

Bater no liquidificador o arroz cozido com a água e o leite. Reservá-lo.

Juntar em uma tigela os demais ingredientes, exceto o bicarbonato, e misturá-los bem.

Acrescentar o creme de arroz obtido no liquidificador, mexer tudo e deixar a massa descansando por uma hora.

Colocar o bicarbonato e levar o bolo ao forno por mais ou menos meia hora ou até estar levemente dourado.

Esperar que esfrie para cortá-lo em quadrados e servi-lo puro ou com geléias.

BOLO DE LARANJA COM COBERTURA

MASSA
- 2 xícaras de farinha de trigo branca
- 2 colheres de sopa de fermento químico em pó
- 1/2 xícara de óleo
- 2 xícaras de suco de laranja

COBERTURA
- 2 colheres de sopa de maisena
- 1/2 xícara de açúcar
- 1 copo de suco de laranja

Bater no liquidificador os ingredientes da massa e colocá-la em duas formas pequenas e iguais, untadas com óleo e polvilhadas de farinha de trigo.

Levá-las ao forno médio por 1 hora aproximadamente.

Colocar os outros ingredientes em uma panela e levá-la ao fogo, mexendo-a sempre até a cobertura engrossar, feito geléia.

Depois de assados, colocar um bolo sobre o outro com a geléia entre eles e cobrindo todo o bolo.

Podem ser retiradas as laterais mais duras do bolo e deixá-lo mais fininho.

BOLO DE LARANJA RÁPIDO

- 2 xícaras de farinha de trigo branca
- 2 colheres de sopa de fermento em pó
- 3 colheres de sopa de passinhas
- 2 colheres de sopa de açúcar mascavo
- 1/2 xícara de óleo
- 2 xícaras de suco de laranja

Bater todos os ingredientes no liquidificador.

Colocar a massa numa forma untada com óleo e polvilhada de farinha de trigo. Levá-la para assar em forno médio por no mínimo 1 hora.

Ao servir o bolo, pode-se pôr 1 colher de mel em cima de cada fatia.

BOLO DE MAÇÃ E AVEIA

- 1 xícara de farinha de trigo integral
- 3/4 de xícara de aveia em flocos
- 3 colheres de sobremesa de fermento
- 1 xícara de maçã ralada
- gotas de limão e casca de limão ralada
- 1/2 colher de sobremesa de sal
- 1 colher de sopa de melado
- 1/3 de xícara de óleo
- 1 xícara de leite de soja (diluir 2 colheres de sopa em um copo de água)

Preaquecer o forno e deixar uma forma pequena untada com óleo.

Misturar em uma tigela o leite de soja, o óleo, a casca e as gotas de limão, o melado e a maçã. Lentamente juntar a essa mistura a farinha, a aveia, o sal e o fermento. Colocar a massa na forma e assá-la por uns 30 minutos.

Esperar o bolo esfriar para cortá-lo e servi-lo.

BOLO DE MAÇÃ TARTE TATIN

- 2 xícaras de farinha de trigo
- 2 colheres de sopa de fermento em pó
- 3 maçãs médias descascadas e fatiadas
- 15 ameixas deixadas de molho um dia antes
- 1 xícara de nozes
- 1 colher de sobremesa de sal
- 10 colheres de sopa de açúcar mascavo
- 1/2 xícara de óleo
- 3 colheres de sopa de água
- 2 xícaras de água

Passar óleo em uma assadeira redonda e grande e colocá-la sobre uma boca do fogão.

Colocar nela o açúcar mascavo e 3 colheres de sopa de água e esperar que o açúcar derreta. Arrumar então na assadeira as maçãs, as ameixas e as nozes levemente picadas, deixando tudo bem harmonioso, sempre em fogo baixo.

Separadamente, bater a farinha de trigo com as 2 xícaras de água, o sal, 1/2 xícara de óleo e 2 colheres de sopa de fermento em pó.

Tirar a forma do fogo, colocar a massa por cima das maçãs e levá-la agora ao forno já quente. Deixar o bolo assar por aproximadamente 1 hora ou até estar dourado e seco (comprovar espetando um palito no seu centro).

Esperar que esfrie para virá-lo em um prato de bolo, de modo que as maçãs fiquem voltadas para cima.

BOLO DE MAÇÃS COM CHOCOLATE

- 1/2 xícara de farinha de trigo branca
- 1/3 de xícara de maisena
- 1 colher de sopa de fermento químico para bolos
- 2 colheres de sopa de extrato de soja em pó
- de 5 a 7 maçãs brasileiras descascadas e fatiadas
- 1 barra de chocolate amargo sem leite
- 2 colheres de sopa de uvas-passas
- 1 colher de café de noz-moscada em pó
- 1 pitada de sal
- 8 colheres de sopa de óleo
- 3/4 de xícara de água

Untar uma assadeira pequena com óleo e colocar nela o chocolate picadinho. Deixá-la sobre uma boca do fogão, em fogo brando, até o chocolate derreter; acrescentar então as maçãs e as passas. Mexer tudo e tampar a assadeira. Deixá-la por mais 5 minutos, ainda em fogo brando, e então desligar o fogo. Esperar amornar.

Liquidificar os demais ingredientes, deixando o fermento em pó para ser posto assim que a massa estiver homogênea.

Virar a massa sobre as maçãs e deixá-la em forno médio por uma hora e quinze minutos. Esperar o bolo esfriar para servi-lo em lanches e desjejuns, com chás ou sucos.

BOLO DE MANDIOCA CRUA E COCO

- 1 1/3 xícara de farinha de trigo branca
- 2 colheres de sopa de fermento em pó
- 4 xícaras de mandioca crua ralada
- 3 xícaras de coco fresco ralado
- 1 1/2 colher de sobremesa de sal
- 2 xícaras de açúcar mascavo
- 3/4 de xícara de óleo
- 1 vidrinho de leite de coco
- 1 xícara de água

Misturar em uma tigela o coco e a mandioca.

Bater no liquidificador o sal, o óleo, o açúcar mascavo, a água e o leite de coco e despejar o líquido na tigela do coco e da mandioca. Mexer tudo bem. Engrossar a massa com a farinha de trigo e adicionar-lhe o fermento em pó. Virar a massa em um pirex grande, untado com óleo, e levá-lo ao forno médio por mais ou menos um hora ou até as bordas do bolo estarem escuras. Esperar o bolo esfriar para retirá-lo da assadeira e servi-lo em lanches e desjejuns, acompanhado de mel.

BOLO DE MEL

- 2 1/2 xícaras de farinha de trigo
- 2 xícaras de maisena
- 1 colher de sopa de bicarbonato de sódio peneirado
- 1/3 de xícara de nozes picadas
- 2 colheres de sopa de cacau em pó
- canela
- cravo
- suco de 2 laranjas médias
- 1/2 xícara de açúcar mascavo
- 1/2 xícara de mel
- 1/2 xícara de óleo
- 1/2 xícara de leite de soja (diluir 2 colheres de sopa de extrato de soja em uma copo de água)

Bater no liquidificador o leite de soja com o suco das laranjas, o cacau, o óleo, o mel e o açúcar mascavo.

Em uma tigela misturar muito bem todos os ingredientes secos.

Adicionar o caldo do liquidificador e mexer tudo com uma colher de pau.

Colocar a massa em uma forma média untada com óleo e polvilhada de farinha de trigo e assá-la em forno médio, preaquecido, por 1 hora ou até as bordas do bolo estarem mais escuras e, ao espetar nele um palito, o palito sair seco.

Não encher demais a forma, pois o bolo tende a crescer bastante.

Não deixar nenhum bolo passar muito do tempo no forno. Pode ficar ressecado.

BOLO DE MILHO VERDE

- 2 xícaras de farinha de trigo
- 1 colher de sobremesa de fermento em pó
- 4 espigas de milho verde
- 1 pacote de coco seco ralado ou o equivalente de 1 coco fresco
- 1 xícara de açúcar mascavo
- 1/2 xícara de óleo
- 1 vidro de leite de coco

Bater no liquidificador os grãos de milho com o leite de coco, o óleo e o açúcar mascavo.

Despejar o creme em um recipiente e adicionar a farinha de trigo, o fermento em pó e o coco ralado.

Colocar a massa em forma com furo central, untada com óleo e polvilhada de fubá ou farinha de trigo. Levá-la ao forno médio, preaquecido, e deixar o bolo assar de 35 a 40 minutos. Esperar que esfrie um pouco antes de desenformá-lo.

BOLO DE NOZES

MASSA

- 2 xícaras de farinha de trigo
- 2 colheres sopa de fermento em pó
- 2 xícaras de nozes em pedaços grandes
- 1 colher de café de sal
- 1/2 xícara de açúcar mascavo
- 1/2 xícara de óleo
- 2 xícaras de água

GLACÊ

- 1 xícara de cacau em pó
- 1 xícara de açúcar mascavo
- 1/2 xícara de leite de soja

Bater no liquidificador a farinha de trigo com a água, o óleo, o açúcar mascavo e o sal. Por último acrescentar o fermento em pó.

Misturar à massa as nozes picadas e colocá-la em uma assadeira untada com óleo e polvilhada de farinha de trigo. Assá-la em forno médio, preaquecido, por aproximadamente uma hora e quinze minutos. Cortar o bolo em quadrados assim que sair do forno.

Bater no liquidificador o leite de soja com o cacau e o açúcar mascavo e despejar a calda no bolo ainda quente.

Esperar que o bolo esfrie para retirá-lo da assadeira e colocá-lo em um prato.

BOLO DE PASSAS

- 1 1/2 xícara de farinha de trigo integral
- 1 colher de sopa de bicarbonato de sódio peneirado
- 1 xícara de passinhas pretas sem sementes
- 1 colher de sopa de casca de laranja ralada
- 1/2 colher de sopa de noz-moscada em pó
- 1/2 colher de sopa de cravo em pó
- 1/2 colher de sopa de canela em pó
- 1 colher de sopa de cacau em pó
- 1 colher de sopa de açúcar mascavo misturado com 1 colher de sopa de cacau em pó
- 6 colheres de sopa de açúcar mascavo
- 3 colheres de sopa de óleo
- 1 1/2 xícara de suco de laranja

Bater no liquidificador o óleo, o açúcar mascavo, a farinha, a casca da laranja, o suco de laranja, o cacau, o cravo, a canela e a noz-moscada.

Depois que a mistura estiver com consistência de massa, virá-la em uma tigela e colocar o bicarbonato de sódio. Acrescentar as passinhas e mexer tudo com uma colher.

Colocar a massa em uma forma pequena, untada com óleo e polvilhada da mistura de açúcar mascavo e cacau em pó. Deixá-la em forno médio por mais ou menos 1 hora. Esperar que o bolo esfrie para cortá-lo e servi-lo.

BOLO DE TÂMARAS, DAMASCO E CACAU

- 2 xícaras de farinha de trigo
- 1 colher de chá de bicarbonato de sódio
- 2 colheres de chá de fermento químico em pó
- 1/2 xícara de damasco seco picado
- 1/2 xícara de tâmara picada
- 1/2 xícara de cacau em pó
- 1/2 xícara de açúcar mascavo
- 1/4 de xícara de óleo
- 1 1/2 xícara de água

Bater no liquidificador o óleo, a água, o açúcar, 1 1/2 xícara de farinha de trigo e o cacau. Colocar a massa em uma tigela e adicionar os demais ingredientes.

Mexer tudo bem com uma colher de pau ou um pão-duro e despejar a massa em uma assadeira untada com óleo e polvilhada de farinha de trigo.

Assar o bolo por aproximadamente 1 hora ou até que, ao espetar um palito na massa, o palito saia seco.

BOLO FOFO

- 3 colheres de sopa de farinha de trigo
- 2 xícaras de flocos de milho pré-cozidos para polenta
- 2 colheres de sopa de maisena
- 2 colheres de sobremesa de fermento químico para bolos
- 2 colheres de chá de sal
- 1 xícara de açúcar mascavo
- 18 colheres de sopa de óleo
- 1 vidro de leite de coco
- 1 1/2 xícara de leite de soja

Misturar em uma tigela a farinha de trigo, os flocos de milho, a maisena, o sal, o óleo e o fermento. Bater os demais ingredientes em um liquidificador. Juntar as duas misturas e mexer tudo bem com uma colher de pau.

Colocar a massa em uma assadeira untada com óleo e assar o bolo por 50 mlnutos em forno médio.

Esperar que esfrie para cortá-lo.

BOLO PRETO DE CACAU

MASSA

- ◆ 1 1/2 xícara de farinha de trigo
- ◆ 1/2 xícara de maisena
- ◆ 1 colher de sopa de fermento em pó
- ◆ 1 xícara de cacau
- ◆ 1 1/2 xícara de açúcar mascavo
- ◆ 1/2 xícara de óleo
- ◆ 3/4 de xícara de café bem forte
- ◆ 1/4 de xícara de leite de soja

COBERTURA

- ◆ 5 colheres de sopa de cacau
- ◆ 1/3 de xícara de açúcar mascavo ou rapadura
- ◆ 1 colher de sopa de gordura vegetal hidrogenada
- ◆ 1 xícara de leite de soja

Misturar a farinha com a maisena e o fermento em uma tigela e deixar a mistura reservada.

Bater no liquidificador o café com o leite de soja, o cacau, o açúcar mascavo e o óleo.

Juntar todos os ingredientes em uma tigela e mexê-los bem com uma colher de pau até a massa ficar com uma consistência cremosa.

Colocá-la em uma forma grande, untada com óleo, e assá-la em forno médio por uns 50 minutos.

Observação: É importante deixar a massa ocupando apenas meia forma, pois o bolo cresce bastante.

COBERTURA

Misturar todos os ingredientes da cobertura numa panela e levá-la ao fogo.

Deixá-la ferver até dar ponto, que é quando começa a engrossar (ao esfriar engrossará mais).

Colocar a cobertura ainda quente sobre o bolo, também quente.

Usar muita água poderá fazer o bolo murchar após crescer.

BOLO SIMPLES COM COBERTURA DE CHOCOLATE

MASSA
- 3/4 de xícara de óleo
- 2 xícaras de água
- 2 1/2 xícaras de farinha de trigo
- 3/4 de xícara de açúcar demerara
- 1/2 colher de sobremesa de sal
- 2 colheres de sopa de fermento em pó

COBERTURA
- 1 barra de chocolate amargo
- 4 colheres de sopa de cacau em pó
- 4 colheres de sopa de açúcar mascavo
- 1/2 xícara de leite de soja (diluir 2 colheres de sopa de extrato de soja em 1 xícara de água)

Bater no liquidificador os ingredientes da massa na ordem descrita até que ela fique cremosa.

Colocá-la em uma forma pequena e alta, untada com óleo e polvilhada de farinha de trigo, e assá-la em forno médio por 1 hora.

Derreter o chocolate em uma panela e acrescentar os outros ingredientes da cobertura. Não parar de mexê-la para não empelotar.

Deixar para fazer a cobertura em cima da hora para poder colocá-la ainda quente sobre o bolo. Assim que o bolo assar, esperar que esfrie.

Cortar as laterais para o bolo ficar mais fino, e depois cortá-lo ao meio com um faca grande, para que fiquem dois retângulos estreitos (pode-se usar uma linha fina para marcar o traço do corte).

Colocar um retângulo em um prato e cobri-lo com a cobertura. Pôr o outro retângulo por cima do recheio e espalhar a cobertura por todo o bolo.

BOLO SIMPLES PARA O CHÁ

- 2 xícaras de farinha de trigo
- 1 xícara de germe de trigo
- 1 xícara de maisena
- 1 colher de sopa de fermento em pó
- canela
- 1 colher de café de sal
- 1 xícara de açúcar mascavo
- 2 colheres de sopa de óleo
- água

Misturar todos os ingredientes em uma tigela, deixando para o fim a água, que será acrescentada aos poucos, mexendo a massa sempre com uma colher de pau, até ficar com uma boa consistência, não muito aguada, nem seca demais.

Colocá-la em uma forma pequena, untada com óleo e polvilhada de farinha de trigo e assá-la em forno preaquecido, em temperatura média, por aproximadamente 40 minutos ou até que, ao espetar um palito no centro do bolo, o palito saia seco. Servir o bolo com mel ou geléia ou com compota de frutas.

Opção: Deixar o bolo esfriar na própria forma. Cortá-lo ao meio e colocar a metade em um prato. Cobri-la com geléia, colocar a outra metade por cima do recheio e cobrir o bolo todo com mais geléia. Pode-se usar goiabada derretida na água no lugar de geléia.

Muito açúcar ou muito óleo deixará qualquer bolo mais pesado.

PÃO DE MEL

MASSA
- 3 xícaras de farinha de trigo
- 1 xícara de maisena
- 2 colheres de sobremesa de bicarbonato de sódio peneirado
- 1 colher de sopa de canela em pó
- 1 colher de sopa de cravo em pó
- 1 colher de sopa de cacau em pó
- 1 colher de sopa de noz-moscada em pó
- 1 xícara com chá forte de erva-doce
- 2 xícaras mal cheias de mel
- 1/2 xícara de óleo
- 1 xícara de suco de laranja

GLACÊ
- 2 colheres de sopa de cacau em pó
- 1 xícara de mel
- 2 colheres de sopa de gordura vegetal ou óleo

Peneirar em uma tigela a farinha de trigo com a maisena, o cravo, a canela, a noz-moscada, o cacau e o bicarbonato.

Bater no liquidificador o chá de erva-doce, o suco de laranja, o mel e o óleo. Juntar o líquido com a mistura da tigela e mexer tudo energicamente até obter uma massa consistente.

Colocá-la em forma untada com óleo e polvilhada de farinha de trigo e assá-la em forno médio por cerca de 30 ou 40 minutos.

Levar ao fogo os ingredientes do glacê e deixá-los por 5 minutos em fogo médio.

Cortar o bolo na própria forma em quadrados e espalhar o glacê sobre ele ainda quente.

Esperar que esfrie para retirá-lo da forma e servi-lo.

Observação: O cravo da índia pode ser triturado no liquidificador e depois peneirado. Deve ser guardado em vidro e usado parcimoniosamente, pois seu sabor é forte.

PÃO DE MEL NO MICROONDAS

- 1 xícara de farinha de trigo comum
- 1 xícara de farinha de rosca
- 1 colher de chá de bicarbonato de sódio em pó
- 1/2 xícara de passinhas sem sementes
- 1 colher de sopa de cacau em pó
- 1 colher de chá de canela em pó
- 1 colher de chá de cravo em pó
- 1 colher de chá de pimenta-da-jamaica em pó
- 1 colher de chá de noz-moscada em pó
- 1/2 xícara de açúcar mascavo
- 8 colheres de sopa de mel
- 1 xícara de suco de laranja

Misturar bem em uma tigela a farinha de rosca, o bicarbonato e as passinhas. Bater no liquidificador os demais ingredientes.

Juntar as duas misturas na tigela, mexer tudo muito bem com pão-duro ou colher de pau e colocar a massa em uma forma untada com óleo e polvilhada de farinha de rosca.

Deixá-la 14 minutos em potência 7, e depois esperar 6 minutos para desenformar o pão e servi-lo.

PÃO DE MEL TRADICIONAL

- 2 1/2 xícaras de farinha de trigo
- 2 xícaras de maisena
- 1 colher de sopa de bicarbonato de sódio
- 2 laranjas médias
- 2 colheres de sopa de cacau em pó
- 1 colher de chá de canela em pó
- 1 colher de café de cravo em pó
- 1 colher de café de noz-moscada em pó

Pão de mel tradicional
(continuação)

- 1/2 xícara de açúcar mascavo
- 1/2 xícara de mel
- 1/2 xícara de óleo
- 1/2 xícara de leite de soja

Misturar bem em uma tigela a farinha de trigo, a maisena, a canela, o cravo e a noz-moscada.

Bater no liquidificador os demais ingredientes.

Juntar as duas misturas e mexer tudo delicadamente até engrossar.

Colocar a massa em assadeira untada com óleo e polvilhada de farinha de trigo e assá-la por 30 minutos, em forno com temperatura média.

Tirá-lo quando as laterais estiverem douradas e quando, ao espetar um palito no bolo, o palito sair seco.

Observação: Deixar espaço na assadeira, pois, ao assar, a massa cresce bastante.

DOCES

Arroz-doce branco enformado	335
Arroz-doce	335
Assado de batata-doce	336
Banana-marmelo assada	336
Banana-nanica empanada com farinha de arroz	336
Bananada cozida e assada	337
Bananada marmelo	337
Bombom de amêndoas	337
Bombom de morangos	338
Canjica	338
Canjica de frutas	338
Cocada de chocolate	339
Creme de coco e cacau	339
Cuscuz de tapioca	339
Delícia de abóbora	340
Doce de pão amanhecido, coco e cacau	340
Doce de abóbora e castanha-do-pará	341
Doce de banana e goiaba	341
Doce de banana-marmelo	341
Doce de figos secos	341
Doce de maçã e abóbora	342
Doce de maçã e coco	342
Doce de milho tipo curau	342
Doce gostoso de chocolate	343
Doce prestígio	343
Docinho de aveia e banana passa	344
Docinhos de cenoura	344

Goiabada	345
Maçã assada	345
Maçã crespinha	345
Maçã recheada	346
Manjar de coco	346
Paçoca	347
Pé-de-moleque	347
Prato de frutas frescas	347
Pudim de pão	348
Quadrados de amendoim	348
Salada de frutas	348
Salada de frutas com chocolate	349
Sobremesa de abacate	349
Sobremesa de abacaxi	350
Sorvete de chocolate	350

ARROZ-DOCE BRANCO ENFORMADO

- 1 xícara de arroz branco cru
- 400 ml ou 2 vidrinhos de leite de coco
- 5 colheres de sopa de açúcar mascavo
- 400 ml de água, usar o vidrinho como medida
- 1 colher de sobremesa rasa de sal
- 3 paus de canela
- 4 cravinhos
- 2 xícaras de água fervente
- canela em pó a gosto

Colocar em uma panela todos os ingredientes, exceto as 2 xicaras de água fervente. Misturá-los bem e levar a panela tampada ao fogo alto.

Mexer o doce sempre para não grudar e, quando começar a aparecer o fundo da panela, colocar 1/2 xícara de água fervente. Repetir este processo por 4 vezes.

Assim que os grãos estiverem bem macios, colocar o arroz-doce em um pirex alto. Esperar que esfrie e colocá-lo na geladeira. Passá-lo para um prato na hora de servir e polvilhá-lo de canela em pó a gosto.

ARROZ-DOCE

- 4 xícaras de arroz integral bem cozido
- 2 vidrinhos de leite de coco
- 1 xícara de leite de soja
- 1/2 xícara de açúcar mascavo
- 2 colheres de chá de sal
- 4 pedaços de canela em pau
- 4 cravinhos
- canela em pó a gosto

Misturar o leite de coco com o leite de soja e o açúcar mascavo em uma panela grande. Levá-la ao fogo e, mexendo-a, deixar o líquido ferver por dois minutos. Acrescentar o arroz cozido, o sal, a canela em pau e os cravos e cozinhar o arroz em fogo baixo por mais 25 minutos.

Deixar o arroz-doce esfriar em um recipiente coberto com plástico. Polvilhá-lo de canela a gosto e servi-lo

ASSADO DE BATATA-DOCE

- 3 xícaras de purê de batata-doce
- 1 xícara de coco fresco ralado
- 1 xícara de leite de coco
- 1/2 xícara de açúcar mascavo
- 1 xícara de farinha de pão
- 3 colheres de suco de laranja

Cozinhar as batatas e, assim que começarem a se desmanchar, espremê-las e medi-las.

Batê-las no liquidificador com o leite de coco e misturar o purê com os demais ingredientes em uma tigela.

Arrumar a massa em um pirex untado com óleo e polvilhado de farinha de pão. Assá-la por 25 minutos em forno médio.

Cortar o assado em quadradinhos e servi-lo.

BANANA-MARMELO ASSADA

- 3 bananas-marmelos grandes e maduras
- 4 colheres de sopa de melado de uva, que se encontra em empórios árabes
- 4 colheres de sopa de tahine diluído em água

Arrumar em um pirex as bananas cortadas ao meio ao comprido.

Espalhar sobre elas o melado e em seguida o tahine.

Assá-las em forno médio por 35 minutos ou até estarem macias.

BANANA-NANICA EMPANADA COM FARINHA DE ARROZ

- 1/2 dúzia de bananas-nanicas
- 2 xícaras de farinha de arroz integral, que se encontra em lojas de produtos naturais
- 1 1/2 xícara de água
- 1 colher de chá de sal
- óleo para fritar

Misturar em uma tigela a farinha de arroz com a água e o sal.

Cortar as bananas ao meio e mergulhá-las na farinha diluída na água e em seguida colocá-las no óleo bem quente.

Retirá-las e deixá-las escorrer em papel absorvente assim que dourarem.

Servi-las ainda quentes em lanches ou acompanhando refeições.

BANANADA COZIDA E ASSADA

- 20 bananas-ouro ou 10 bananas-marmelos
- 3 xícaras de chá de banchá
- 1 colher de sopa de missô
- 2 cravos da índia
- 5 pauzinhos de canela
- 1 colher de sopa de erva-doce

Arrumar as bananas inteiras em panela de pressão, colocar sobre elas todos os temperos e regá-las com o missô diluído no chá de banchá. Levá-las ao fogo alto e deixar que cozinhem por 2 horas. Depois de cozidas, colocá-las em assadeira untada e levá-las ao forno para secar, o que leva aproximadamente 1/2 hora.

Colocá-las em vidros e guardá-las em geladeira. Conservam-se bem.

BANANADA MARMELO

- 1 dúzia de bananas-marmelos maduras
- 4 colheres de sopa de açúcar mascavo
- 1 xícara de água
- 1 colher de café de bicarbonato de sódio
- 3 colheres de sopa de suco de limão
- 2 paus de canela

Levar ao fogo as bananas descascadas e inteiras em uma panela de pressão, juntamente com o açúcar mascavo e a água, e deixar a panela em pressão por uns 40 minutos. Assim que as bananas estiverem cozidas, batê-las rapidamente no liquidificador para que se transformem em um doce, não em pasta, por isso cuidado para não batê-las demais.

Colocar então as bananas desmanchadas em uma panela média e acrescentar os paus de canela, o bicarbonato de sódio e o limão. Deixá-las em fogo alto com a panela semitampada, mexê-las de vez em quando e, ao começar a aparecer o fundo da panela, apagar o fogo e transferir o doce para uma travessa ou pirex. Não tampar a travessa para não acumular água no doce.

BOMBOM DE AMÊNDOAS

- 1 barra de chocolate amargo sem leite
- 1 xícara de amêndoas sem torrar descascadas
- 3 colheres de sopa de mel

Bater no liquidificador as amêndoas sem água para que fiquem trituradas.

Quando estiverem bem moídas, virá-las em uma tigela, acrescentar-lhes o mel e misturá-los bem. Com as mãos, dar aos bombons o formato desejado.

Derreter o chocolate em banho-maria e mergulhar nele os bombons e, depois de totalmente envolvidos no chocolate, retirá-los com o auxílio de uma pinça ou de dois garfos. Arrumá-los em uma travessa ou em um prato untado e levá-los à geladeira para que endureçam.

BOMBOM DE MORANGOS

- 1 caixinha de morangos
- 1 barra de chocolate amargo sem leite
- 1 xícara de nozes trituradas no liquidificador

Limpar os morangos retirando-lhes os cabinhos e, após lavá-los com água, deixá-los bem secos.

Quebrar o chocolate e derretê-lo em banho-maria.

Passar cada morango por esse chocolate quente e, em seguida, cobri-los com as nozes trituradas, que deverão estar espalhadas em um prato para facilitar o trabalho. Arrumar os bombons em travessa untada e levá-los à geladeira.

CANJICA

- 1 1/2 pacote de canjica
- 1 1/2 xícara de leite de soja
- 1/2 xícara de açúcar
- 2 vidros de leite de coco
- 1 pacote de coco seco ralado ou em flocos
- 1 colher de sopa de canela em pó
- 1 colher de chá de sal

Deixar a canjica de molho por 8 horas (ou a noite inteira). Cozinhá-la em água até ficar bem macia. Escorrer a água e acrescentar o leite de soja, o açúcar, o leite de coco, o sal, a canela e por último o coco ralado. Cozer tudo por aproximadamente 6 minutos. Retirar a canjica do fogo e deixá-la esfriar.

Observação: Caso a canjica não tenha ficado de molho, pode-se cozinhá-la em panela de pressão.

CANJICA DE FRUTAS

- 1 xícara de canjica crua
- 2 xícaras de banana-nanica picadinha
- 1 xícara de ameixa-preta seca picadinha
- 1/2 xícara de maçã bem picada
- 1/2 xícara de pêra bem picada

Canjica de frutas
(continuação)

- 1/2 xícara de açúcar mascavo
- 1/2 xícara de melado
- 2 vidros de leite de coco de 200 ml
- 1 colher de sobremesa de sal
- 200 ml de água (usar a garrafa do leite de coco como medida)

Deixar a canjica de molho por uma noite inteira em 3 xícaras de água. Colocar então, em uma panela de pressão, todos os ingredientes, incluída a canjica escorrida. Deixá-los por 20 minutos em fogo alto (a partir do começo da pressão).

Retirar toda a pressão, provar o tempero e colocar a canjica em tacinhas ou em um pirex grande. Esperar que esfrie para servi-la.

COCADA DE CHOCOLATE

- 1 1/2 xícara de coco fresco ralado
- 1 barra de chocolate amargo sem leite
- 2 colheres de sopa de açúcar mascavo
- 3 colheres de sopa de leite de coco

Levar o chocolate ao fogo para derreter juntamente com o leite de coco e o açúcar mascavo. Assim que estiver bem cremoso, colocar o coco. Mexer tudo bem até aparecer o fundo da panela.

Untar um prato grande e arrumar nele as cocadinhas ou servi-la com colher. Deixá-la na geladeira por 20 minutos.

CREME DE COCO E CACAU

- 4 colheres de sopa de cacau em pó
- 100 g de coco fresco ralado ou 1 pacote de coco seco ralado
- 1 xícara de açúcar mascavo ou rapadura
- 2 colheres de sopa de gordura vegetal
- 1 vidrinho de leite de coco

Colocar todos os ingredientes em uma panela e levá-la ao fogo, mexendo-a de vez em quando até aparecer o fundo da panela. Colocar o creme em um pirex ou em tacinhas individuais e esperar que esfrie para servi-lo.

CUSCUZ DE TAPIOCA

- 2 xícaras de tapioca
- 9 colheres de sopa de açúcar
- 1/2 colher de sobremesa de sal

Cuscuz de tapioca
(continuação)

- ◆ 1 coco fresco sem a água
- ◆ 5 xícaras de água fervente

Bater no liquidificador a metade do coco fresco com 2 1/2 xícaras de água fervente e coar a massa em um pano de prato limpo, separando o bagaço do leite. Proceder da mesma forma com a outra metade do coco e as 2 1/2 xícaras restantes de água quente. Temperar o leite assim extraído com sal e açúcar e regar com ele a tapioca, que deverá estar em um pirex. Deixá-la em geladeira por uns 40 minutos.

O bagaço do coco pode ser colocado no cuscuz, junto com a tapioca; a consistência do cuscuz também pode variar de acordo com cada gosto.

Pode-se servi-lo acompanhado de mais leite de coco à parte.

DELÍCIA DE ABÓBORA

- ◆ 1 prato de abóbora japonesa (kambutiá) cozida e amassada
- ◆ 1 colher de sopa de gengibre ralado
- ◆ 1 colher de sopa de casca de limão ralada
- ◆ 1 limão pequeno (suco)
- ◆ 1 coco fresco ralado
- ◆ 1/2 xícara de passinhas sem sementes
- ◆ 3 colheres de melado ou de açúcar mascavo
- ◆ 1 xícara de aveia

Juntar todos os ingredientes em uma tigela e misturá-los muito bem com uma colher de pau. Untar uma forma ou um pirex com óleo e colocar nele o doce.

Levá-lo ao forno por 40 minutos. Retirá-lo quando estiver levemente dourado. Quando frio, pode-se cortá-lo em quadrados ou deixá-lo no próprio pirex.

Observação: Usar para este doce apenas a abóbora japonesa, que é a que dá a consistência característica do prato.

DOCE DE PÃO AMANHECIDO, COCO E CACAU

- ◆ 3 1/2 xícaras de pão de forma amanhecido picado
- ◆ 3 colheres de sopa de cacau
- ◆ 1 pacote de coco seco ralado
- ◆ 1 vidro de leite de coco
- ◆ 1 xícara de água
- ◆ 1/2 xícara de rapadura picadinha

Colocar todos os ingredientes em uma tigela e misturá-los bem com as mãos, até tornarem-se uma massa.

Colocá-la em um pirex untado com óleo e assá-la por 35 minutos.

DOCE DE ABÓBORA E CASTANHA-DO-PARÁ

- 1/2 abóbora comum
- 1 xícara de castanhas-do-pará picadas
- 2 xícaras de açúcar mascavo
- casca de 1 limão

Colocar a abóbora descascada em uma panela de pressão juntamente com os demais ingredientes. Deixá-los cozinhar por 1 hora.

Mexer bastante o doce com colher de pau para que fique bem homogêneo.

DOCE DE BANANA E GOIABA

- 1 dúzia de banana-nanica
- 2 goiabas grandes e maduras
- 1 colher de sobremesa de missô

Colocar as bananas inteiras em uma panela de pressão com as goiabas cortadas em quatro pedaços e o missô. Deixar que cozinhem por 1 hora. Retirar a pressão, bater as frutas no liquidificador e peneirar o doce, se quiser passá-lo em pães e bolos. Pode-se colocar um pouco de açúcar antes de cozinhar as frutas, se for necessário.

DOCE DE BANANA-MARMELO

- 24 bananas-marmelos maduras
- 2 xícaras de açúcar mascavo
- 1 xícara de água
- casca de 1 laranja

Levar ao fogo alto em uma panela de pressão as bananas descascadas, a água, a casca da laranja e o açúcar mascavo.

Após iniciar a pressão, deixar a banana cozinhar por mais 35 minutos e em seguida batê-la no liquidificador.

Retorná-la ao fogo, agora com a panela destampada, e esperar dar o ponto desejado: mais mole para ser consumida como geléia, ou mais durinha para sobremesa e recheio de panqueca.

Tirar o doce da panela ainda quente e esperar que esfrie em um pirex ou em vidros.

DOCE DE FIGOS SECOS

- 3 xícaras de figos secos picados
- 1 xícara de mel
- 1 cravo

Colocar o mel e o cravo em uma panela em fogo baixo. Sempre mexendo, esperar que ferva e então colocar os figos.

Assim que começar a aparecer o fundo da panela, desligar o fogo, retirar o cravo e colocar o doce em uma travessa. Servi-lo com frutas frescas, com iogurtes, em mingaus ou com granola e castanhas.

DOCE DE MAÇÃ E ABÓBORA

- 2 xícaras de abóbora japonesa kambutiá descascada e picada
- 2 maçãs brasileiras maduras sem sementes
- 1/2 xícara de leite de coco
- 1/2 xícara de açúcar mascavo
- 5 cravos

Levar ao fogo alto em uma panela tampada as abóboras picadas, as maçãs inteiras sem as sementes, o leite de coco, os cravos e o açúcar mascavo.

Assim que as abóboras e as maçãs estiverem cozidas, retirar os cravos e bater tudo no liquidificador. Devolver o doce à panela e, em fogo alto, mexê-lo até aparecer o fundo da panela. Colocá-lo em um pote e deixar que esfrie sem tampar o pote. Guardá-lo, tampado, em geladeira.

DOCE DE MAÇÃ E COCO

- 4 ou 5 maçãs grandes sem sementes e sem casca
- 1 xícara de coco fresco
- 1 xícara de rapadura
- 1 xícara de leite de coco

Colocar todos ingredientes em panela de pressão e deixá-los em fogo alto até iniciar a pressão. Abaixar o fogo e após 20 minutos apagá-lo. Bater o doce no liquidificador, se quiser uma pasta homogênea, ou dar-lhe somente uma boa mexida para desmanchar as maçãs. Esperar dar ponto com a panela destampada.

DOCE DE MILHO TIPO CURAU

- 8 xícaras de milho verde cru (aproximadamente 12 espigas)
- 5 xícaras de água
- 6 colheres de sopa de açúcar mascavo

Doce de milho tipo curau
(continuação)

- 1/2 colher de sobremesa de sal
- 3 colheres de sopa de maisena
- 1/2 xícara de água
- cravo e canela a gosto

Bater os grãos de milho no liquidificador com as 5 xícaras de água. Peneirá-lo e guardar o bagaço (vide receita de farofa).

Colocar o líquido em uma panela e adicionar o sal, o açúcar mascavo e cravo e canela a gosto. Deixá-los cozinhar em fogo alto por 20 minutos. Não parar de mexer a panela.

Diluir a maisena em água e juntá-la ao doce. Deixá-lo ferver por mais 10 minutos, mexendo-o sempre. Assim que estiver aparecendo o fundo da panela, retirar o doce do fogo e colocá-lo em tacinhas individuais ou em um pirex maior.

Esperar que esfrie e colocá-lo em geladeira até a hora de servi-lo com canela em pó a gosto.

DOCE GOSTOSO DE CHOCOLATE

- 1 xícara de farinha de trigo integral
- 2 colheres de sopa de cacau em pó
- 1/2 xícara de açúcar mascavo
- 2 colheres de sopa de fermento químico em pó
- 1/2 xícara de leite de soja
- 2 colheres de sopa de óleo
- 1 colher de café de essência de baunilha
- 1 pacote de flocos de coco
- 1/2 xícara de açúcar mascavo
- 4 colheres de sopa de cacau em pó
- 1 1/2 xícara de água quente

Misturar os quatro primeiros ingredientes. Juntar os outros quatro, e mexê-los bem. Colocar essa massa no fundo de um pirex redondo. Polvilhá-la de uma mistura de açúcar mascavo e cacau em pó.

Despejar a água quente sobre toda a massa e assá-la em forno médio por 35 minutos. Retirar o doce do forno e servi-lo depois de frio.

DOCE PRESTÍGIO

MASSA
- 1 pacote de coco ralado
- 4 colheres de sopa de farinha de rosca

Doce prestígio
(continuação)

- 1 colher de sopa de fermento químico em pó
- 1/2 xícara de óleo
- 1 xícara de rapadura raspada
- 1 colher de sopa de cacau em pó

COBERTURA

- 1 xícara de rapadura raspada
- 1/2 xícara de cacau em pó
- 2 colheres de sopa de maisena diluída em 1 copo de água
- 1 colher de café de essência de baunilha
- 1/2 colher de sopa de óleo

MASSA

Bater no liquidificador o óleo com um pouquinho de água e em seguida despejá-lo em uma tigela, misturando-o com o coco ralado, a farinha de rosca, o cacau em pó e o fermento químico.

Colocar a massa em uma forma de tamanho regular, untada com óleo, e levá-la ao forno médio até que, ao espetar nela um palito, ele saia seco.

COBERTURA

Derreter a rapadura com o cacau em pó, acrescentar 1/2 colher de óleo e por último a maisena diluída. Deixá-los ferver por uns 5 minutos e colocar a cobertura quente por cima do doce, que também deverá estar quente.

DOCINHO DE AVEIA E BANANA PASSA

- 2 xícaras de aveia em flocos grossos
- 1 xícara de banana passa picadinha
- 1/2 xícara de maçã seca picada
- 2 xícaras de água

Colocar todos os ingredientes em um pirex e deixá-los na geladeira por 4 horas no mínimo. Mexer o doce bastante, de hora em hora. Acrescentar castanhas, nozes e outras frutas passas a gosto. Servi-lo gelado, em tacinhas.

DOCINHOS DE CENOURA

- 2 xícaras de cenoura ralada
- 4 xícaras rasas de açúcar mascavo
- 2 xícaras de leite de soja
- 1 1/2 pacote de coco ralado

Juntar as cenouras raladas com o açúcar mascavo, o leite de soja e 1 pacote de coco.

Levá-los ao fogo e esperar o doce engrossar, mexendo-o sempre até que apareça o fundo da panela.

Depois de pronto e frio, molhar as mãos e ir fazendo bolinhas com ele. Se o doce começar a grudar nas mãos, basta lavá-las, mantendo-as sempre molhadas.

Colocar meio pacote de coco ralado em um prato, passar os docinhos nele e arrumá-los em uma travessa ou em forminhas de papel.

GOIABADA

- 1 dúzia de goiabas maduras
- 2 xícaras ou mais de açúcar mascavo

Abrir as goiabas ao meio e, se houver alguma com bichinho, retirar delas todas as sementes para aproveitar a polpa e a casca. Cozê-las em panela de pressão por aproximadamente 40 minutos em fogo alto, com açúcar e sem água.

Bater as frutas cozidas no liquidificador, passar a massa por uma peneira e devolvê-la à panela. Deixá-la em fogo alto até o doce ficar no ponto desejado.

Usá-lo em bolos, biscoitos, waffles e torradas, junto com tahine diluído em água.

MAÇÃ ASSADA

- 6 maçãs
- mel

Retirar com cuidado a parte central das maçãs sem danificá-las.

Recheá-las com mel e arrumá-las em um pirex untado com óleo. Levá-las ao forno médio/alto por 20 minutos ou até as maçãs ficarem macias.

Servi-las quentes, como sobremesa ou lanche.

MAÇÃ CRESPINHA

- 4 maçãs descascadas e cortadas em fatias
- 1 colher de sopa de uvas-passas sem sementes
- 2 colheres de sopa de açúcar mascavo ou melado
- 1 colher de café de suco de limão
- 1/2 xícara de nozes picadas
- 6 colheres de sopa de farinha de trigo
- 1 colher de café de fermento em pó
- 2 colheres de café de canela em pó
- 2 colheres de sopa de óleo

Misturar as maçãs com uma colher de açúcar mascavo, as passinhas, as nozes, o suco de limão e a canela. Colocá-los em um pirex untado com óleo. Em uma tigela misturar a farinha de trigo com o fermento em pó, uma colher de açúcar mascavo, o óleo e a canela em pó, fazendo uma farofa. Cobrir as maçãs com a farofa e levá-las ao forno por 30 ou 40 minutos, em fogo médio.

MAÇÃ RECHEADA

- 6 maçãs com casca e sem a parte central
- 12 ameixas-pretas sem os caroços
- 6 colheres de chá de açúcar mascavo
- 1 colher de sopa de casca de laranja ralada
- 1/2 xícara de suco de laranja fresco
- 1 colher de sopa de óleo
- 1 colher de sopa de açúcar mascavo

Cortar as tampinhas e retirar os centros das maçãs, sem ferir-lhes o fundo. Misturar 6 colheres de açúcar mascavo com a casca de laranja.

Colocar 1 ameixa dentro de cada maçã e, por cima, 1 colher de chá de açúcar temperado com casca de laranja. Repor as tampinhas nas maçãs, fixá-las com um palito e arrumá-las em um pirex untado.

Misturar o óleo com o suco de laranja e 1 colher de sopa de açúcar mascavo. Regar as maçãs com essa mistura, sem ultrapassar a metade delas.

Assá-las até ficarem macias e servi-las em taças.

MANJAR DE COCO

- 1 litro de leite de coco
- 1/2 xícara de leite de soja
- 4 colheres de sopa de maisena
- 6 ameixas-pretas sem os caroços
- 4 ameixas picadinhas
- 5 colheres de sopa de açúcar branco
- 2 colheres de sopa de açúcar mascavo
- 1 xícara de água

Diluir a maisena e 5 colheres de sopa de açúcar no leite de coco, acrescentar o leite de soja e levar a mistura ao fogo, mexendo-a sempre, até que se torne um creme bem grosso.

Virá-lo ainda quente em uma forma com furo central, molhada, e esperar que esfrie para levá-lo à geladeira, por duas horas.

Levar ao fogo as ameixas em uma panela junto com 2 colheres de açúcar mascavo e 1/2 xícara de água.

Deixar a panela tampada e, após ferver, adicionar mais 1/2 xícara de água e misturar tudo bem. Assim que as ameixas estiverem cozidas, desligar o fogo.

Despejar a calda de ameixas sobre o manjar após desenformado, decorando-o com as ameixas inteiras e cozidas. Conservá-lo em geladeira.

PAÇOCA

- 1 1/2 xícara de amendoim torrado
- 1/2 xícara de açúcar mascavo
- 1/2 xícara de farinha de mandioca torrada
- 1 colher de chá de sal

Bater no liquidificador o amendoim com o sal, a farinha de mandioca e o açúcar. Assim que a mistura ficar grossa e bem moída, colocá-la em um recipiente, pressionando-a fortemente com as mãos para dar firmeza à paçoca.

Podem ser feitas paçoquinhas com sementes de gergelim no lugar do amendoim.

PÉ-DE-MOLEQUE

- 1 rapadura
- 4 xícaras de amendoim descascado e torrado

Levar ao fogo uma panela com a rapadura picada e, assim que a rapadura derreter, colocar os amendoins. Mexê-los e deixá-los cozinhar por 3 minutos.

Desligar o fogo e mexer o doce com uma colher de pau até desgrudar bem. Colocá-lo em pedra untada com óleo ou em assadeira untada, às colheradas, ou espalhá-lo bem e, quando estiver morno, cortá-lo em quadradinhos.

PRATO DE FRUTAS FRESCAS

- 2 xícaras de mamão maduro em pedaços
- 2 xícaras de figo fresco em pedaços
- 2 xícaras de abacaxi doce em pedaços
- 2 xícaras de caqui em pedaços
- 2 xícaras de granola
- 1 xícara de uvas em calda
- mel a gosto

Arrumar, em um prato bonito, todas as frutas e mantê-las em geladeira.

Colocar a granola e as uvas na hora de servir.

Servi-las como sobremesa, em desjejuns ou em lanches.

PUDIM
DE PÃO

- 1 tigela média de pão picado (o equivalente a 5 ou 6 pratos de sopa)
- 1 xícara de passinhas sem sementes deixadas de molho por 30 minutos em água morna
- 1/2 xícara de mel
- 1 vidrinho e meio de 200 ml de leite de coco
- 200 ml de água
- 1 colher de sopa de noz-moscada em pó
- 1 xícara de amêndoas picadas
- 1/2 colher de sobremesa de sal
- 2 colheres de sopa de óleo

Colocar em uma tigela grande o pão picado, o leite de coco e a água. Acrescentar o mel, as passinhas, a noz-moscada, as amêndoas, o sal e o óleo.

Misturar tudo muito bem, primeiro com uma colher e depois com as mãos.

Espalhar a massa em um pirex untado com óleo, regá-la com mel e levá-la para assar em forno médio por aproximadamente 1 hora. Esperar que o pudim esfrie para cortá-lo.

QUADRADOS
DE AMENDOIM

- 1 xícara de amendoim torrado e triturado no liquidificador
- 1 xícara de amendoins sem torrar e inteiros
- 1 e 1/2 xícara de açúcar mascavo
- 5 colheres de sopa de água
- 1 colher de chá de sal
- 2 colheres de sobremesa de gordura vegetal

Derreter o açúcar com as 5 colheres de água e a gordura vegetal.

Acrescentar o amendoim triturado e também os inteiros. Temperar com sal e misturar tudo bem.

Colocar o doce para esfriar em uma forma de alumínio untada com óleo.

Quando estiver morno, cortá-lo em quadradinhos. Ao esfriar, tirá-lo da forma e servi-lo.

SALADA DE
FRUTAS

- 1 xícara de abacaxi doce bem picado
- 1 xícara de mamão picado
- 1 xícara de maçã descascada e cortadinha
- 1 xícara de pêra descascada e picada
- 1 xícara de suco de laranja

Salada de frutas
(continuação)

- 3 colheres de sopa de açúcar mascavo
- alguns morangos cortados ao meio
- folhinhas de hortelã
- de 10 a 15 pedras de gelo

Juntar as frutas picadinhas em uma tigela e misturá-las muito bem.

Adoçar o suco de laranja com as 3 colheres de açúcar mascavo e regar as frutas com ele.

Colocar todas as pedras de gelo no liquidificador e, sem adicionar água, batê-las até triturarem.

Colocar o gelo moído em uma travessa, ou em taças individuais, dispor as frutas por cima, enfeitar cada taça com duas folhinhas de hortelã e 1/2 morango e servir a salada em seguida.

SALADA DE FRUTAS COM CHOCOLATE

- 2 xícaras de uvas frescas
- 1 xícara de maçã sem caroço descascada e picadinha
- 1 xícara de pêra sem caroço descascada e picadinha
- 1/2 xícara de abacaxi picadinho
- 1 xícara de banana picadinha
- 1 barra de chocolate amargo sem leite
- 5 colheres de sopa de água

Cortar as uvas pela metade e retirar-lhes os caroços.

Misturá-las em uma tigela com as demais frutas picadas.

Derreter o chocolate na água, sem parar de mexê-lo.

Arrumar as frutas em uma saladeira e cobri-las com o chocolate derretido.

Servir a salada geladinha, com mais calda, quente ou fria, como queira.

SOBREMESA DE ABACATE

- 1 xícara de abacate
- 2 colheres de sopa de suco de limão
- 3 colheres de sopa de mel

Bater no liquidificador o abacate com o limão e, assim que se tornar um creme, adicionar o mel.

Levá-lo à geladeira em um pote único ou em taças individuais.

Pode-se variar batendo junto com o abacate folhas aromáticas, como hortelã, menta, etc.

SOBREMESA DE ABACAXI

- 1 abacaxi médio doce
- 1 barra de chocolate amargo sem leite
- 5 colheres de sopa de água
- 2 colheres de sopa de açúcar mascavo
- 1 colher de sopa de cacau em pó

Descascar o abacaxi, sem se desfazer das cascas: guardá-las para um suco.

Cortá-lo em quadrados do mesmo tamanho e deixá-lo na geladeira por no mínimo duas horas. Arrumar os pedaços em potes individuais.

Derreter o chocolate juntamente com o açúcar mascavo e o cacau em pó.

Colocar a calda quente por cima do abacaxi em pedaços e servi-lo.

SORVETE DE CHOCOLATE

- 250 g de gordura vegetal hidrogenada
- 2 xícaras de leite de soja quente
- 1 xícara de açúcar mascavo
- 3 colheres de sopa de cacau em pó

Bater todos os ingredientes no liquidificador por uns 5 minutos. Colocar a mistura em um recipiente e levá-la ao freezer por 3 horas no mínimo.

GELÉIAS E COMPOTAS

Banana em calda	353
Banana-marmelo em calda	353
Figo em calda	353
Geléia de abacaxi	354
Geléia de acerola	354
Geléia de caqui	354
Geléia de carambola	355
Geléia de jabuticaba e ameixas secas	355
Geléia de maçã	355
Geléia de manga	356
Geléia de morango	356
Geléia de papaia	356
Geléia de pitanga	357
Maçã em calda	357
Uvas em calda	358

BANANA EM CALDA

- 12 bananas-nanicas grandes
- 5 xícaras de açúcar mascavo ou rapadura ou melado
- 1 xícara de água
- casca de 1 limão
- cravo e canela em pau a gosto

Colocar todos os ingredientes em uma panela e levá-la ao fogo baixo, sem mexê-la, mantendo-a tampada.

Assim que se formar uma calda, colocar as bananas em potes e servi-las.

Cuidado ao manusear o doce para não machucar as bananas.

Ao servi-lo pode-se polvilhar gergelim torradinho sobre ele, ou mesmo granola e frutas frescas.

BANANA-MARMELO EM CALDA

- 16 bananas-marmelos cortadas ao meio
- 7 xícaras de água
- 3 xícaras de açúcar

Colocar os ingredientes em uma panela grande, tampada, e deixá-la em fogo alto até iniciar a fervura.

Abaixar o fogo e deixar a banana cozinhar por 30 minutos.

FIGO EM CALDA

- 1 kg de figo
- 1 kg de açúcar mascavo
- 4 colheres de sopa de cal virgem

Colocar os figos dentro de um saquinho e deixá-los no freezer por 1 hora ou até estarem congelados.

Retirar-lhes a casquinha com um ralador fino ou com uma faca.

Lavá-los e colocá-los em uma tigela com a cal diluída em água suficiente para cobri-los.

Deixá-los de molho até o dia seguinte.

Escorrê-los e levá-los ao fogo em uma panela com o açúcar e cravo e canela a gosto.

Assim que estiverem cozidos, desligar o fogo.

Arrumá-los em vidros ou em potes.

Servi-los em sobremesa ou em lanches, com granola por cima.

GELÉIA DE ABACAXI

- 2 abacaxis-pérola sem a parte central mais dura
- 4 xícaras de açúcar

Cortar os abacaxis em pedaços pequenos, colocá-los em uma panela com o açúcar e levá-la ao fogo.

Bater os abacaxis ainda quentes no liquidificador e conservar a geléia em vidros.

Quando fria, tende a engrossar.

GELÉIA DE ACEROLA

- 4 xícaras de acerola fresca ou congelada
- 1 1/2 xícara de açúcar
- 2 1/2 xícaras de água
- 4 cravos-da-índia
- 2 paus de canela

Cozinhar as acerolas com a água e o açúcar.

Assim que estiverem bem cozidas, batê-las no liquidificador e passá-las por uma peneira.

Levá-las ao fogo alto com a canela e os cravinhos.

Mexê-la de vez em quando até começar a aparecer o fundo da panela e a geléia ficar com a densidade de mel.

Virá-la em vidros esterilizados e tampá-los hermeticamente.

GELÉIA DE CAQUI

- 10 caquis bem maduros
- 1 xícara de açúcar
- 1 colher de café de sementes de cardamomo

Após lavar as frutas, colocá-las em uma panela de pressão com os demais ingredientes e deixá-las cozinhar por 40 minutos.

Bater tudo no liquidificador e voltar o líquido à panela.

Deixá-la em fogo alto até dar ponto.

GELÉIA DE CARAMBOLA

- ◆ 6 carambolas bem maduras
- ◆ 2 1/2 xícaras de água
- ◆ 1/2 xícara de açúcar
- ◆ de 6 a 8 folhinhas de hortelã

Levar ao fogo alto uma panela com a carambola cortada em grandes fatias, as folhas de hortelã, a água e o açúcar e mexê-la de vez em quando até as frutas estarem cozidas.

Batê-las então no liquidificador, peneirá-las, retorná-las à panela e deixá-las em fogo baixo até a geléia dar ponto.

Levar em conta que ao esfriar tende a engrossar.

Guardá-la em vidros esterilizados e hermeticamente tampados.

GELÉIA DE JABUTICABA E AMEIXAS SECAS

- ◆ 4 xícaras de casca de jabuticaba (usar a polpa para sucos)
- ◆ 2 xícaras de ameixas secas
- ◆ 2 xícaras de rapadura ralada

Deixar as ameixas de molho em 2 xícaras de água, por uma noite inteira.

No dia seguinte, descaroçá-las e juntar a elas, em uma panela grande, todos os ingredientes, inclusive a água em que ficaram de molho.

Deixar a panela tampada, em fogo baixo, por 40 minutos ou até as cascas de jabuticaba sumirem.

Bater a geléia levemente no liquidificador se quiser deixá-la mais homogênea.

Arrumá-la em vidros.

Pode-se congelar a geléia depois de fria.

GELÉIA DE MAÇÃ

- ◆ 7 maçãs grandes e maduras
- ◆ 5 xícaras de açúcar

Levar ao fogo uma panela com as maçãs descascadas e o açúcar.

Assim que as maçãs estiverem cozidas, batê-la no liquidificador.

Retorná-las ao fogo e esperar a geléia dar ponto; leva aproximadamente 15 minutos de fogo alto.

Retirá-la do fogo, esperar que esfrie e conservá-la em vidros.

GELÉIA DE MANGA

- 6 mangas grandes
- 2 xícaras de açúcar

Descascar as mangas, picá-las e levá-las ao fogo numa panela de pressão, junto com o açúcar.

Após 40 minutos, retirar a pressão e abrir a panela.

Bater as frutas no liquidificador e peneirá-las.

Retorná-las ao fogo e esperar a geléia dar ponto.

Conservá-la em vidros bem esterilizados e bem fechados.

Usá-la como cobertura de bolos, em waffles e para acompanhar pães e bolachas.

GELÉIA DE MORANGO

- 4 xícaras de morangos frescos
- 1 xícara de açúcar
- 3 xícaras de água

Levar ao fogo alto uma panela com 2 xícaras de morangos, o açúcar e a água.

Quando os morangos estiverem cozidos, batê-los no liquidificador e retorná-los à panela, semitampada, sempre em fogo alto, por uns 50 minutos.

Logo que a geléia começar a dar ponto, acrescentar as 2 xícaras de morangos restantes, cortados ao meio.

Não deixar a geléia passar do ponto. Assim que começar a aparecer o fundo da panela, desligar o fogo e colocar a geléia ainda quente em vidros esterilizados.

Pode-se usá-la em tortas, bolos ou consumi-la com pães e biscoitos.

GELÉIA DE PAPAIA

- 20 papaias maduras
- 1/2 rapadura
- 3 laranjas (somente as cascas)

Tirar a polpa das papaias com o auxílio de uma colher e colocá-la em panela de pressão, sem desperdiçar o caldo da fruta.

Acrescentar rapadura picada, juntamente com as cascas das laranjas.

Após 1 hora de pressão, se os mamões estiverem bem cozidos, batê-los no liquidificador e retorná-los à panela, desta vez sem pressão e em fogo alto, até a geléia dar ponto.

Conservá-la em vidros esterilizados e em geladeira.

GELÉIA DE PITANGA

- 7 xícaras de pitangas maduras
- 2 xícaras de água
- 2 1/2 xícaras ou mais de açúcar
- 1 cravo
- 1 semente de cardamomo

Colocar as pitangas e a água numa panela de pressão e deixá-la cozinhar por aproximadamente 1 hora em fogo alto.

Derreter o açúcar em uma panela grande, com os temperos e 3 colheres de sopa de água.

Assim que se formar uma calda, acrescentar a pitanga já cozida e passada por uma peneira.

Esperar a geléia dar ponto e guardá-la em vidros esterilizados.

MAÇÃ EM CALDA

- 6 maçãs grandes
- 5 xícaras de açúcar mascavo
- 5 paus de canela
- casca de 3 maçãs
- 2 colheres de sopa de suco de limão

Descascar e fatiar as maçãs.

Cozinhá-las com o açúcar, os cravos, a canela e as cascas de maçã em fogo brando por 1 hora.

Quando formar uma calda, colocar o suco de limão.

Mexer o doce de vez em quando e esperar que esfrie na panela.

Guardá-lo em vidros.

Pode-se substituir a maçã por pêssego, damasco fresco, etc.

UVAS EM
CALDA

- 4 xícaras de uvas frescas
- 2 1/2 xícaras de açúcar
- 1 xícara de água
- casca de 1 laranja

Levar ao fogo uma panela com o açúcar, a casca de laranja e a água. Assim que o açúcar estiver derretido, acrescentar as uvas inteiras.

Deixá-las em fogo baixo, com a panela tampada, por 20 minutos ou até formar-se uma calda.

Guardar o doce em vidros dentro da geladeira.

Sucos e Vitaminas

Abacaxi com goiaba 361
Caldo de cana energético 361
Caldo de cana com frutas 361
Iogurte 361
Iogurte com banana-nanica 362
Iogurte de abacaxi 362
Iogurte de ameixa 362
Iogurte de banana-prata 363
Iogurte de maçã 363
Iogurte de manga 363
Iogurte de mel e abacate 364
Iogurte de morango 364
Iogurte de soja com figos em calda 364
Iogurte de soja com frutas secas 364
Iogurte de soja com mel e granola 365
Leite de soja 365
Leite de soja com cacau 365
Leite de soja com caldo de cana 366
Leite de soja com caqui 366
Leite de soja com maçã e canela 366
Refresco de gengibre 366
Suco de abacaxi cozido 366
Suco de casca de abacaxi cozida 367

Suco de cascas de abacaxi 367
Suco cremoso de papaia 367
Suco de banana e erva-doce 367
Suco de camomila e pêra 368
Suco de capim-cidreira e pêssego 368
Suco de jabuticaba 368
Suco de laranja, abacaxi e carambola 368
Suco de laranja com ameixas frescas 369
Suco de laranja com cenoura 369
Suco de laranja com couve 369
Suco de laranja com morangos 370
Suco de laranja com pêra 370
Suco de maçã 370
Suco de manga e acerola 370
Suco de maracujá e mamão 371
Suco de marcela e kiwi 371
Suco de melancia 372
Suco de tangerina 372
Suco para a noite 372
Suco suave 372
Suco verde com sojinha torrada 373
Suco vermelho 373
Vitamina energética de banana e abacate 374
Vitamina energética de mamão 374

ABACAXI COM GOIABA

- 2 xícaras de abacaxi picado
- 1 goiaba
- 1 colher de sobremesa de açúcar mascavo ou mel
- 2 xícaras de água fresca

Bater a goiaba com a água e o açúcar no liquidificador e peneirá-la. Retorná-la ao liquidificador, acrescentar o abacaxi e batê-los até desaparecerem os pedaços. Peneirar o suco novamente e servi-lo fresco.

CALDO DE CANA ENERGÉTICO

- 2 xícaras de caldo de cana
- 2 folhas de couve-manteiga cruas
- limão a gosto

Colocar um pouco do caldo de cana no liquidificador e batê-lo com as folhas até estas desaparecerem. Peneirá-lo e misturá-lo bem com o caldo de cana restante. Servi-lo em seguida.

CALDO DE CANA COM FRUTAS

- 3 xícaras de caldo de cana gelado
- 2 xícaras de mamão picado
- 2 maçãs pequenas picadas
- 1 xícara de abacaxi picado

Bater no liquidificador as frutas com o caldo de cana, peneirá-lo e servi-lo em seguida.

IOGURTE

- 5 xícaras de soja crua
- água para deixá-la de molho
- água morna para fazer o leite (aproximadamente 26 xícaras)

Deixar a soja de molho em uma quantidade grande de água por no mínimo 8 horas.

Jogar fora a água em que a soja ficou de molho.

Bater no liquidificador a soja com água morna (para cada xícara de soja inchada, 2 xícaras de água morna).

Passar o leite por uma peneira e depois por um saco de tule ou por um pano de prato limpo.

Cozinhar o leite em fogo baixo durante 20 minutos após a fervura.

Tampá-lo e deixá-lo passar a noite na própria panela.

No dia seguinte o leite deverá estar como um pudim.

Se o tempo estiver muito frio, poderá demorar um pouco mais.

Podem ser colocadas algumas gotas de limão ao desligar o fogo ou deixar o leite passar a noite em lugar quentinho, coberto.

IOGURTE COM BANANA-NANICA

- 2 xícaras de iogurte de soja
- 4 xícaras de bananas-nanicas maduras
- 3 colheres de açúcar mascavo
- canela em pó a gosto

Misturar em uma tigela os 3 primeiros ingredientes.

Colocar a mistura em tacinhas, polvilhá-la de canela a gosto e servi-la geladinha.

IOGURTE DE ABACAXI

- 2 xícaras de iogurte de soja
- 3 xícaras de abacaxi picado
- 4 colheres de açúcar mascavo

Bater bem todos os ingredientes no liquidificador até os pedaços de abacaxi sumirem.

Passar o iogurte por uma peneira e servi-lo.

IOGURTE DE AMEIXA

- 2 xícaras de iogurte de soja
- 2 xícaras de ameixas secas deixadas de molho por no mínimo 8 horas em 2 xícaras de água
- 3 colheres de açúcar mascavo
- 4 colheres de suco de limão

Bater bem no liquidificador as ameixas sem os caroços, 1 xícara da água em que ficaram de molho, o iogurte e o suco de limão, até desaparecerem os pedaços de ameixa.

Passar o iogurte por uma peneira e servi-lo em lanches, junto com bolos frescos e sanduíches.

IOGURTE DE BANANA-PRATA

- 2 xícaras de iogurte de soja
- 2 xícaras de banana-prata cortada em rodelas
- 6 colheres de sopa de açúcar mascavo
- 6 colheres de sopa de suco de limão puro
- gelo

Bater no liquidificador 1 xícara de iogurte com o limão, o açúcar mascavo e as bananas. Colocar a outra xícara de iogurte aos poucos, conforme o liquidificador for aceitando. Por último acrescentar algumas pedras de gelo.

Não esperar muito para servi-lo, pois a banana escurece e engrossa rapidamente. Diluí-lo em um pouco de água se achar necessário.

IOGURTE DE MAÇÃ

- 2 xícaras de iogurte de soja
- 2 maçãs médias
- 6 colheres de sopa de açúcar mascavo
- 6 colheres de sopa de suco de limão

Bater as maçãs no liquidificador, com o iogurte, o açúcar mascavo e o suco de limão até os pedaços de maçã sumirem.

Peneirar o iogurte e mantê-lo em geladeira até a hora de servi-lo.

IOGURTE DE MANGA

- 2 xícaras de iogurte de soja
- 2 xícaras de manga picada
- 6 colheres de sopa de açúcar mascavo
- 6 colheres de sopá de suco de limão

Bater o iogurte no liquidificador com o açúcar e o suco de limão e, aos poucos, ir colocando os pedaços de manga. Passá-lo por uma peneira e levá-lo à geladeira até a hora de servir. Diluí-lo em água gelada se houver necessidade.

IOGURTE DE MEL E ABACATE

- 2 xícaras de iogurte de soja gelado
- 1 xícara de abacate
- 1 xícara de mel
- 4 colheres de suco de limão
- cubos de gelo

Bater o iogurte no liquidificador com todos os ingredientes, incluídos alguns cubos de gelo. Conservá-lo em geladeira até a hora de servi-lo.

IOGURTE DE MORANGO

- 2 xícaras de iogurte de soja gelado
- 1 xícara de morangos maduros
- 1/2 beterraba grande
- 5 colheres de sopa de açúcar
- 3 colheres de sopa de suco de limão

Bater no liquidificador todos os ingredientes do iogurte. Peneirá-lo e servi-lo geladinho.

IOGURTE DE SOJA COM FIGOS EM CALDA

- 3 xícaras de iogurte de soja gelado
- 1 xícara de figos em calda picados
- granola

Misturar em uma tigela o iogurte com os figos.
Servir a mistura em taças, com granola a gosto por cima.

IOGURTE DE SOJA COM FRUTAS SECAS

- 2 xícaras de iogurte gelado
- 1 xícara de figos secos cortados ao meio
- 1/2 xícara de ameixas secas inteiras
- 1 xícara de melado de uvas, encontrado em casas sírias

Deixar as ameixas e os figos de molho juntos e por uma noite em 1 xícara de água morna. Com as frutas já amolecidas, retirar os caroços das ameixas e abri-los com quebra-nozes, retirando a amêndoa de seu interior e reservando-a.

Colocar o iogurte fresco em uma tigela com todos os ingredientes, inclusive a água do molho (menos as amêndoas).

Servi-lo em taças pequenas, com 1 colher de sopa de melado em cada uma, e enfeitadas com as amêndoas retiradas dos caroços das ameixas.

IOGURTE DE SOJA COM MEL E GRANOLA

- ♦ 2 xícaras de iogurte de soja gelado
- ♦ 1/2 xícara de mel
- ♦ 2 colheres de sopa de suco de limão
- ♦ granola
- ♦ 1 cacho de uvas frescas

Bater o iogurte com o mel, o limão e um pouco de água, somente a quantidade necessária para dar liga aos três ingredientes.

Colocá-lo em potes individuais e acrescentar uma ou duas colheres de sopa de granola, algumas uvas frescas e açúcar a gosto. Manter o iogurte na geladeira.

LEITE DE SOJA

- ♦ 5 xícaras de soja crua (equivalente a mais ou menos 13 xícaras de soja inchada)
- ♦ 26 xícaras de água quente

Deixar a soja de molho por oito horas.

Jogar fora a água do molho e bater a soja no liquidificador com 2 xícaras de água quente para cada xícara de soja inchada.

Passar a massa por peneira, e em seguida por um saco de tule ou por um pano de prato.

Cozinhar o leite de soja em fogo baixo por quinze minutos após a fervura. Depois de frio, guardá-lo em geladeira, para não virar iogurte.

LEITE DE SOJA COM CACAU

- ♦ 2 xícaras de leite de soja gelado
- ♦ 1/2 barra de chocolate amargo, sem leite
- ♦ 3 colheres de sopa de cacau em pó
- ♦ 3 colheres de sopa de açúcar mascavo
- ♦ 1 gota de essência de baunilha

Bater no liquidificador o leite de soja com o açúcar, o cacau em pó e a essência de baunilha.

Derreter em fogo baixo o chocolate e passá-lo pelas paredes dos copos. Enchê-los com o leite batido e servi-los com canudos.

LEITE DE SOJA COM CALDO DE CANA

- 3 copos de leite de soja gelado
- 2 copos de caldo de cana

Misturar o leite de soja com o caldo de cana e servi-lo em seguida.

LEITE DE SOJA COM CAQUI

- 2 xícaras de leite de soja gelado
- 3 xícaras de caquis maduros picados
- 2 colheres de açúcar

Bater no liquidificador o leite com o caqui e o açúcar.
Colocar o suco em copos e servi-lo.

LEITE DE SOJA COM MAÇÃ E CANELA

- 3 xícaras de leite de soja gelado
- 3 maçãs médias
- 1 colher de café de canela em po
- 3 colheres de sopa de açúcar

Bater no liquidificador o leite de soja com as maçãs, a canela e o açúcar.
Peneirar o suco e servi-lo.

REFRESCO DE GENGIBRE

- 4 limões verdes picados com casca
- 3 colheres de sopa de gengibre ralado
- 4 colheres de sopa ou mais de melado
- 2 xícaras de água gelada
- 6 pedras de gelo

Bater o limão com a água no liquidificador e passá-lo por uma peneira.
Devolvê-lo ao liquidificador e acrescentar os demais ingredientes.
Batê-los e peneirá-los. Provar o suco antes de servi-lo e, se necessário, colocar mais melado, limão ou gengibre.

SUCO DE ABACAXI COZIDO

- 1 abacaxi
- 1/2 xícara de açúcar

Lavar e picar o abacaxi e colocá-lo em uma panela grande com o açúcar e água em quantidade suficiente para cobri-lo. Deixar a panela semitampada e em fogo baixo por 1 hora. Bater tudo no liquidificador e passar por uma peneira.

Adoçar mais o suco se necessário e, depois de frio, servi-lo com cubos de gelo.

SUCO DE CASCA DE ABACAXI COZIDA

- casca de abacaxi
- folhinhas de hortelã
- açúcar mascavo ou melado a gosto

Lavar bem as cascas de abacaxi e fervê-las em água adoçada, por 40 minutos, em fogo brando. Esperar que esfriem e então batê-las no liquidificador com algumas folhinhas de hortelã e peneirá-las, recolhendo o suco. Servi-lo geladinho ou usá-lo para regar saladas de frutas.

SUCO DE CASCAS DE ABACAXI

- casca de 1 abacaxi
- 3 xícaras de água gelada
- 2 colheres de sopa de açúcar mascavo ou mel

Lavar e deixar de molho as cascas do abacaxi, em água filtrada e gelada, por 2 horas. Cortá-las em pedaços menores, batê-las no liquidificador com o açúcar e peneirar, recolhendo o suco.

SUCO CREMOSO DE PAPAIA

- 10 papaias maduras (somente as polpas)
- gelo

Colocar as polpas de papaia no liquidificador com alguns cubos de gelo. Batê-lo sem adicionar água até se obter um creminho. Adoçar o suco, se necessário, e servi-lo em taças. Decorá-lo com uma ou duas folhinhas de hortelã.

SUCO DE BANANA E ERVA-DOCE

- 4 bananas-nanicas maduras
- 2 xícaras de chá de erva-doce gelado
- 1 colher de chá de açúcar mascavo

Fazer o chá de erva-doce e, assim que estiver frio, colocá-lo no liquidificador e batê-lo com as bananas e o açúcar. Servi-lo gelado.

SUCO DE CAMOMILA E PÊRA

- 2 xícaras de chá de camomila gelado
- 1 pêra madura
- 1 colher de sobremesa de açúcar mascavo

Fazer o chá de camomila e, assim que estiver frio, batê-lo com gelo, a pêra picada e o açúcar mascavo.

SUCO DE CAPIM-CIDREIRA E PÊSSEGO

- 2 xícaras de chá de capim-cidreira gelado
- 1 xícara de pêssego picado e sem caroço
- 1 colher de sobremesa de açúcar mascavo

Fazer o chá de capim-cidreira e deixá-lo esfriar.

Batê-lo no liquidificador com o pêssego e o açúcar mascavo até dissolver a fruta. Passar o suco por uma peneira e servi-lo fresco.

SUCO DE JABUTICABA

- 2 xícaras de polpa de jabuticaba
- 3 colheres de sopa de açúcar mascavo
- 3 xícaras de água fresca

Bater os ingredientes no liquidificador e passá-los por uma peneira fina. Servir o suco com gelo. As polpas podem ser conservadas no freezer para serem usadas posteriormente.

SUCO DE LARANJA, ABACAXI E CARAMBOLA

- 5 laranjas
- 2 rodelas de abacaxi doce
- 4 carambolas médias bem maduras
- 4 ou 5 pedras de gelo

Após espremer e coar as laranjas, bater o suco no liquidificador, junto com o abacaxi, as carambolas e as pedras de gelo. Passá-lo por uma peneira.

Espetar uma fatia estrelada de carambola na borda das taças e servir o suco com canudos não muito compridos.

SUCO DE LARANJA COM AMEIXAS FRESCAS

- 2 xícaras de suco de laranja fresco
- 1 xícara de ameixa fresca picada sem caroço
- folhas de hortelã a gosto
- 1 colher de sobremesa de açúcar

Bater o suco de laranja com os pedaços de ameixa, as folhas de hortelã e o açúcar mascavo. Peneirá-lo e servi-lo fresco.

SUCO DE LARANJA COM CENOURA

- 4 laranjas grandes
- 4 cenouras grandes
- 3 folhas de cenoura
- 1 colher de sopa de mel (ou açúcar)
- 4 ou 5 cubos de gelo

Espremer e coar as laranjas.

Bater o suco no liquidificador junto com as cenouras picadas, o mel e o gelo até não existirem mais pedaços de cenoura.

Passar o suco por uma peneira e servi-lo em seguida em taças decoradas com uma rodela fina de laranja na borda.

Pode-se servi-lo em lanches, para acompanhar sanduíches ou tortas frias.

SUCO DE LARANJA COM COUVE

- 5 laranjas
- 2 folhas médias de couve-manteiga
- 7 tomatinhos-rubis
- 2 cenouras médias
- 1 colher de sopa de açúcar

Espremer e coar as laranjas.

Rasgar com as mãos as folhas de couve e colocá-las no liquidificador. Acrescentar os tomatinhos e as cenouras cortadas e bater o liquidificador até os pedaços de cenoura sumirem.

Passar o suco pela peneira e servi-lo tão logo fique pronto para que não perca a vitalidade.

SUCO DE LARANJA COM MORANGOS

- 5 ou 6 laranjas doces
- 2 xícaras de morangos frescos
- 1 colher de sopa de açúcar
- 3 cubos de gelo

Bater no liquidificador o suco das laranjas peneirado com os morangos e os cubos de gelo.

Passar o suco novamente pela peneira, adoçá-lo se necessário e servi-lo em taças enfeitadas com folhas de hortelã.

Servi-lo com esfihas frias regadas com suco de limão.

SUCO DE LARANJA COM PÊRA

- 6 laranjas
- 1 pêra madura bem macia
- 1 colher de sopa de açúcar mascavo
- 4 cubos de gelo

Espremer e peneirar as laranjas. Bater o suco no liquidificador junto com a pêra cortada em quatro, o açúcar e os cubos de gelo. Passá-lo novamente pela peneira e servi-lo em seguida.

SUCO DE MAÇÃ

- 4 maçãs grandes
- 1 copo de caldo de cana
- 1 copo de água
- 2 folhas de menta

Bater no liquidificador as maçãs, o caldo de cana, a água e as folhas de menta. Peneirar o suco e servi-lo geladinho para acompanhar pizzas ou tortas frias, ou mesmo sanduíches e pães frescos.

SUCO DE MANGA E ACEROLA

- 2 xícaras de manga em fatias
- 1 xícara de acerola
- 3 xícaras de água fresca
- 1 colher de açúcar mascavo
- 1 galhinho de hortelã

Bater no liquidificador a acerola com a hortelã, a água e o açúcar.

Passar o suco por uma peneira e devolvê-lo ao liquidificador. Colocar as mangas e bater o liquidificador. Passar o suco novamente por uma peneira e servi-lo gelado em lanches ou acompanhando pão fresquinho.

SUCO DE MARACUJÁ E MAMÃO

SUCO
- 2 maracujás grandes
- 1 copo de água
- 1 xícara de mamão picado
- 1 colher de sopa de aveia em flocos finos
- gelo

SEMENTES DE MARACUJÁ TORRADAS
- 4 maracujás grandes
- 8 xícaras de água fresca
- sal a gosto

Bater no liquidificador a polpa dos maracujás com a água e peneirar o suco.

Retorná-lo ao liquidificador, acrescentar o mamão picado, a aveia e o gelo e batê-los bem até sumirem os pedaços de mamão.

Adoçar o suco a gosto, se necessário, e servi-lo com sementes de maracujá torradas.

SEMENTES DE MARACUJÁ TORRADAS

Abrir os maracujás e colocar as sementes em uma jarra. Enchê-la com água e deixar as sementes de molho por 1 noite.

Peneirá-las e usar o suco para lanches. Lavar as sementes.

Espalhar sal com as mãos por todas elas e arrumá-las em uma assadeira.

Deixá-las em forno quente por 15 minutos.

Guardar as sementes em vidros depois de frias.

Podem ser colocadas em granolas ou levadas em lanches de trabalho, de viagem, etc.

SUCO DE MARCELA E KIWI

- 4 xícaras de chá de marcela gelado
- 5 kiwis descascados
- 2 colheres de sopa de açúcar

Bater no liquidificador o chá de marcela com os kiwis e o açúcar e servi-lo em seguida.

SUCO DE MELANCIA

- 1/2 melancia (usar mesmo aquelas que estão mais sem gosto)
- gelo

Cortar a melancia bem rente à casca e picá-la em cubinhos.

Batê-la no liquidificador sem acrescentar água, só com alguns poucos cubos de gelo.

Passá-la por uma peneira e servir o suco em copos altos.

SUCO DE TANGERINA

- 8 tangerinas maduras
- gelo a gosto
- limão
- açúcar para decorar

Cortar as tangerinas ao meio e espremê-las em um espremedor de laranjas.

Passar o suco por uma peneira e colocá-lo em taças cujas bordas foram umedecidas no suco de limão e mergulhadas no açúcar.

Servi-lo imediatamente, pois além de perder a vitalidade, torna-se amargo após algum tempo.

SUCO PARA A NOITE

- 2 folhas de melissa
- 4 folhas de alface
- 1 maracujá
- 4 rodelas de abacaxi bem maduro
- 2 colheres de sopa de mel
- 1 1/2 copo de água fresca

Bater o maracujá com a água no liquidificador e peneirá-lo.

Retornar o suco ao liquidificador, batê-lo junto com as folhas e peneirá-lo novamente.

Batê-lo pela última vez com as rodelas de abacaxi e com o mel e peneirá-lo. Servi-lo em seguida, adoçando-o mais, se necessário.

SUCO SUAVE

- 8 folhas de hortelã fresca
- 2 maçãs inteiras
- 4 laranjas-limas

Espremer as laranjas.

Colocar as maçãs picadas dentro do liquidificador com as folhinhas de hortelã e um pouquinho do suco de laranja.

Batê-lo rapidamente, passar o suco por uma peneira e juntá-lo ao suco restante.

Consumi-lo imediatamente com biscoitinhos ou torradas e pastas.

SUCO VERDE COM SOJINHA TORRADA

- ◆ 4 folhas de alface
- ◆ 1 folha de couve
- ◆ 1 folha de aipo
- ◆ 4 laranjas grandes
- ◆ 2 fatias grossas de abacaxi ou 1 caju bem maduro

SOJINHA TORRADA

- ◆ 1 xícara de soja crua
- ◆ água
- ◆ sal a gosto

Após espremer as laranjas, bater o suco com abacaxi ou caju e peneirá-lo.

Bater as folhas no liquidificador com um pouquinho do suco das frutas. Juntar os dois sucos após peneirar o suco das folhas.

Consumi-lo imediatamente.

SOJINHA TORRADA

Deixar a soja de molho em bastante água, por uma noite inteira.

Escorrer a água e deixar os grãos dentro da geladeira por mais uma noite (8 horas).

Passar sal nas sementes e espalhá-las em uma assadeira.

Levá-las ao forno quente por 20 ou 30 minutos ou até estarem torradinhas.

Assim que a soja esfriar, pode ser servida ou guardada em vidros bem fechados para que permaneça crocante.

É muito rica em proteínas; pode-se levá-la em viagens, lanches ou ao trabalho.

SUCO VERMELHO

- ◆ 6 ou 7 laranjas
- ◆ 1 beterraba pequena
- ◆ 1/2 xícara de folhas de hortelã
- ◆ 1 colher de açúcar mascavo
- ◆ cubos de gelo

Espremer as laranjas e passar o suco por uma peneira fina.

Bater esse suco no liquidificador com a beterraba cortada em pedaços e as folhas de hortelã.

Colocar os cubos de gelo e o açúcar mascavo e bater o suco novamente no liquidificador, até os pedaços de beterraba sumirem.

Passá-lo outra vez pela peneira e servi-lo.

VITAMINA ENERGÉTICA DE BANANA E ABACATE

- 1/4 de abacate maduro
- 3 bananas-nanicas grandes ou 6 pequenas
- 2 colheres de sopa de açúcar mascavo
- 1 xícara de leite de soja (diluir 2 colheres de sopa de extrato de soja em 1 xícara de água)
- 1 colher de sopa de germe de trigo
- 1 colher de sopa de aveia em flocos finos
- 1 xícara de água gelada

Bater todos os ingredientes em um liquidificador. Assim que se transformarem em um creme homogêneo, acrescentar alguns cubos de gelo, batê-los mais um pouco e servir a vitamina em seguida, pois tende a engrossar bastante.

Colocar uma surpresa em cada taça; por exemplo, um moranguinho, uma cereja, etc.

VITAMINA ENERGÉTICA DE MAMÃO

- 3 xícaras de mamão picado
- 1 colher de sopa de abacate
- 2 folhas de beterraba
- 2 colheres de sopa de açúcar mascavo
- 2 colheres de sopa de leite de soja em pó
- 1 colher de sopa de aveia
- 1 colher de sopa de folhas de menta
- açúcar a gosto ou mel
- 2 xícaras de água gelada

Bater todos os ingredientes da vitamina em um liquidificador e servi-la em seguida.

ÍNDICE DAS RECEITAS

Abacaxi com goiaba 361
Abóbora japonesa assada
 (kambutiá) 89
Abóbora temperada 90
Abobrinha frita 131
Abobrinha italiana ao forno 90
Abobrinha italiana com folha de
 mostarda 90
Abobrinha italiana com
 vagem-torta 91
Abobrinha italiana no shoyo 91
Abobrinha italiana recheada 91
Apfel strudel 277
Arroz branco com ervilhas secas 79
Arroz branco com espinafre 79
Arroz com cenouras e passas 79
Arroz com repolho roxo 80
Arroz-doce 335
Arroz-doce branco enformado 335
Arroz integral colorido 80
Arroz integral com amêndoas e
 manjericão 80
Arroz integral com brócolis 91
Arroz integral com castanha-do-pará e
 aspargos 91
Arroz integral com curry 91
Arroz integral com flocos de
 ervilha feito em panela comum 82
Arroz integral com gersal em
 panela de pedra 83
Arroz integral com milho verde 82
Arroz integral feito no forno 83
Arroz integral na panela
 de pressão 83
Arroz integral simples com funghi 84
Assado com pão 169
Assado com sobras 169
Assado com sobras de sopa de ervilha 170
Assado de batata 170

Assado de batata-doce 336
Assado de batata-doce com cenoura e
 abobrinha 171
Assado de grão-de-bico e pão 171
Assado de legumes 172
Assado de milho 172
Azeitonas chilenas temperadas 45

Banana com massa folhada 277
Bananada cozida e assada 337
Bananada marmelo 337
Banana em calda 353
Banana-marmelo assada 336
Banana-marmelo em calda 353
Banana-nanica empanada com
 farinha de arroz 336
Banana-prata frita 131
Bardana cremosa 92
Batata com cogumelo 93
Batata de Munique 93
Batata-doce com maçã 131
Batata-doce frita 132
Batata e brócolis 94
Batata e maçã 94
Batata em quadrados frita 132
Batata palha 132
Batata palito frita 132
Batata recheada com broto de
 feijão azuki 93
Batatas chips 133
Batata simples 95
Berinjela ao forno 95
Berinjela deliciosa 96
Berinjela e funghi 96
Berinjela frita crocante 134
Berinjela turca 96
Beterraba em panela de barro 97

Beterraba refogada 97
Beterraba temperada 97
Biscoito de abóbora 286
Biscoito de aveia e nozes 286
Biscoito de aveia e passas 283
Biscoito de batata-doce 283
Biscoito de castanha de caju 284
Biscoito de chocolate 284
Biscoito de farinha de trigo integral 285
Biscoito de fubá 287
Biscoito de gergelim e aveia 284
Biscoito de germe de trigo e mel 287
Biscoito de polvilho 287
Biscoito doce integral 285
Bisnagas integrais 241
Bobó de abóbora 98
Bobó vegetariano 98
Bolachas 288
Bolachas de aveia com coco 288
Bolachas de castanha-do-pará 288
Bolachas de chocolate e avelãs 289
Bolinho assado de bagaço de milho 134
Bolinho de arroz 134
Bolinho de batata 135
Bolinho de espinafre 136
Bolinho de farinha de arroz integral 136
Bolinho de grão-de-bico 136
Bolinho de inhame 137
Bolinho de lentilhas 137
Bolinho de mandioca 137
Bolinho de milho verde frito 138
Bolinho frito de banana 138
Bolinho frito de cenoura 139
Bolinho frito de nabo e azeitonas 139
Bolinho frito de palmito 140
Bolinho integral de azeitona portuguesa ... 140
Bolinhos de chocolate e cerejas 299
Bolinhos doces de banana 299
Bolinho verde de caruru 140
Bolo bicolor 307
Bolo branco de coco 308
Bolo de ameixa 308
Bolo de ameixa e coco 309
Bolo de aniversário 310
Bolo de banana 311
Bolo de banana com germe de trigo 311
Bolo de banana-d'água com
    açúcar mascavo derretido 312
Bolo de banana-marmelo 313
Bolo de banana-nanica 313
Bolo de banana no microondas 314
Bolo de bananas fritas 314

Bolo de cacau integral 315
Bolo de centeio 315
Bolo de chocolate 316
Bolo de chocolate com cerejas 316
Bolo de chocolate e coco 317
Bolo de chocolate e nozes 318
Bolo de coco 318
Bolo de coco e maçã 319
Bolo de flocos de milho 319
Bolo de frutas cristalizadas 320
Bolo de fubá com coco 321
Bolo de fubá e arroz 321
Bolo de laranja com cobertura 322
Bolo de laranja rápido 322
Bolo de legumes 173
Bolo de maçã e aveia 323
Bolo de maçãs com chocolate 324
Bolo de maçã tarte tatin 323
Bolo de mandioca crua e coco 324
Bolo de mel 325
Bolo de milho verde 325
Bolo de nozes 326
Bolo de passas 326
Bolo de tâmaras, damasco e cacau 327
Bolo fofo 327
Bolo preto de cacau 328
Bolo salgado aproveitando sobras 174
Bolo salgado rápido 174
Bolo simples com cobertura de
    chocolate 329
Bolo simples para o chá 329
Bombom de amêndoas 337
Bombom de morangos 338
Broa de fubá 241
Brócolis ao forno 99
Broto de arroz integral com
    batatas 85
Broto de bambu com funghi seco 99

Cabelo-de-anjo com ervilha fresca e
    alcaparras 207
Caldo de cana com frutas 361
Caldo de cana energético 361
Canjica 338
Canjica de frutas 338
Cará com legumes e curry 100
Caruru com molho de cogumelo 100
Cenoura com curry 101
Cenoura com molho e tofu 101
Cenoura picadinha no azeite de oliva 102
Chapatis fritos 289

378

Chuchu assado	102
Chuchuzada	102
Chutney fácil de manga	45
Cocada de chocolate	339
Conserva de berinjela no azeite	46
Conserva de beterraba	46
Conserva de cenoura	46
Conserva de cenouras em rodelas finas	47
Conserva de cogumelo	47
Conserva de couve-de-bruxelas	48
Conserva de couve-flor	48
Conserva de nabo branco comprido e cenoura	48
Conserva de pepino caipira no azeite	49
Conserva de pepino japonês	50
Conserva de pimentão	50
Conserva de rabanetes	50
Conserva de repolho	51
Conserva de vagens	51
Conserva de vegetais variados	52
Couve-flor com curry	103
Couve-flor com molho de milho verde	103
Couve-flor empanada	141
Couve-flor refogada	104
Couve-manteiga refogada	104
Creme de aspargos com cenoura	55
Creme de coco e cacau	339
Croquete de batata	142
Croquete de batata-doce	143
Croquete de borra de soja	142
Croquete de milho verde	142
Croquetinho com sálvia	143
Cuscuz de cenoura	105
Cuscuz de tapioca	339

Delícia de abóbora	340
Doce de abóbora e castanha-do-pará	341
Doce de banana e goiaba	341
Doce de banana-marmelo	341
Doce de figos secos	341
Doce de maçã e abóbora	342
Doce de maçã e coco	342
Doce de milho tipo curau	342
Doce de pão amanhecido, coco e cacau	340
Doce gostoso de chocolate	343
Doce prestígio	343
Docinho de aveia e banana passa	344
Docinhos de cenoura	344

Ervilha seca refogada	105
Ervilha-torta com tomate	106
Ervilha-torta no vapor	106
Escarola com chuchu	106
Escarola com milho verde	107
Escarola refogada	107
Espinafre e azeitonas	107

Farfale com caruru	207
Farfale com legumes	208
Farofa com passas e cenoura	146
Farofa de bagaço de milho	144
Farofa de banana	144
Farofa de batata palha	145
Farofa de berinjela e germe de trigo	145
Farofa de cenoura	145
Farofa de cenoura e suas folhas	146
Farofa simples	146
Farofa úmida de quiabo	147
Feijão azuki refogado	108
Feijão guandu	108
Feijão para o dia-a-dia	109
Feijão preto	109
Fettucine com ervilha-torta e cogumelo	208
Figo em calda	353
Folha de nabo refogada	110
Folhas de beterraba cozidas	110
Folhas de nabo empanadas	147

Geléia de abacaxi	354
Geléia de acerola	354
Geléia de caqui	354
Geléia de carambola	355
Geléia de jabuticaba e ameixas secas	355
Geléia de maçã	355
Geléia de manga	356
Geléia de morango	356
Geléia de papaia	356
Geléia de pitanga	357
Gersal	83
Goiabada	345
Granola com mel	291
Granola de nozes e castanhas	292
Granola para salada de frutas	292
Granola simples	292
Granolas simples de coco	293
Granolas simples de nozes	293
Grão-de-bico com pequi	111
Grão-de-bico cremoso	111
Grão-de-bico ensopado	111
Grão-de-bico temperado	112

Iogurte 361
Iogurte com banana-nanica 362
Iogurte de abacaxi 362
Iogurte de ameixa 362
Iogurte de banana-prata 363
Iogurte de maçã 363
Iogurte de manga 363
Iogurte de mel e abacate 364
Iogurte de morango 364
Iogurte de soja com figos em calda 364
Iogurte de soja com frutas secas 364
Iogurte de soja com mel e granola 365

Legumes ao forno 112
Legumes chineses 112
Legumes e verduras no vapor 89
Legumes fritos 148
Leite de soja 365
Leite de soja com cacau 365
Leite de soja com caldo de cana 366
Leite de soja com caqui 366
Leite de soja com maçã e canela 366
Lentilhas refogadas 113
Lentilhas soltas refogadas 114

Maçã assada 345
Maçã crespinha 345
Maçã em calda 357
Maçã recheada 346
Macarrão ao molho de azeitonas 209
Macarrão Bifun com abobrinhas 210
Macarrão Bifun com bardana e
tomates secos 210
Macarrão Bifun (mifun) com
tomatinho-rubi 209
Macarrão com berinjela e brócolis 211
Macarrão com brócolis 212
Macarrão com brotos de lentilha 212
Macarrão com ervilha fresca e
alcaparras 213
Macarrão com folhas 213
Macarrão com funghi seco 214
Macarrão com milho 214
Macarrão com nozes 215
Macarrão com noz-moscada 215
Macarrão com raízes 215
Macarrão com tomates secos 216
Macarrão cremoso 216
Macarrão simples com salsinha fresca 217
Macarrão tricolor com molho 217

Macarronada com tomate recheado 218
Macarronada crocante 219
Macarronada de bavette com brócolis e
cenoura 220
Macarronada de berinjela e ervilha-torta ... 220
Macarronada delicada 221
Mamão verde refogado ou "falso chuchu" 114
Mandioca ao curry 115
Mandioca palito 148
Mandioquinha refogada 115
Mandioquinha temperada 116
Manjar de coco 346
Massa branca para waffle 293
Massa de aveia para panquecas ou
waffles 294
Massa integral para waffle 294
Massa para esfihas 201
Massa para panquecas 159
Massa para panquecas de frutas ou
para waffles 295
Massa para waffle com fubá 295
Milho assado 116
Milho verde em creme 116
Minestrone 55
Minibolinhos doces de abóbora 300
Minipizza de tomate e berinjela 187
Minipizza de tomate, palmito e maçã 188
Moranga com batata frita 117
Nabo abafado com shoyo 118
Nabo com ervilhas 117
Nabo diferente 118
Nabo refogado 118
Nhoque de abóbora 221
Nhoque de batata 222
Nhoque de cará 223
Nhoque de mandioca 223

Paçoca 347
Pãezinhos com nozes e passas 243
Pãezinhos com recheio salgado 243
Pãezinhos com temperos verdes 244
Pãezinhos de triguilho 245
Pãezinhos em nó 245
Pãezinhos integrais sem fermento 242
Pãezinhos parafusos de gergelim 246
Pãezinhos sem fermento recheados de
banana 247
Panettone 247
Panqueca de banana-prata, mel e
canela 296
Panquecão 159

Panquecão de banana 296

Panquecão de milho 160

Panquecas fininhas recheadas com
doce de banana 297

Pão com castanha e banana passa 248

Pão com centeio e doce de banana 249

Pão com centeio e gergelim 248

Pão com chocolate 249

Pão com doce de banana-marmelo 250

Pão com farinha de trigo integral
simples 250

Pão com legumes coloridos 251

Pão com tomates secos 252

Pão de abóbora 252

Pão de aveia em flocos 253

Pão de banana 253

Pão de batata-doce 254

Pão de centeio 255

Pão de farinha de arroz integral 255

Pão de forma com fubá 256

Pão de fubá e glúten 256

Pão de gergelim 257

Pão de glúten 257

Pão de grãos 257

Pão de mandioca 258

Pão de mel 330

Pão de mel no microondas 331

Pão de mel tradicional 331

Pão de milho verde 259

Pão de quatro cereais 259

Pão de triguilho 260

Pão doce 260

Pão doce com nozes e tâmaras 261

Pão fofo com mandioca 262

Pão integral básico 262

Pão integral com flocos de centeio 263

Pão integral com fubá e extrato de soja 264

Pão integral de germe de trigo e flocos de
centeio 264

Pão integral fácil 265

Pão misto 265

Pão no vapor 266

Pão para sanduíches 266

Pão recheado com bananas 267

Pão recheado com missô 267

Pão recheado para lanche 268

Pão redondo 269

Pão refeição 269

Pão-torta com sobras de legumes e
verduras 270

Pãozinho integral adocicado 271

Pãozinho integral para sanduíches 272

Pãozinho tipo francês 272

Parafuso com milho 224

Parafuso com tomate 224

Pasta árabe com tofu 231

Pasta de abacate 235

Pasta de abacate para salada 231

Pasta de abóbora 236

Pasta de berinjela 236

Pasta de berinjela e tahine 231

Pasta de brócolis 236

Pasta de cenoura 237

Pasta de cenoura e azeitona 232

Pasta de pimentão 232

Pasta de raiz-forte 232

Pasta de tahine e couve 237

Pasta de tahine e folhas de mostarda 237

Pasta de tahine e pimenta-do-reino
verde 237

Pasta de tofu chilena 233

Pasta de tofu com coentro 233

Pasta de tofu com mostarda 233

Pasta de tofu com tahine e salsa 234

Pasta de tofu e tahine 234

Pasta de tofu verdinha 234

Pasta de tomate para sanduíches 235

Pasta vermelha para sanduíches 235

Pastel assado de maçã 300

Pastel assado de milho 148

Pastel assado de palmito 149

Pastel assado integral de espinafre 150

Pastel assado integral de tofu 150

Pastel com recheio de cenoura e
brócolis 151

Pastel de abóbora kambutiá e
cogumelo 151

Pastel de banana 301

Pastel de folhas de nabo 152

Pastel de maçã 290

Pastel de mamão verde 152

Pastelzinho assado de amoras 302

Pastelzinho assado de cogumelo 153

Patê de tofu cremoso português 238

Pé-de-moleque 347

Pequena torta folhada de palmito 175

Picles de nabo comprido 52

Pirão 118

Pizza de banana frita com molho de
cenoura 188

Pizza de banana para sobremesa 189

Pizza de berinjela 190

Pizza de beterraba 191

Pizza de brócolis e cenoura 192

Pizza de brócolis e cogumelo ... 193
Pizza de cenoura e alcaparras ... 194
Pizza de cogumelo fresco ... 194
Pizza de ervilha fresca ... 195
Pizza de milho ... 196
Pizza de palmito e banana frita ... 197
Pizza de pimentão com milho verde ... 198
Pizza de tofu e escarola ... 199
Pizza fechada (calzone) de palmito ... 199
Pizza fechada (calzone) de pimentão e
manjericão ... 200
Pizza integral de tofu e tomates ... 201
Polenta ... 119
Polenta ao forno ... 119
Polenta frita ... 153
Prato de frutas frescas ... 347
Proteína de soja com milho e azeitonas ... 120
Proteína de soja com palmito ... 120
Proteína de soja grande ... 121
Pudim de pão ... 348
Purê de abóbora ... 154
Purê de batata-doce ... 154
Purê de batata-doce com
ameixas pretas ... 154
Purê de batata-inglesa ... 155
Purê de ervilhas secas ... 155

Quadrados de amendoim ... 348
Quadrados de berinjela ao forno ... 121
Quiabo com manjericão ... 121
Quiabo com milho verde ... 122
Quiabo com tomates secos ... 122
Quiabos fritos ... 156

Raízes no vapor ... 122
Raladinho agridoce ... 17
Receita para 2 pães ... 273
Receita para 4 pães grandes ... 273
Recheio de cenoura e cogumelo para
panquecas ... 161
Recheio de cenoura para panquecas ... 160
Recheio de palmito com molho de
tomate para panquecas ... 161
Recheio de tofu para panquecas ... 162
Recheio de vagens e azeitonas verdes
para panquecas ... 163
Recheio para esfihas com acelga ... 203
Recheio para esfihas com
ervilhas frescas e cenoura ... 203
Recheio para esfihas com proteína de
soja miúda ... 204

Recheio para esfihas de folha de nabo ... 202
Recheio para esfihas de repolho e
flocos de erviilha ... 202
Refogado de legumes ... 113
Refresco de gengibre ... 366
Repolho à francesa ... 123
Repolho com cogumelos e azeitonas ... 123
Repolho cremoso com tomates secos ... 123
Repolho e milho ... 124
Repolho em tiras ... 124
Repolho roxo com maçã e curry ... 125
Repolho simples ... 125
Risoto com arroz integral ... 84
Risoto com proteína de soja ... 85
Risoto de cogumelos frescos ... 86
Risoto de palmito e alcaparras ... 86
Roscas de chocolate fritas ... 290

Salada de abobrinha e
temperos verdes ... 18
Salada de agrião e
abobrinha italiana ... 19
Salada de agrião
e vagens grandes ... 17
Salada de alface e aspargo ... 18
Salada de alface sofisticada ... 19
Salada de aspargo e batata ... 20
Salada de azedinha e
broto de feijão ... 20
Salada de batata e chuchu ... 20
Salada de berinjela ... 21
Salada de berinjela assada ... 21
Salada de beterraba cozida e
temperos verdes ... 22
Salada de beterraba, pimentão e
alcaparra ... 23
Salada de beterraba, repolho e
outras verduras ... 22
Salada de brócolis e tomates ... 23
Salada de broto cru ... 24
Salada de brotos de ervilhas ... 24
Salada de chicória crua ... 25
Salada de chuchu e azeitonas ... 25
Salada de chuchu e milho ... 26
Salada de chuchu recheado ... 26
Salada de cogumelo e alface ... 27
Salada de couve-de-bruxelas ... 27
Salada de couve-flor, brócolis e cenoura ... 28
Salada de ervilhas frescas com
cenoura ... 28
Salada de feijão branco e
salsa fresca ... 29

Salada de folhas requintada 29
Salada de frutas 348
Salada de frutas com chocolate 349
Salada de grão-de-bico com
pimentão vermelho 29
Salada de jiló 30
Salada de jiló com azeitonas e
salsa 30
Salada de legumes com molho de
maionese sem ovos 31
Salada de legumes com
molho roxo 31
Salada de lentilhas e rúcula 32
Salada de macarrão argolinha 18
Salada de maxixe cru e tomate 32
Salada de melão 33
Salada de palmito e acelga 41
Salada de pepinos com tomates 33
Salada de pimentão amarelo
recheado 34
Salada de pimentão verde
recheado 34
Salada de pimentão vermelho
recheado 34
Salada de quiabo 35
Salada de rabanetes enfeitados 35
Salada de repolho picado e azeitona
portuguesa 36
Salada de repolho roxo 36
Salada de tomates e beldroega 37
Salada de vagem e cenoura 37
Salada no abacaxi 37
Salada picadinha 38
Salada romena 38
Salada tipo maionese com
beterraba 39
Salada tradicional de broto 24
Salada tricolor 40
Saladinha de palmito 40
Salpicão 41
Shop sue 56
Sobremesa de abacate 349
Sobremesa de abacaxi 350
Sonhos 302
Sonhos com castanha-do-pará e maçã 303
Sopa com macarrão e cogumelo 57
Sopa comum 58
Sopa cremosa de abóbora com
grão-de-bico 59
Sopa cremosa de beterraba com tapioca 59
Sopa cremosa de cenoura 60
Sopa cremosa de couve-flor e
ervilhas 60

Sopa cremosa de legumes 61
Sopa cremosa de milho 61
Sopa cremosa de milho verde 62
Sopa de arroz 62
Sopa de arroz e abobrinha 62
Sopa de batata e aspargos 67
Sopa de batata e brócolis 63
Sopa de batata e repolho 63
Sopa de beterraba 64
Sopa de chuchu, cenoura e
cogumelo 64
Sopa de couve-flor e abóbora 65
Sopa de ervilha seca e brócolis 66
Sopa de espinafre 66
Sopa de feijão azuki 67
Sopa de feijão reforçada 68
Sopa de funghi seco 69
Sopa de grão-de-bico e
beterraba crua 69
Sopa de grão-de-bico e repolho 70
Sopa de legumes 73
Sopa de legumes com cogumelo francês ... 70
Sopa de legumes com spaghetti 71
Sopa de legumes e arroz 72
Sopa de legumes e funghi 72
Sopa de lentilha 57
Sopa de mandioca 73
Sopa de mandioca com
cogumelo 74
Sopa de mandioquinha 74
Sopa de mandioquinha e
abóbora 75
Sopa simples de ervilha com
aveia 66
Sopa simples de feijão preto 75
Sorvete de chocolate 350
Spaghetti com ervilha-torta 225
Spaghetti com molho de tomate simples,
peneirado 225
Spaghetti com molho verde 226
Spaghetti com proteína de soja e
alcaparras 226
Spaghetti com rodelas de berinjela 227
Suco cremoso de papaia 367
Suco de abacaxi cozido 366
Suco de banana e erva-doce 367
Suco de camomila e pêra 368
Suco de capim-cidreira e pêssego 368
Suco de casca de abacaxi cozida 367
Suco de cascas de abacaxi 367
Suco de jabuticaba 368
Suco de laranja, abacaxi e carambola 368

Suco de laranja com ameixas frescas 369
Suco de laranja com cenoura 369
Suco de laranja com couve 369
Suco de laranja com morangos 370
Suco de laranja com pêra 370
Suco de maçã 370
Suco de manga e acerola 370
Suco de maracujá e mamão 371
Suco de marcela e kiwi 371
Suco de melancia 372
Suco de tangerina 372
Suco para a noite 372
Suco suave 372
Suco verde com sojinha torrada 373
Suco vermelho 373
Suflê de chuchu 163
Suflê de milho 164
Suflê de milho e aspargos 164
Suflê de ora-pro-nóbis e milho 165
Suflê de palmito 165
Supersopa de feijão 75

Tabule 41
Talharim com molho de tomate e
   berinjela 228
Tofu 238
Tofu em cubinhos com couve-flor 125
Tomates recheados 126
Torta de abóbora e ervilha-torta 176
Torta de banana 278
Torta de banana e passas 278
Torta de banana-nanica com
   massa podre 279
Torta de berinjela e batata 177

Torta de brócolis com massa podre 178
Torta de couve-flor e estragão 179
Torta de escarola 179
Torta de farinha de pão e banana 279
Torta de folhas com banana 180
Torta de grão-de-bico e escarola 181
Torta de maçã 280
Torta de maçã e frutas secas 280
Torta de mandioca e milho verde 181
Torta de morangos 281
Torta de pão com banana-d'água 282
Torta de tofu com brócolis 175
Torta de tofu com chuchu 182
Torta de tofu com couve-flor 176
Torta de tofu com grão-de-bico 182
Torta de tofu e abóbora 183
Torta folhada de brócolis 184
Tortinhas de maçã 282
Trança doce de coco 274
Tutu de feijão mole 126
Tutu de feijão na forma 127

Uvas em calda 358

Vagem ensopada 127
Vatapá de inhame 128
Vitamina energética de banana e
   abacate 374
Vitamina energética de mamão 374

Xadrez de legumes 128